U0149335

蝶 香 夢

姬 嫣 著

文 學 叢 刊

文史哲出版社印行

國家圖書館出版品預行編目資料

蝶香夢 / 姬嫣著.-- 初版 -- 臺北市：文史哲，
民 108.03
頁；　公分（文學叢刊；401）
ISBN 978-986-314-455-7（平裝）

857.7　　　　　　　　　　　　　108003246

文　學　叢　刊　401

蝶　香　夢

著　　　者：姬　　　　　　　　嫣
出　版　者：文　史　哲　出　版　社
http://www.lapen.com.tw
e-mail：lapen@ms74.hinet.net
登記證字號：行政院新聞局版臺業字五三三七號
發　行　人：彭　　　　正　　　　雄
發　行　所：文　史　哲　出　版　社
印　刷　者：文　史　哲　出　版　社
臺北市羅斯福路一段七十二巷四號
郵政劃撥帳號：一六一八〇一七五
電話886-2-23511028・傳真886-2-23965656

定價新臺幣五六〇元

民國一〇八年（2019）三月初版

序

　　女子如花。花一樣的容貌，花一樣的芬芳，花一樣的怡人：或嬌豔，或高雅，或嫵媚……佳馨是桃花，岩琳是芝蘭，波微是水仙，媞容是玫瑰……

　　女子如鳥。鳥一樣的心高，鳥一樣的自由，鳥一樣的妙音：或溫柔，或純潔，或勇敢……佳馨是夜鶯，岩琳是鴻鵠，波微是家燕，媞容是鷓鴣……

　　女子如煙。煙一樣的炙熱，煙一樣的不羈，煙一樣的縹緲：或苦澀，或香暖，或辛辣……佳馨是中華，岩琳是哈德門，波微是玉溪，媞容是哈瓦那雪茄……

　　女子如酒。酒一樣的品味，酒一樣的個性，酒一樣的醉人：或醇厚，或甘甜，或淡泊……佳馨是竹葉青，岩琳是白蘭地，波微是香檳，媞容是白乾……

　　女子如糖。糖一樣的甜蜜，糖一樣的粘稠，糖一樣的滑膩：或甘爽，或溫軟，或誘惑……佳馨是口香糖，岩琳是薄荷糖，波微是高粱飴，媞容是黑巧克力……

　　女子如茶。茶一樣的秉性，茶一樣的純淨，茶一樣的淡泊：或憬醒，或悠長，或沁人……佳馨是碧螺春，岩琳是普洱茶，波微是龍井，媞容是杏仁奶茶……

　　女子如水。水一樣的情懷，水一樣的質地，水一樣的姿態：或平穩，或激越，或明澈……佳馨是小溪，岩琳是深潭，

波微是池塘，媞容是瀑布……

女子如詩。詩一樣的風流，詩一樣的浪漫，詩一樣的韻致：或輕靈，或超逸，或婉約……佳馨是《月下獨酌》，岩琳是《望嶽》，波微是《洛陽女兒行》，媞容是《香奩集》……

女子如書。書一樣的蒼勁，書一樣的豐腴，書一樣的高詣：或秀美，或飄逸，或莊重……佳馨是《蘭亭序》，岩琳是《麻姑仙壇記》，波微是《寶晉帖》，媞容是《玄秘塔》……

女子如畫。畫一樣的色調，畫一樣的意境，畫一樣的迷人：或濃墨，或白描，或抽象……佳馨是國畫，岩琳是印象派，波微是前拉斐爾派，媞容是立體派……

女子如曲。曲一樣的跌宕，曲一樣的悠揚，曲一樣的惆悵：或歡快，或奔放，或婉轉……佳馨是《陽春白雪》，岩琳是《高山流水》，波微是《春江花月夜》，媞容是《十面埋伏》……

女子如香。香一樣的天然，香一樣的安靜，香一樣的恬適：或清雅，或春情，或醺醺……佳馨是豆蔻，岩琳是薰衣草，波微是露華濃，媞容是香奈兒 5 號……

女子真好。佳馨美好，岩琳靜好，波微娟好，媞容姣好……

「小山重疊金明滅，鬢雲欲度香腮雪。」《蝶香夢》以女子獨有的細膩敏感，調配一次香薰，伴你入春閨幽夢……

蝶香夢

　　以思想和力量來勝過別人的人，我並不稱他們為英雄，只有以心靈使自己更偉大的人們，我才稱之為英雄。

—— 貝多芬

賞心悅事

　　佳馨上高中。

　　佳馨容貌清新，髮辮整齊黑亮，額頭白如白玉蘭，五官精緻，稚嫩的臉閃出靈光。

　　春天的校園，籠罩在夕陽中。

　　佳馨站在廊下，金色如酥的雲朵像一團團黃棉花，她看著看著，思春之念萌發：「如花美眷，似水流年……」

　　「如花依然美眷，似水載不動流年。」一個男聲傳來。

　　不知過了多久，她一側頭，見到不遠處的宗嶺。他站在那裏，任憑夕照描繪挺拔的身架，清潭般深邃的黑眸凝視遠方……

　　宗嶺走過來，倆人並肩而立。

　　「看什麼呢？」宗嶺低聲詢問。

　　「看霞。你呢？」

「我也是。真美。」宗嶺一語雙關。

甜蜜的、新鮮的預感 —— 一種半意識的莫名其妙的羞澀的預感在佳馨心中生生繁衍⋯⋯

如花美眷逢陌上少年，楊柳熏風媚似水流年；芳心動，蝶衣動⋯⋯

請　教

佳馨做完功課，拿出《莊子》：感覺「天地與我並生，萬物與我為一」的境界⋯⋯

宗嶺拿著一份英語試題向她請教。佳馨是班裏的英語課代表。

佳馨細緻耐心地輔導著，聲音時而像大珠小珠落玉盤，叮叮噹噹，純正動聽；時而像微風裏柔婉悅耳的琴瑟，優雅渺遠，餘音嬝嬝⋯⋯

宗嶺情不自禁想買個音樂盒送給佳馨，因為她的聲音像音樂盒裏發出的一樣美妙。

初戀的覺醒

佳馨為宗嶺變得越來越楚楚動人：她依舊素面朝天，卻更愛自己的

髮

黎明

我把祈禱編結進髮辮

還有曙光　露珠　桃金娘的芬芳
黃昏
我輕輕鬆開秀髮
讓思緒伴著髮縷隨風飄揚
像翻卷微微的波浪

哦
微微的波浪
無邊的遐想
你放飛我
把你自己的飄逸
傳送到我的心房

哦
我的心房
髮絲般的纏綿縈繞膨脹
彷彿葡萄藤延伸的觸鬚
尋覓愛的方向

佳馨做一夢：她每梳一下頭，髮間就落下閃閃發亮的紅寶石……

她向宗嶺講述自己的夢。宗嶺說：「我是獅子座，幸運石是紅寶石。」

宗嶺背誦波德賴爾的詩 ──

長久！永遠！我的手在你濃密長髮內

將散播紅寶石、珍珠和碧玉

好讓我對你的欲望，你絕不會充耳不聞

佳馨的臉羞紅了。

「女生們一定羨慕妳的秀髮。」宗嶺肯定。

「頭髮有什麼可羨慕的？」佳馨不以為然。

果然。

女生們向佳馨討教秀髮秘笈。

佳馨答：「你只要想像你看到的每一個人，頭髮都很黑很亮很多，就可以了。」

清晨，每當她走進教室，宗嶺都驚訝於她的美好，像換新姿的紫羅蘭，整個明媚芳香的春季都和她一起撲面而來⋯⋯每個看見她的女孩兒，都想照照鏡子瞅瞅自己，希望和她一樣俏麗。

佳馨和宗嶺心有靈犀一點通，彼此的一個眼神，一抹微笑，一舉一動就隱含著千言萬語，令他們心領神會，感受到初戀覺醒的喜悅⋯⋯

佳馨沒趕上吃晚飯，課桌上就會有一個饅頭；

佳馨說睏，課桌上就會有一瓶風油精；

一個壞男生志勇把佳馨惹哭了，課餘就挨宗嶺一頓狠揍；

宗嶺約佳馨騎單車買年畫。佳馨苦練騎車，摔第一個跤，就被宗嶺見到。

佳馨參加校運動會，獲跳高冠軍。

宗嶺送給她一袋紅櫻桃。

佳馨好喜歡

紅櫻桃

紅櫻桃

春神摘下的紅玉耳墜

姹女灑下的胭脂淚

經一陣清風凝璎

紅櫻桃

一個個虔誠的精靈

將心燒得如火苗為春搏動

笑顏微酡

讚美著生命生命生命

紅櫻桃

綠葉悄悄掩映　陽光暖暖縈繞

臉龐越羞越紅

痛楚地

渴望著愛情愛情愛情

紅櫻桃

眨動著晶瑩透澈

逼視的眼睛

堅拒滴血的蠱惑聲聲

呼喚著和平和平和平

啊　櫻桃時節
俏皮的畫眉　活潑的黃鶯
啼囀歡躍和我們一起歌頌
生命愛情和平

宗嶺和佳馨去乾涸的河灣挖泥鰍。宗嶺一鍬下去，就有三、五隻活蹦亂跳的泥鰍。宗嶺挖不停，佳馨撿得不亦樂乎。

宗嶺用賣泥鰍得來的錢，給佳馨買了一套她嚮往已久的《辭源》。

佳馨和宗嶺之間的感情是純潔的、溫柔的，宛如榛樹叢裏的幽谷雛菊發出清雅沁人的馨香，幸福感微妙地一直持續……

他倆在一起，好比

花兒與少年

晨曦映照垂柳下青綠山水的碧色
錦屏璀璨瑣窗內工筆豆蔻的豔絕
烏亮漆黑麻花長辮上棲息著兩只粉蝶
少年左肩上背著軍用書包裝著《靜靜的頓河》
白棉布裙子少女懵懂萌發的忐忑
期盼著漫長的暑假總也不要開學
書生氣少年靦腆善意坦然地瞻望著這個世界
愛戀《浮士德》獨守春閨挽髮成辮的瑪格麗特

　　醞釀蟾宮折桂的崢嶸歲月

　　米拉米亞頂著荷葉回家的天真活潑

　　心有靈犀一點通北斗七星的天造地設

　　在水一方默默守護著皎潔的圓月

一直到出現了

秋　韻

　　班裏轉來了一位驚豔全校的女生，她叫秋韻，身材勻稱，喜歡穿米色短風衣。

　　她辮子上繫著絲質的一窩小鳥。勻整的雙眉像經過修飾，半遮半掩地藏在密長的睫毛下的一對大眼睛顧盼自如。若隱若現的小梨渦，時時浮現一圈笑意，「咯咯咯咯」的笑聲令相交不深的人以為是少女天真爛漫的標誌；令討厭她的人認為她笑是一把刀，恨不得把每個她懷恨的人都切割得片片兒飛；喜歡她的人認為那笑也是一把刀，像伍爾芙所言：「它既修剪，又整枝，使我們的行為舉止、言辭文筆合乎分寸，真摯誠懇。」

　　有的女生暗地裏罵她：「脅肩諂笑，病於夏畦。巧言令色，鮮矣仁。」

　　但佳馨不會。

　　因為她知道：笑聲越響亮，心靈越空虛。只有阿 Q 才天天快樂如「笑面人」。

　　秋韻教全班唱歌，那是一首當時最流行的《望星空》，佳馨一下就對她有了好感。

追　求

秋韻眼裏，宗嶺是個神秘人物。

老師表揚他，他不耐地皺緊眉頭；老師批評他，他喜形於色，有古人「樂聞己過」的遺風。

他不拘一格的舉止風度對秋韻有難以抗拒的吸引力，而他深奧的談吐令秋韻似懂非懂，如聽「天書」。

惟其如此，宗嶺是她心中仰之彌高，攀之彌切的一座高峰，自有一股清秀靦腆、拘束天真的書卷氣讓她欽慕。

和志勇在一起就有趣得多。可他太淺薄，像個小小頑童，秋韻看不起。

秋韻留心宗嶺的作息時間，把一次次蓄謀裝成「邂逅」。教他跳迪斯可，她的歌喉展示得像黃鸝鳥，笑起來像被人搔腋窩，起伏的蕩漾的聲浪恨不得讓聾子也聽見，為她鼓掌。

漸漸地，漸漸地，秋韻南方的嫵媚綽約與北國的熱情奔放使宗嶺招架不支。優雅的百合固然賞心悅目，濃烈的玫瑰香精卻刺激挑逗感官，令人欲捨不能。

情　書

佳馨愛美的天性使她格外欣賞秋韻。她覺得秋韻漂亮，很合得來。

　　秋韻卻本能地把佳馨當做自己最有力的情敵。

　　課間，秋韻撫摸佳馨的披肩長髮，比較說：「你的頭髮比我厚，可不如我的滑。」

　　佳馨不予理會。

　　「宗嶺瀟灑。」秋韻向雙杠上翻飛的宗嶺暗送秋波。

　　「宗嶺灑脫。」佳馨更正：「瀟灑做作，灑脫自然。」

　　「王爾德說，一個男人不矯揉造作，就失去了美感。」秋韻反對。

　　「一個女子矯揉造作，就失去了藝術感。」佳馨接下句。

　　「你是一件自然美的藝術品。」秋韻滿臉媚笑，卻言不由衷。

　　秋韻竭力籠絡佳馨，騙取她的友誼和信任。大掃除。倆人合夥擦玻璃。佳馨不小心推窗框，擠了秋韻的手，忙不迭地抱歉：「對不起！」，過意不去。然而，秋韻不但不生氣，還向佳馨微笑。她的笑容如此甜淨，佳馨感動得立即把她認作知己。她甚至向秋韻表白了她對宗嶺的愛慕，請她幫忙傳遞情書。佳馨自己實在缺乏勇氣。

　　秋韻盯著佳馨發亮的眼眸，隱藏起強烈的憎恨，保證：「我當紅娘，不辱使命！」

　　伴隨友誼的加深，佳馨為她寫下

銀杏

校園　銀杏樹

扇形碧綠葉子鑲一道金邊

陽光下　倩影婆娑
你輕快地笑　搖落
黃鸝鳥巧囀的清歌

笑靨洋溢檸檬芳香
橙黃桔綠
圓熟的光澤

你是雷諾阿畫筆下的少女
閃爍大麗花的光澤
你是藍色多瑙河圓舞曲
掀起曼妙的裙紋漣波

啊　撿起一枚銀杏葉
做成標本
銘記秋天蕭颯的收穫

　　秋韻回家偷看完信，靈機一動，計上心來：她重抄一遍，不加署名。然後，把佳馨的信撕成碎片。
　　秋韻把剽竊的情書交給宗嶺

　　　　戀　歌
　　想著你　念著你
　　一往情深地戀著你
　　深夜伴隨你的身影入睡
　　黎明默頌你的名字醒來

你瀟灑倜儻的風采
如法桐透日光
你含而不露的表白
似廳前滋蘭苣

恬著你　愛著你
義無反顧地奔向你
言語無需
思索不必

只知道不能自已
夢魂兒飛去探看你

激情噴湧奔放心中
愛的極致
結一顆聖潔的果實
珍惜　一定要珍惜
像呵護自己的呼吸
珍惜鮮嫩的色澤
珍惜纏綿的香氣
點點滴滴純情凝聚成露珠
悄悄溫潤
還不能嚐甜蜜

　　宗嶺被字裏行間純真的愛打動，把它看得十分神聖，由
衷地讚歎：「情真意切，字字珠璣。秋韻，你真是深藏不露！」

「還不是受了你的薰陶！」秋韻衝宗嶺嬌笑，和他的感情有了質的飛躍。

秋韻加緊攻勢。每當宗嶺對她侃侃而談，她就一手托腮，一雙媚眼仰慕地瞧著他，目光像兩汪甘泉湧入宗嶺的心田流淌，青春的血液迴旋加快，本能的渴求在血液的歡騰中流淌。

贈　詩

佳馨心胸坦蕩，看到宗嶺秋韻相處得如此融洽，不但不妒忌，反而更加愉悅，給秋韻寫了一首

四季女兒情
像微風裏飛來一聲鳥音
曲也嘹亮　調也迷人

像池塘裏飄過一絲荷馨
芳也怡悅　香也醉心

像明月裏灑下一束光陰
爽也沁襲　亮也溫存

像冬雪裏含蓄一縷梅韻
純也優雅　潔也清新

　　秋韻對佳馨說：「宗嶺真清高，blue blood（貴族血統）。」為和佳馨競爭，秋韻惡補英語。

　　佳馨不以為然，覺得宗嶺像個大學生，還是「五四」時期的。秋韻深知宗嶺心系佳馨，便留意佳馨的愛好：佳馨讀《昭明文選》，她也讀；佳馨穿綠百褶裙，她也穿；佳馨賞朝霞，她也賞；秋韻只知模仿，卻不知應了一句話：「模仿是最大的諂媚。」

驚　變

　　週末的清晨。

　　緊張學習後，佳馨撐一把紫綢傘在小雨中漫步。她偶爾在田野中發現星星點點的蔦蘿和石竹，就高興地走過去，蹲在那裏愛撫它們，瞧著它們臉頰上的水珠兒出神，「**一把雨傘遮嬌顏**」。

　　忽然，一陣歡快的聲響打破周圍的寂靜。

　　佳馨看見了秋韻和宗嶺。

　　倆人共撐一把傘，宗嶺吟詠著自己即興創作的新詩

雨　韻

我們在大自然的懷抱裏相遇
是愛神將我們緊緊聯繫在一起
蒼穹為我們下了一場小雨
嫩嫩竹筍成為生花妙筆
飽蘸蘑菇硯裏的甘霖
把心中愛慕

　　盡情寫在大自然的胸襟
　　我們在寶石湖裏採藍
　　我們在翡翠林裏拾綠
　　把人世間最高潔的素雅
　　凝成純真的戀曲
　　把紅塵裏的依依眷戀
　　織成人生最美好亮麗的花環
　　哦
　　看見嗎？
　　雨珠正向我們眨眼

　　秋韻的笑容正如她手中捧著的一大把玫瑰，心花怒放得意忘形地炫耀著自己的美豔。

　　在樹叢裏的一棵夾竹桃旁，紅花開得如火如荼。他們站住了。

　　秋韻握住宗嶺的腕，雙眸炯炯，如癡如醉地注視著他；倆人的目光凝聚，親昵的氛圍浮動在激情的氣流中。若有若無的雨絲撥亂他們的頭髮，那把紅玫瑰灑落一地。

　　佳馨恍惚覺得眼前的一幕是個令她難以置信的夢。可是，那白細的手臂，濺濕的裙裾，精雕的腳踝，半高跟黃色涼鞋……逼真得刺眼。秋韻裙上的玫瑰紅水彩般鮮明，漸漸地漫去，帶給佳馨悠悠的悒鬱和傷感。

　　佳馨扭頭就走，不看聚攏在一起的宗嶺和秋韻。

　　生命瀚海中的一次早潮，無情的欺詐拋錨，帶給佳馨心目中稚嫩的創痛。

星般的雨滴為她而閃爍，像她的淚珠，向著沈默的叢林，向著迷蒙的煙柳⋯⋯

星般的花朵落了，正如辛棄疾詞曰：「**甚無情便下得雨僝風僽，向園林鋪作地衣紅縐。**」佳馨心靈裏所有春天綻放的花朵一下子全掉在雨點滴濕的泥潭，繽紛雜亂，被夏的雨水玷污了⋯⋯

失去的幻影

佳馨不知道自己怎麼回的家。

她在日記中寫下魏夫人的「定風波」：

「**不是無心惜落花。落花無意戀春華。昨日盈盈枝上笑。誰道。今朝吹去落誰家。把酒臨風千種恨。誰問。夢回雲散見天涯。妙舞清歌誰是主。回顧。高城不見夕陽斜。**」

深夜。

佳馨呆呆獨坐，情緒的真空：提前的季風吹綻一樹辛夷春睡初醒，緊跟的寒氣催她速速凋零；先熟的櫻桃被蜂兒蟄痛；過早的戀情是女孩的不幸。

「**一春幽夢有無間。**」納蘭容若：水做的男人；

「**橫刀奪愛起狂瀾。**」秋韻：泥做的女性。

佳馨擲筆，喟然長歎！

秋韻不是銀杏，是酸杏。

少女的自尊與自矜使佳馨把失戀的痛苦竭力掩飾住。

這是不是很可悲，很殘酷？宗嶺把她帶入一個無瑕的思

春夢；他卻在另一個仲夏夜之夢另覓新歡。

　　為什麼？！為什麼？！佳馨不停地問著自己，問著心中的宗嶺，心憂傷抽泣，從此

無　題

人生春秋幾多夢，風花雪月伴妙齡。
曉誦但憐秋露寒，夜吟唯見月光明。
二八華年尋麗句，九重風物覓詞雄。
膏雨潤田細無聲，潛心詩書入佳境。

　　佳馨用書本為自己砌一個堅固的堡壘，在勤奮與孤獨中自強不息，復原自己青春的朝氣生機，任秋韻不可一世地在她眼前以勝利者自居：她穿和宗嶺同樣的長褲，儼然一對情侶，一起上學，放學。

　　和秋韻熱戀不久，收回理智的宗嶺意識到自己和秋韻的境界是兩個洞天。她喜歡在大庭廣眾中花枝招展地征服別人，對一群崇拜者搔首弄姿；而他喜歡於濃蔭下沈思冥想，自得其所。她在名利場裏尋歡作樂；而他卻像個哲人，仰視蒼穹。

　　對於佳馨，宗嶺覺得連看她一眼都不配……

高　考

　　高考像一陣勁風，刮走了沉甸甸的高中時代。

　　拿到大學錄取通知書，佳馨默默把課本、參考書裝進紙箱，而在她的靈魂深處卻寂然有聲：「我成功了！成功了！」

是的，過去的歡樂和憂傷都該封存。

　　新生活開始了！

幻想與現實

　　深夜。燈下。

　　佳馨在看書，父親伏案繪圖。

　　時而暗香飄來，時而鳥兒啼叫……

　　纏綿悱惻的戀情令佳馨黯然銷魂。「別了，綠蒂！」維特的槍聲一響，佳馨成了淚人。

　　父親兩鬢已斑白，睿智的目光在圖紙上探尋，為了煤炭機電事業，日以繼夜，繼續煥發青春。

　　佳馨是一個生長在小說名著氛圍中的女孩，用幻想給窗子掛上簾櫳，歌德傷感的文筆令她怦然心動，面對父親的滄桑，月光中薄紗般透明。

　　風花雪月不可以拒絕腳踏實地的勞作。佳馨意識到自己應該像父親選擇更加真實的生活 —— 此刻，玫瑰芳香刺激可辨，佳馨會不會讓夜鶯的歌唱，使寶貴的青春失眠？

　　一首首熱得沸騰的驪歌即將唱徹明天；

　　一幕幕女孩奮鬥成長史詩即將亮臺上演！

誤　會

佳馨和父親來到火車站，上大學報到。

上車後，他們放好行李。

對面一位男乘客，自我介紹：「我是刑滿釋放的勞改犯。」

佳馨和父親客氣地點點頭。

父親下車後，微笑著朝佳馨招招手，回家。

佳馨看著父親遠去的背影，淚不聽話地流下。

對面的男乘客一直默默無語，上上下下打量佳馨，笑笑。

他旁邊上來兩個外國青年，一男一女，都穿著旅遊鞋。

女青年伏在案幾上，頭枕著胳膊。

男青年在看書。

佳馨想了想，向男青年打招呼：「Hi！」

兩人攀談。

男青年語氣謙和，問佳馨：「你是遊客嗎？」

佳馨被他的誠懇打動，說話也活潑有趣。

倆人談笑風生。女青年抬起頭，綠眼睛充滿敵意地仇視佳馨一眼。

佳馨頓感羞辱：自己打擾她休息了嗎？

男青年滿臉通紅，不好意思地低頭，遞給佳馨一本英文書。

佳馨一個單詞也看不進去：女青年一定誤會了自己，自己其實對他的男友並不覬覦。

到泰山站。這對男女下車。佳馨才復原。

披　衣

夜幕降臨。

車廂裏溫度下降。佳馨穿著白裙子，冷得收緊胳膊。

男乘客拿下衣鉤上的西裝上衣，給佳馨披上。他動作輕而不經意地自然，彷彿思考也是多餘。佳馨瞧瞧他，他平靜地回視。

西裝上衣厚而溫暖柔和，佳馨不冷了。

列車到站。

男乘客主動幫佳馨取提行李。佳馨本想自己來，怕傷他自尊，就沒好意思謝絕。

月　台

天還未亮，月臺上有幾盞燈。

佳馨一個人站著。

忽然發覺一個女孩也在附近。她梳著童花頭，頭垂得低低的，兩邊的黑髮遮著臉頰，眼睛圓而大，滴溜溜的怪動人。佳馨對她產生幾分好感：她小巧玲瓏，像一枝含羞待放的蓓蕾。

佳馨上前和她攀談。她說，她叫媞容。

校車來了，倆人一起上車，都是港城師範學院英語系新生。

下車後，真巧，倆人同班同宿舍。媞容從包裏取出兩個

蘋果，送給佳馨一個大的紅富士：「佳馨，妳有嬌蘭的香味。」

一隻蜜蜂嗡嗡嗡地正從佳馨的裙子裏飛出……

佳馨沒有任何化妝。

老　鄉

佳馨一進宿舍，就來了一夥老鄉。

他們都是帥哥，所有的床都坐滿，把身著白裙的佳馨團團圍在中央。裙子的品牌是「沒完沒了」：沒完沒了的男生，她沒完沒了的笑……他們對佳馨噓長問短，打聽佳馨的高考總分，家庭住址，佳馨一一回答。

他們走後，黃昏，又來一大批。

一位短髮女生走進門，見此情景，伸伸舌頭，縮回去，走出。

佳馨覺她面善。

晚上，佳馨和同宿舍的女生都認識了，才知道短髮女孩叫岩琳。

岩琳咋舌：「我以為你們高中全班男生來為你送行哪！」

佳馨想：我哪有那麼大的面子？你也太浪漫。她就微微笑笑。臨睡前，佳馨從小至今第一次認認真真照鏡子審視自己：眉眼秀氣，口鼻端正，臉上稀疏幾點雀斑，雖不美艷，但受看。

第二天，佳馨按老鄉的吩咐買《朗文英英詞典》和筆記本，又買一本《漢英詞典》。

岩琳鼓勵她：「好的開始是成功一半。工欲善其事，必

先利其器。」

　　佳馨自己也想好好用功，珍惜大學四年的美好時光，汲取外國文化智慧的精粹，豐富自己的人生……

排　長

　　一年一度的新生軍訓開始。

　　佳馨所在班級的排長是一位淳樸憨厚的新戰士。

　　他站在講台前自我介紹。佳馨坐在位子上饒有興致地看著他，微微一笑，他立刻不好意思地結束講話，匆匆忙忙行個標準的軍禮，離開教室。

　　佳馨和女生們到他宿舍玩，佳馨目不轉睛地瞅他。排長面紅耳赤，命令：「別這麼看我！」

　　佳馨不過以審美崇拜的眼光欣賞他頭戴帽徽，孔武有力的英姿：他首次被女孩圍觀，手足無措，稚態可掬。

　　佳馨抒情

窘　迫

我的眼不發射魅惑的電波
不知道怎樣含情脈脈
你的臉直紅至脖根
吶吶自語：「我有點暈」。

一對互相好奇的磁石
被命運的深淵阻隔
你秉賦山東壯漢泰山石敢當的踏實
缺乏南方雅士長江一瀉千里的灑脫
我有小家碧玉不知世故的青澀
沒有大家閨秀風情萬種的做作

我們就這樣窘迫地吸引著
除非你不是你　我不是我

練習射擊瞄準。

排長匍匐在草地上，挨著佳馨，細說要領：「缺口準星對準目標中央，屏住呼吸……」他漸漸呼吸急促，話也斷斷續續。

佳馨疑惑地盯著他。

排長意識到自己的失態，恢復自然，繼續示範。

佳馨連打兩個十環。排長豎起大拇指。

一位前來視察的軍區上校，器宇軒昂，英挺慧黠，走至佳馨面前，問：「大學生軍訓，你認為有必要嗎？」

佳馨響亮地回答：「報告首長，文治武功，齊頭並進，

富國強兵，捍衛和平！」

軍官點頭微笑：「有志氣！巾幗不讓鬚眉！不愛紅妝愛武裝。」

「不，我是不愛武裝愛紅妝，願戰爭從此從地球消失！」佳馨斬釘截鐵。

軍官默然，目視遠方，眼光深邃而又寥廓……

回到 819，媞容邊貼面膜邊感歎：「我一見那個軍官，人都要懵了，佳馨，你居然能回答他的問題！」

岩琳奚落：「他看見你現在這樣子才懵呢！」

媞容臉上正塗滿了海藻泥，她扮了一個可愛的鬼臉。

大家都被逗笑了。

波微抿嘴一笑：「佳馨和那個軍官站在一起，楚璧隋珍，世間難尋……」

佳馨什麼也不說，稚嫩的心底，只有純情……

學　習

班裏組織軍事理論學習。

佳馨摘抄 ——

《三十六計》第十計

笑裏藏刀

信而安之，陰以圖之；備而後動，勿使有變。剛中柔外也。

佳馨想起秋韻的笑，內含殺機，外示柔和，笑裏藏刀。
佳馨做

軍訓紀事

你拿一個本子側臉問我
「漂亮嗎？」
黑眸像墨玉透著精明深刻
「咱倆換換吧！」
面對你的懇求
我低頭一笑
感受你情懷灼熱

你高大瘦削
操練時
「嚓嚓嚓」軍裝筆挺
摩擦聲刀切般齊整

你說熄燈後
你們男生在宿舍
比較女兵的風格
像蒙古草原的女騎手
像戈壁沙漠的哈薩克
像江南水鄉的浣紗女
像秋風塞下的牧羊者

唯獨只有一個人

像壓軸戲你們保留著
那個古靈精怪的女孩
就是嘻嘻哈哈女兵群裏
從不願說話的我
休息時　總一個人躲在
偏僻的樹蔭角落
你們議論我的麻花瓣
真想知道你的感覺
「喜歡我的烏黑長髮嗎？」

你真好　對我那樣鍾情
難忘你黑亮的眼睛
精雕細刻的高鼻樑
唇堅毅得讓人心動

　　他叫彤星，佳馨眼中心裏的「戰神」，一舉一動都彷彿
親臨沙場，衝鋒陷陣，奮不顧身，浩氣衝雲，他把軍訓當成
實戰。

檢　閱

閱兵式正式開始。
佳馨被排在軸心位置。她舉止標準，激情滿懷。
女兵方陣像一首

松竹贊

換去石榴紅的女兒裝
穿上草綠色的迷彩服
身姿挺拔像青松翠竹般正直
臉龐紅豔像練兵場燦爛朝陽
碧血鏗鏘　英姿颯爽
蓬勃茁壯　我們有花木蘭
征戰疆場馳騁揚威的勇敢
無畏無懼　我們有穆桂英
絕不服輸勇往直前的倔強

心比男兒剛烈　情是俠膽柔腸
女兵自有豪情煥發的壯志
像松凜然正氣　凌霄沖天直上
女兵自有鋼筋鐵骨的英勇
像竹虛心有節　煉就過硬本領
女兵自有灑脫自如的智能

幾多酷暑　幾多血汗
幾許冷霜　幾許閃電
霹靂　是助我們正義神威
彩霞　是頌我們輝煌禮贊

此詩在學院廣播電臺播出，受到部隊首長嘉獎。

岩　琳

9 月 28 日，佳馨的「孔廟祈福」筆剛用新筆芯，正巧值孔子誕辰。

岩琳說：「《松竹贊》我聽了，精神可嘉。」

佳馨笑答：「那你就是我的南天竹，君子之花，真像你。」

倆人越說越開心。岩琳小名倩文，佳馨小名文君。

佳馨和她在一起，感覺

青春的心跳

給倩文

像久違的燕子重返舊巢

像遠遊的浪子近鄉怯意

見到你　我不敢高聲語

唯恐驚動我青春的心跳

和你的永相維繫

在宿舍小小的屋子裏

紗帳低垂　頭抵頭的我們

總也難以入睡

含羞敞開少女的心扉

靜靜綻放花季的秘密

你給我看瓊瑤的《窗外》

你提起替你焐暖手套的男孩

你和他走在大街上
你一口他一口「分梨」

守著那檯老式答錄機
我們聆聽「秋日的私語」
我也曾熱戀如火
我也曾痛苦難言
為一顆「玻璃心」
淚雨如注倒帶一遍遍
（真慶倖答錄機照轉）
你也惻惻
你也默默
一次次遞上紙巾
手上編織　心裏感歎

傍晚　我們坐在一起
杯子裏有新鮮橙汁
兌著話題　衝開心中塊壘
當星星碎片想敲碎窗玻璃
你為我挽好髮髻
約我到舞廳放鬆自己
撞碰那一片光怪陸離
你勸我別再尋尋覓覓
所有的生命都應該快樂
所有的快樂都應該珍惜

你讓我穿紅裙子

我送你翠綠毛衣
長大的我們
依然桃紅柳綠　依然孩子氣
倩文　文君天地靈氣
今生美麗
因為有你

合　影

軍訓結束，大家合影留念。

排長指著自己旁邊一把空椅子，特意叫：「佳馨，過來坐。」

媞容不悅。

佳馨大大方方走過去，端坐在排長身邊，「哢嚓」一聲，留下珍貴的瞬間。

照片洗好。佳馨發現：「自身光照耀，如日奪燈明。」如《佛本行經》所言。她開始內斂、含蓄、矜持，力求「光而不耀。」

媞容在照片上，鼻子都氣歪了，嘴噘得比早晨的喇叭花還高。媞容憤憤不平：「排長為什麼專門給佳馨留椅子？實在太不公平，佳馨每次照相都在正中⋯⋯」

佳馨自己也奇怪，一照相，同學們就圍攏在她四周，如眾星拱月，和外教合影也如此。

佳馨不好意思，對老外教謙恭地說：「您應該站在這裏。」自己讓在一邊。

佳馨不願多想，看《邊城》，聊發

邊城幽思

吊腳樓 石板路
清澈的瀘溪
觸目青山綠水
翠翠眸清眼亮
防備地看人 黃麂般乖

半夜飄來情歌
載著夢中翠翠上山
摘一大把豬耳草

翠翠 翠翠
美得像觀音
還在擺渡 等那個人
用翠竹般茁挺的青春

媞容不屑：「翠翠這名字土得掉渣。」
岩琳聲援：「我喜歡。水靈得像一把小背簍裏的野蔥，掐得出汁兒，聞得出清爽味兒。」

分　手

宗嶺考取北大。秋韻和志勇考上體育學院。
秋韻被譽為「體院一枝花」，炙手可熱，出盡風頭。

　　宗嶺逐步認清秋韻的人品：秋韻的庸俗令他反感；秋韻的輕浮令他煩惱；秋韻的慳薄令他遺憾。

　　佳馨清新如水中白花的倩影，熱情如浴日山丹的鮮活，聰慧如瑩潔碧玉的靈動，神秘如籠霧竹林的詩意在他腦海中浮現，可貴不可及。

　　男子漢應負的責任感令他把這一切深深地藏在心底，作繭自縛，直到他發現秋韻和志勇勾肩搭背的照片。

　　「你腳踏兩隻船，卑鄙！」宗嶺怒不可遏，給秋韻一記耳光。

　　秋韻痛哭失聲：「你憑什麼打我？你以為你是誰？正人君子？哼！你心裏有誰自己最清楚，別以為別人是傻瓜！你不愛我，我也不愛你！」

　　宗嶺看著秋韻臉上的紅手印，心有些軟。

　　「不愛我，當初為什麼和我好？！」他憤懣地吼道。

　　「因為佳馨。」秋韻冷笑。

　　她想趁機和宗嶺了斷，也私下成全他和佳馨。

　　宗嶺吃驚得說不出話。

　　沈默是輕蔑的最好表示，他一言不發和秋韻分手。

　　此時，他才知道自己認為「至高無上的愛情」原來是個陷阱，上面覆蓋著盜取的鮮花，誘他淪陷。

懺　悔

中秋。

佳馨收到一封信，內裝一張明信片：

一個瘦削的高鼻深眸女郎側影，雙手捧一團銀光，黑暗背景，女郎膚色淺棕，眼瞼低垂，凝視銀光⋯⋯

佳馨：

　　秋葉上的秋水

　　映有一個秋天

　　秋夜中的秋月

　　映有一個秋人

　　在我朦朧的人生寒流裏

　　漂有一個鮮明的你

香　草

　　亭亭玉立馬尾搖，勤學倩影朝霞繞。

　　心地純潔芳香溢，百卉前頭第一春。

想你

　　我們從未深談，總保持著一段若有若無的距離。我愈來愈覺得你彷彿是一泓清冽的泉水，那麼清，那麼柔，而我，

也許只是漂泊的一葉青萍；我只能伴你片刻，然後，無聲地飄去，輕輕地，小心地，唯恐……但我多麼希望是一隻顛簸的小舟，當你的心緒，像大海的澎湃波濤，在風浪中我們緊緊擁抱。

你像鴿子般溫柔可愛，又那麼文弱安寧，讓人不忍心去傷害，我卻傷了你的心。

一失足成千古恨。

為克制思念，我走進書堆，得到虛幻的充實。但一離開文字的書山，便處處是偽彩的面具、輕浮的笑語，哪裏有脫俗的麗質天然？你淡雅的餘暉，繚繞著清香的芳菲，在我心中縈迴……

我錯了。自己不能原諒自己，但我懇求你原諒我。我喜歡

樹依然會綠

海啊在風裏更加動聽

只要心離塵囂就能

充分安寧

憂傷如霧明天依然放晴

在遙遠的溪流裏

生命是流動的清脆的歌聲

依舊惟一的亮麗是你

每一天都屬於你純粹的歡樂

在我青春的愛戀裏，你是一個奇跡……

宗　嶺

佳馨陷入沉思。她不願意讓悔恨的淚水打濕宗嶺的心，可也無法原諒這個讓她夢中嗚咽的人。

宗嶺：

時間之河會沖失好多東西，包括愛情的傷害。你不曾對我許諾過什麼，也許我根本沒有權利要你為我的感情負責。

「感情的事自負盈虧。」

珍重！

佳馨

從郵局回來，已是傍晚時分。

路兩旁黃燦燦的桂花發著濃鬱的芬芳，空氣中飄著紫色的柔光。佳馨充滿夢幻的眼睛望著夕陽下的田莊，樂觀地編織青年人前程的錦繡。在即將來臨的歲月裏，潛在著寶貴的機遇，對於她，對於宗嶺，對於所有善良勤奮的人們……

秋之花冠上每年都插著玉簪：「若非月姊黃金釧，難買天孫白玉簪。」

玉簪花的花語是冰清玉潔。

佳馨想起宗嶺題寫的「海上生明月」，遙祝：「喜得天開清曠域，宛然人在廣寒宮。」

凌　霄

冬夜。

膠東半島寒氣峭厲，冰封雪重。

819 女大學生宿舍衣香鬢影，脂粉溫馨……

床上鋪著白底粉紅格子被單。銀灰縐紗窗簾被兩條綠絲帶靜靜攏在兩旁。纖媚明麗的燈光照徹房間。被子疊得方方正正，泛著柔滑的波紋。佳馨濃密的黑髮挽一個鬆髻，靠在被子上看書。

這是大一女生的閨房，世上只有一間這樣的閨房，也只有四個無憂無慮像佳馨一樣浪漫的姑娘。愛情像個嬌慣的天使，在此受著縱容。

一個男性十足，目光如炬的男生逕直走進來。

「我找佳馨。」他直視著佳馨，眼神交織著羞澀、熱情、莊重，像寶珠精彩絕倫。

「你是……」佳馨打量著不速之客。

「我叫凌霄。化學系。」

「坐吧。」佳馨倒杯開水，放在他面前。

「同鄉會中知道消息，我們是老鄉！」他笑著，露出潔白整齊的牙齒。

佳馨興奮得和顏悅色。

兩人談起家鄉歷史：「薛國久長。薛祖奚仲，為夏禹掌車服大夫，受封於塗山，歷商及週末，始為宋偃王所滅，其

享國千九百餘年，傳六十四代。薛地偏小，亦自有持守為邦之道。」凌霄引經據典《容齋隨筆》。

「猜個謎吧。」凌霄說：「重陽節老葉遊西湖。打一昆蟲。」

「蝴蝶。」佳馨應聲而答。

「對。你愛戴彩蝶髮卡。」凌霄揚起濃眉，瞅瞅佳馨髮髻上的蝴蝶結，微笑著唱：「青青的葉子紅紅的花，小小的蝴蝶貪玩耍；不愛勞動不學習，我們大家不愛她！」他還做了個斬釘截鐵的紅衛兵手勢。

「你可真壞!」佳馨和屋裏人都笑。

佳馨說：「聽著，歐陽修詠蝴蝶罵風流浪子

望江南

江南蝶，斜日一雙雙。身似何郎全傳粉，心如韓壽愛偷香，天賦與輕狂。微雨後，薄翅膩煙光。才伴遊蜂來小院，又隨飛絮過東牆，長是為花忙。」

「諷刺得巧。蜂蝶輕狂，柳絲撩亂，春心多少。」岩琳評。

岩琳沒有十八歲姑娘的嬌羞，卻有早熟的深沉，端莊的神韻，超邁的氣度。

「蝴蝶還有一名『玉腰』，溫庭筠詩曰：蜜官金翼使，花賊玉腰奴。道盡蜂蝶。」佳馨微笑。

「那你究竟喜歡蝴蝶嗎？」凌霄認真地問，直視佳馨的

明眸。

「喜歡。人們說她貪玩，可她美，又愛花美。」佳馨坦率：「人應該像螞蟻踏實勤勞，像蝴蝶自在逍遙。一張一弛，文武之道。」

淩霄追問：「花為什麼美？」

「《大日經疏》雲：所謂花者，是從慈悲生義，即此淨心淨種子於大悲胎藏中，萬行開敷，莊嚴佛菩提樹，故說為花。」佳馨道：「花之念為美，所以花美。」

淩霄心悅誠服。

「淩霄，攀高枝炫耀自己。」岩琳問：「男生起花名，不太好吧？」

「淩霄如此美麗，攀高枝炫耀自己，又有什麼不可以？萬物各擇其宜。」佳馨順其自然。

「朝為撫雲花，暮為委地樵，是白居易借淩霄諷刺佞臣！」淩霄急得額上青筋顯露：「我是壯志直淩雲霄!風馬牛不相及，你們想哪去了？！」

「開個玩笑，何必當真？」波微乖巧。

室內低吟淺唱，簾外閃爍著點點星光……

打橋牌

淩霄機智健談：春秋筆法、詩話微言、潑墨山水、文娛消遣……娓娓道來。

聽說他會打橋牌，岩琳提議：「來，我們玩幾把！」

「好。」淩霄爽快地答應：「佳馨也來？」

「字嫻清。我助威。」佳馨湊趣。

「重閨佳麗，貌婉心嫻，懷貞亮之潔清兮，卒與我乎相難。嫻清兩字真美，」凌霄讚歎：「如宋玉《神女賦》。」說得佳馨倚床而笑。

「佳馨也好，絕代佳人，德藝雙馨。」岩琳笑道。

「**佳處天和，明德惟馨。**」波微附和。

「你們還玩不玩了？」媞容大叫。

「我不會。」佳馨要退出。

「我教你。」凌霄不依不饒，毛遂自薦。

女生們圍桌而坐。凌霄挨著佳馨。

凌霄的目光隨著佳馨纖纖出素手的柔豔而動，柔黃修長潔美若春蔥，襯著海棠花般的指甲。

佳馨感覺著，不解地瞧瞧他。

凌霄趕緊移開視線，不敢再看。

「佳馨的手真好看，像唱戲似的。」一旁觀戰的波微說，她是佳馨的同桌。

岩琳補充：「她的腳更美，腳趾細長：『屐上足如霜』。」

媞容斜睨佳馨的手指，來一句：「但愛其手。」

佳馨讀過《史記》，知道只因荊軻此話，燕昭王就下令將侍女雙手砍下，送予荊軻。

佳馨神色緊凜，不可侵犯之態令媞容把頭低下，不敢對視。

凌霄是橋牌高手，在他點化下，和佳馨連贏三局。媞容沉不住氣，秋波含笑，蓮臉潮紅，左手執牌，右手托腮，遊蛇般纏繞著椅子，噘起花苞似的嘴，嬌嗔：「也教教人家嘛！」

沉吟片刻，凌霄詢問地看佳馨：「妳行嗎？」

佳馨蛾首微點，暗謝媞容救她脫離窘迫的「場」。

819 夜話

夜已深。凌霄告辭。

熄燈後，「819 夜話」開始。

「佳馨，你老鄉真帥；就是黑點兒。」

「他頭髮自然鬈。」

「他功課第一，拿獎學金；自學法語。」

「他是學生會主席。」

「哎呀!我的老鄉，你們知道得怎麼比我多呀？」

「他一走進宿舍，滿屋就亮堂許多。」

「佳馨也是。她走進教室，氣氛就發生戲劇性騷動，大家都想抬頭看看她遺世獨立的風流，情不自禁，憑第六感。」

　　姑娘們你一言我一語，嘰嘰喳喳。佳馨安靜地進入黑甜鄉……

爬雪山

819 和凌霄的宿舍聯誼，結伴爬雪山。

山巒像大理石壁畫。

爬至山坡，石陡路滑。男生們把女生一個個用手拉上去。輪至佳馨，凌霄伸出手。

「我自己行。」佳馨倔強地抓住一棵矮松，兩腳奮力登

上岩石，小佇。

　　「獨立的女性！」凌霄自言自語：「天高雲淡，望斷南
飛雁。」

　　「冬天北方哪有雁？」佳馨問。

　　「此時此地一隻呆雁。」凌霄笑指佳馨。

　　佳馨團一個大雪球，扔在凌霄身上，拍拍手：「罷了！
我是逍遙南飛雁，不共紅塵結怨。」

　　半山腰。

　　忽地滾下一塊落石，迎面而來，佳馨躲閃不及。凌霄飛
身上前，眼明手快，像守門員救球，縱身撲在石塊上，化險
爲夷。

　　大家把凌霄扶起。

　　「你沒事吧？」凌霄開口第一句話就問佳馨。

　　佳馨望著血跡斑斑的凌霄，淚流滿面，用力地點了點頭，
一句話也說不出來。

　　登上山頂，他們打雪仗。

　　累了，就暢所欲言。

　　媞容暖暖姝姝：「剛開學，師哥師姐們就說，系主任留
學劍橋，是英語系的權威，一口地道的英式發音真把我鎮住
了：好聽！時間一長，不過如此而已。」

　　「僮僕眼裏無英雄。」岩琳微笑。

　　「因為僮僕就是僮僕，英雄就是英雄，黑格爾一雙慧眼。
燕雀安知鴻鵠之志哉？」凌霄反問。

　　媞容凍得紅撲撲的臉蛋兒憋成茄紫，眼睛卻煥發出崇拜的光，仰望著凌霄：「高處不勝寒。」

　　佳馨說：「媞容怕冷。」

　　凌霄脫下外套，給媞容披上。

　　媞容蜷縮著，像隻眯眼的小乖貓。

　　凌霄雙手叉腰，頭昂得高高的，像一個高高大大的雕像立在險峻的峰頂，舉目遠眺，指點江山，笑傲江湖。他陶醉了，陶醉於造化的萬象紛呈：奇松、怪岩、碧海、藍天、遠帆……自己也成一景。

　　凌霄問大家：「你們的擇偶首要條件是什麼？」

　　波微說：「我愛他。」

　　佳馨說：「他愛我。」

　　媞容說：「必須是除了我，他不和任何其他女生說話。」

　　岩琳點頭歎息：「佔有欲夠強的！」

　　凌霄出：「觀海」

　　佳馨對：「聽濤」

　　眾人擊節。

舞　會

　　晚上，點燃蠟燭，宿舍便成童話裏的王宮。燭光裏，悠揚的樂曲中，大家相邀翩翩起舞：旋轉的身姿，曼妙的舞步，媞容是 Party Queen。

天生不擅舞蹈的佳馨喜滋滋甘做「壁花」，欣賞凌霄和媞容的《請跟我來》那只老歌：「我踩著不變的步伐，是為了配合你的到來。」由衷的讚歎：「一對璧人」

共 舞

你會跳舞
你曾和多少美如天仙的女子共舞
水一般清澈的華爾滋
夢一般執著的探戈
歡快倜儻的水兵舞
在冰一樣平滑的舞場上
你們起舞得多麼優雅自如

你摟過多少楊柳腰
你握過多少纖纖手
你胸膛裏蕩漾過無數溫暖的情愫
你臉龐上閃爍過無數陶醉的幸福

我不會跳舞
我欣賞一對對舞伴毫無嫉妒
我聆聽一支支樂曲心曠神怡
我真抱歉不會跳舞也不想跳舞
羞澀地守住夢幻的角落
靜靜地滿足
我和你永不會共舞
只能在心靈深處

分享一個愛的音符

一曲終了，淩霄走到佳馨面前，拿出一副撲克牌，要給佳馨算命。

「我命在我不在天。」佳馨婉拒。

岩琳附和：「詩經曰：『永言配命，自求多福。』」

「請相信命運女神不會忽略對你的恩賜！」波微祝願。

「願上帝不忍心奪走你的一絲兒快樂，佳馨！」岩琳真誠。

「我給你相面吧」淩霄認真地說：「眼表現靈，嘴表現肉，下頜表現目的，鼻子表現意志。佳馨，你看起來與眾不同。」

「人不可貌相，海水不可鬥量。」佳馨異議。

「佳馨口齒伶俐，今日方領教。」淩霄招架不住。

「淩霄，看看我們的照片。」媞容來解圍。

照片上的她身著紅羽絨服，神采飛揚，豔冠群芳。

媞容端杯水靠在旁邊，眼睛一眨不眨地研究淩霄的表情。

「有詩意。」淩霄意味深長地瞄著佳馨。

媞容一口一口地喝著水，把不滿和著白開水吞進肚裏。

佳馨走開。

「你走起路來像跳舞似的。」波微笑佳馨。

佳馨不好意思：「從小爸媽就說我沒正形。」

「鴛形。此形之人，頭圓，額短而尖，耳小，有輪廓，唇紅齒細。」岩琳說。

「行似舞，語笑滋媚，肉細白，男女有此形極貴。」淩

霄念《相人術》：「佳馨乃極貴之人，可喜可賀！」

　　巧合的是發表佳馨詩歌的詩歌編輯部在臺灣新北鶯歌鎮鶯桃路。

　　「張潮曰：鶯，鳥中之柳下惠也，求友。」佳馨說。

　　「頭圓，富貴；齒如石榴籽，心善；耳白於面，會出名。」岩琳補充：「佳馨如此好相貌！」

　　一位給佳馨量體的裁縫說她：「天肩定做貴人妻。」那位裁縫旗袍做得纖穠可體。

　　「聖人自知不自見，自愛不自貴。」佳馨借助老子。

　　「你要超凡入聖!」凌霄驚詫。

　　「剩女的剩。」媞容奚落。

　　佳馨置之不理。

　　「聖母瑪利亞的聖。」波微趕來聲援。

　　「不，聖凡雙泯，迷悟俱忘：『半夜彩霞籠玉像，天明峰頂五雲遮。』佛教人拋棄分別心。」岩琳灑脫。

　　凌霄給佳馨測名字，書據說諸葛孔明所著。

　　「我小名文君。」佳馨自介。

　　凌霄測出字意：「天生之才，因才而篤。」

　　「『因天之生以善生，謂之文。』才即靈，靈即情，才亦文；有德者謂之『君子』」。岩琳道：「文君德才兼備。」

　　波微點頭稱是。

　　「只怕徒有虛名。」媞容譏諷。

　　「媞：美好貌，貌：容貌。出口傷人，徒有虛表。」凌

霄諷刺。

　　媞容被逼，惱羞成怒，無力對抗凌霄，矛頭指向佳馨：「子曰：『君子有九思。』，請問哪『九思』？」

　　佳馨如數家珍：「視思明，聽思聰，色思溫，貌思恭，言思忠，事思敬，疑思問，忿思難，見得思義。」

　　波微微微一笑。

　　媞容心有不甘，狡黠問佳馨：「你自思是君子，是小人？」

　　佳馨實話實說：「委實不知，只知做真我。」

　　媞容得意：「哈，連自己也不知道自己好壞的人，可見是壞人。」

　　佳馨無言以對，淚水在眼眶打轉。

　　波微面有慍色。

　　凌霄打抱不平：「最純潔高貴的人往往沒有自知之明。就像佳馨不知自己有多好心，波微不知自己多麼忠厚。玫瑰茉莉不曉得自己的鮮豔芬芳，柑橘草莓不曉得自己的甘甜可口。」

　　媞容無言以對。

　　岩琳質問媞容：「不到世界末日，上帝都不審判世人；媞容，你有什麼權力和理由指手劃腳，說三道四？」

　　此刻，輪到媞容眼睛要流淚。

　　岩琳讓佳馨抽「籤」。

　　佳馨默默禱祝，抽到一支「杏花籤」：「胭脂淡注宮裝雅，似文君，猶帶春醒。」

　　「文人把探春比作杏花：女郎折得殷勤看，道是春風及

第華。探春嬌姿麗質，真有淺香之態。莫非佳馨亦可得貴婿？」岩琳好奇。

「杏花花語：少女的慕情、嬌羞和疑惑，正配你。」波微插話。

籤背面是一首《浣溪沙》

綠樹藏鶯鶯正啼，柳絲斜拂白銅堤，弄珠江上草萋萋。
日暮飲歸何處客，繡鞍驄馬一聲嘶，滿身蘭麝醉如泥。

「何意？」佳馨問。

「此中大有玄機。」岩琳不肯多言，問佳馨：「你是金牛座吧？」

「是的。」佳馨答：「你怎知？」

「金牛座的幸運金屬是銅。經過數年的使用磨損，它會放射出更加美麗的光芒。你抽籤的詞中有『白銅堤』。」岩琳解釋。

媞容意興闌珊。

「楚辭雲：『西施媞媞而不得見兮。』今日得見，媞容你貌如西子。」佳馨真摯。

淩霄話題一轉：「方言曰：『秦晉之間，美心為窈，美狀為窕。』我送佳馨二字：窈窕。」

「過譽。」佳馨羞赧。

「窈窕淑女，君子好逑。」岩琳笑。

「文君是『卓越』的，古希臘文裏，『卓越』指一個人擁有人之為人的所有優點：道德、心智、肉體、實踐各方面。」

「卓越的文君，」岩琳念念有詞：「那不成了聽琴的卓文君?」

「我可不是卓文君，我一輩子不跟人私奔。」佳馨反對。

「超越卓文君。」凌霄勉勵：「佳馨，你真應該走出自我，外面的世界很精彩。」

「外面的世界也很無奈。」佳馨微笑。

「你太消極。考『託福』，去美國留學如何？Try!」凌霄建議。

「佳馨的『託福』作文成績是 A，美國教授評的。」波微稱揚。

「我更喜歡中國文學。」佳馨擲地有金石之聲。

「學成回國，洋為中用，不更好嗎？」凌霄興沖沖。

「好主意。祝你學貫中西，為國爭光。」佳馨說。

「我會努力。」凌霄動情。

賀年卡

元旦。

凌霄宿舍全體成員給 819 贈送賀年卡。

每個人隨意抽一張，誰抽到哪張，哪張就歸誰。

女生們爭先恐後，躍躍欲試。

剩下最後一張，是佳馨的：

墨綠的樹蔭下，一個黑捲髮男孩，古銅色肩膀摟著一位金髮姑娘親密交談。題辭：「做我的朋友，和我肩並肩，一起向前看……」

Happy New Year!

凌霄

「真漂亮！佳馨，咱倆換換吧！」波微笑嘻嘻。

「想得美。人家才不捨得哪！」岩琳推揉波微：「**欲除煩惱先忘我，各有姻緣莫羨人。**」

佳馨自己買了一張賀年卡掛在床頭：粉紅水粉畫，一個天然純樸的女孩，紮兩條長長粗辮，眼睛大而無邪，溫情澄澈……

輔導員勝鈺來玩，問：「這是佳馨的?」

「是的。」波微答。

勝鈺笑了：「她一定是因為畫中女孩像她的長相才買的。」

佳馨詫異：她只是直覺喜歡畫中女孩，並不知她和自己相似。她對外貌一向不自信，爸爸笑話她：「山妮子。」勝鈺的評論是她從小至今最愛聽的讚美。

新年聯歡

新年聯歡晚會。

教室裏張燈結綵，女生們親手剪的窗花，黑板上畫滿花兒朵朵，一團喜氣洋洋，同學們心裏都暖融融的。

輔導員勝鈺是位女留校生，個子高挑。她帶來一疊明信片，贈給班裏表現優異的學生，每張明信片上都寫著評語。

佳馨得到的是：To the cleanest and tidiest one in our class.（給我們班最整潔的學生。）畫面是小蓬萊。

　　勝鈺教女生一個氣功動作，只有佳馨一人完成。

　　勝鈺稱讚：「佳馨的腰真細真軟。」

　　班長威治送給佳馨一個卡片：一雙小鳥並排棲息在一根樹枝上互相對望，有兩行字：

　　　當月兒升上林梢時

　　　那是一種永恆的美

　　猜謎比賽進行。

　　班主任洪濤出謎面：桂林山水甲天下。（打一水滸傳人名）

　　「石秀。」佳馨脫口而出。

　　錦州。（打一七言絕句。）

　　「春城無處不飛花。」佳馨搶答。

　　「為什麼？」岩琳問。

　　「繁花似錦啊！」佳馨笑。

　　「夏天穿棉襖。」（打一城市名）

　　「武漢。」佳馨笑彎腰，一個勁地問：「對嗎？」

　　「正確。」班主任肯定。

　　結果，搶答最多的是佳馨，獎品：一大堆棒棒糖。她都給了同位，波微喜吃甜食。

　　勝鈺講了一個民間故事

秀才試少女

　　早年間，某年輕秀才在街這邊的閣樓上讀書，恰有一妙齡少女在街那邊的閣樓上繡花，兩座閣樓相對，兩人總是隔街相望。日子久了，便產生了感情。

　　這一天，秀才寫了一首詩投擲給少女，少女見那紙上寫著：

　　　妙齡一姑娘，整日坐繡房。

　　　有人欲求愛，無奈隔著牆。

　　少女看了，覺得這既是一首表達愛意的詩，又是一首詩謎。知道秀才一舉兩得：一是向她求愛，二是考考她的學問。少女莞爾一笑，也提筆寫了一首詩謎，給秀才投擲過來。秀才見是這樣寫著一首詩：

　　　三面有牆一面空，小女整日坐其中，

　　　想與知己說句話，料定外邊有人聽。

　　秀才看了此詩，心中大喜，知道少女不但有默默相許之意，而且還用詩破解了他的詩謎，真不愧是位才學出眾女郎啊！

　　謎底都是一個字。

　　棒棒糖沒白吃，波微猜中：偓。

　　佳馨誇她：「你太有才了！」

　　媞容撇嘴：「可惜是歪才。」

　　岩琳批評媞容：「己心正，外物正。可見你心不正。」

「為人辨冤白謗，是第一天理。岩琳果然仗義。」佳馨暗暗稱奇。

「楊花榆莢無才思，惟解漫天作雪飛。有人雖無才思，卻有水性。」波微不甘示弱。

媞容劍拔弩張，一觸即發。

「好啦。但願好風憑借力，送你上青雲。」佳馨笑對媞容。

一場風波已平。

波微威治聯唱《萍聚》：「不管以後將如何結束，至少我們曾經相聚過……」

威治演奏二胡《良宵》。

外教羅莎莉激賞：「amazing!」（驚人！），彈奏一首鋼琴曲《致愛麗絲》助興。

彤星來了，唱一首《北方的狼》，佳馨一點也不喜歡。

男生們起哄：「佳馨，來一個！」

佳馨忸怩。

威治輕撥吉他：「多尷尬。」

佳馨不好掃大家的興，清唱一段黃梅戲《女駙馬》，博得滿堂彩：「再來一個！」

佳馨用英文唱了一首《媽媽的吻》。

「佳馨歌唱時，大家真靜，連根針掉在地上，都能聽見。」波微歎。

班主任

班主任洪濤二十七歲，剛離異。

晚自習。

「Go Upstairs!」（上樓）他叫伏案攻讀的佳馨。

走進辦公室，洪濤請佳馨先坐。自己坐在對面沙發上，用手拉開夾克衫拉鏈，一股男子漢身體的溫熱氣息讓睡意朦朧的佳馨臉發燒。

洪濤講述自己的戀愛離婚史：「她追求我時，天天給我送糖。新婚之夜，我們就不同房，她另有所愛。」

佳馨低頭聽著。

洪濤說：「佳馨，你給我的第一印象極深：你坐在教室裏，靜靜的，像一朵粉紅色含羞的荷花，聞得出香氣……」

洪濤出國簽證已辦好，就放在抽屜裏。

佳馨一直緘默。

她告辭。

佳馨穿一件綠毛衣，系白色銀絲鏤空梅花刺繡絲巾。在洪濤眼裏，佳馨從一朵夏季的紅蓮化成冬日料峭的綠梅，他對她冷若冰霜。

洪濤和一專科女生遠赴美國結婚、定居。

「身如一葉舟，萬事潮頭起。

水漲船高一任伊，來往洪濤裏。

潮落又潮生，今古長如此。

後夜開尊獨酌時，月滿人千裏。」

後知，兩人恩愛。

佳馨釋然。

紅顏知己

週末。

外出玩了一整天，岩琳回到 819，意猶未盡。

「和凌霄在海灘見一女孩，凌霄說她長得像佳馨。」岩琳不服氣：「佳馨，哪天我給你拍照，她比你可差遠了。」

岩琳是凌霄的紅顏知己，倆人投緣，要好得像親兄妹。

佳馨心不在焉：戀愛中的男女容易在其他異性身上發現和自己心目中偶像相似的特點，莫非？

「庸俗！少自作多情。」佳馨自責。

「嗨，凌霄給你的。」岩琳遞給佳馨一枚白色扇貝，弧線優美。

「真好看！我太喜歡啦！」佳馨把扇貝握在手心裏，愛不釋手。

「這個破鏡子真賤！」媞容氣哼哼地指桑罵槐。她正專心致志貼雙眼皮：單眼皮是她唯一的美中不足。

佳馨置若罔聞。

岩琳慢條斯理：「賤，按字面的意思，是動干戈將別人的寶貝據為己有。扇貝是凌霄主動相送，佳馨不賤。英法聯

軍搶劫焚毀圓明園，英法聯軍賤。」

　　佳馨平靜：「若論貴賤，米麵雖賤，人離米麵不能活；珠寶為貴，只宜鑒賞藏高閣。貴以賤為本，高以下為基。張衡雲：所貴惟賢，所寶惟穀。」

　　「小家子氣！」媞容變本加厲。

　　「人必須能夠把細小的事物變得偉大，這才是真正的力量源泉所在。美學史上畫家米勒的告誡你忘了？」岩琳問。

　　「你想叫我做『拾麥穗的人』？」媞容輕佻：「我願去香榭麗舍大街吃法國大餐。」

　　「至大者天，至親者相戀；爾有何大？爾有何親？」岩琳追問。

　　媞容不能答。

　　「媞容傲氣至大；外教說媞容 Attractive（吸引人），外教至親。」波微揶揄。

　　「去你的！」媞容嗔道。

　　岩琳繼續自己的話題：「淩霄正抓緊時間學習，准備考研。」

　　「考不上名牌，怎麼辦？」波微擔憂。

　　「估計沒問題。否則，一定有人看不上囉！」岩琳神秘地瞥瞥佳馨。

　　佳馨自忖：「與我何干？」

比一比

媞容的閨蜜向佳馨量出「宣戰牌」：「媞容要和你比一比。」

佳馨默誦蘭多的詩

我不與人爭，勝負均不值。
我愛大自然，藝術在其次：
我以生命之火烤我手；
火一熄，我起身就走。

佳馨不接招。

媞容放了一陣空炮，無趣地耷拉著腦袋。

女伴們異口同聲笑：「打敗了！打敗了!」

佳馨覺出她們俗得無聊，寂寥空虛之感令她孤單淒涼……

她自我調節：靜處養氣，鬧處煉神。

佳馨與世無爭，不忮不求，野鶴閑雲般獨來獨往，被媞容稱為：「多餘的人」── 十九世紀俄國文學中貴族知識分子的一種典型。

佳馨自嘲：有點相似。自己上不巴結有特權的系領導，下不和同學拉幫結夥，過著無目的生活。

可佳馨不喜歡「多餘的人」奧涅金，卻對達吉雅娜情之所鐘。有時，她覺得自己就是達吉雅娜：一個人在學院樹林花園裏讀書、遊蕩、消遣，但絕不像達吉雅娜那樣多情：愛上一個不該愛的奧涅金。

岩琳趁宿舍裏只有她和佳馨，密語：「佳馨，我測了媞容的字，你猜，是什麼？」

佳馨搖頭：「我才不感興趣。」

「和你有關。」岩琳插上門，嚴峻得令佳馨失笑：「瞧你神經兮兮，有什麼不可告人的？」

「本是假鳳虛凰，偏求弄玉吹簫。」

「無非是說她勉為其難。」

「可咱宿舍只有你和媞容屬雞。」岩琳擔憂地提醒佳馨：「媞容奸。你要小心提防。我真為你捏把汗，但願你文武雙全。」

「她屬雞，與我何干？我和她無冤無仇。」佳馨坦然。

「她為什麼偏偏挑中你，要和你比？」

「我不和她一般見識。」佳馨泯然忘機。

「你還是要擅於保護自己。我發現，你特別容易受傷害。」岩琳愛護地望著佳馨：「馬善被人騎，人善被人欺。」

「人善人欺天不欺。我不怕。」佳馨堅定。

「真是個書呆子！」岩琳歎息。

「不，好姐姐，我愛書，但不呆。我知道你一心為我好。你有時一個人躲在屋裏抽煙，妹妹知道你心裏苦，但健康要緊。」佳馨誠摯地表白心跡，兩個人並肩坐在一起。

「會不會五行相剋？」岩琳還是不放心。

「我跳出三界外，不在五行中。逢凶化吉，遇難成祥，我是鳳，何需多慮？」佳馨笑慰岩琳。

拍　照

岩琳果然借來相機，給佳馨拍照。

萌卉亭。佳馨天真無邪：「天街小雨潤如酥，草色遙看近卻無。最是一年春好處，絕勝煙柳滿皇都。」佳馨如韓愈筆下的早春般清新可人。

睡蓮池。佳馨嬌羞綻靨：「花前顧影獜獜，水中人，水面殘花片片繞人身。私自整，茜兒巾，卻訝領間巾裏刺花新。」佳馨嬌豔如毛奇齡的小令。

丹桂苑。佳馨含情脈脈：「欲求塵外物，此樹是瑤林。後素合餘絢，如丹見本心。妍姿無點辱，芳意托幽深。願以鮮葩色，凌霄照碧潯。」佳馨比李德裕喜愛的《紅桂》更高潔。

臘梅林。佳馨如花似玉：「一枝春雪凍梅花，滿身香霧簇朝霞。」佳馨如韋莊的夢中人。

岩琳儼然專業攝影師：她的神態有那麼一份傲岸，她的動作有那麼一股帥氣……

然而，她歉意：「要是你覺得拍照浪費時間，佳馨，我們還是回去吧？」

倩　影

佳馨靜坐習字。

岩琳把一疊照片鄭重其事地擺在佳馨面前。

佳馨一一細看，其中一幀拍得尤其藝術：她小白楊般青澀秀拔，綠鬢如雲，白衣勝雪，「輕輕資質淡娟娟。」

「是我嗎？」佳馨默默注視，不敢相信。難怪男生們總愛當著她的面唱：「一棵小白楊，長在哨所旁……」

相片背面書寫一首詩，字跡豐神雋永，綿邈深摯

倩　影
── 題嫻清玉照

倩影
嫩柳一樣娉婷
娉婷
纖枝柔暖流鶯

倩影
丁香一樣嫋娜
嫋娜
不勝涼風觸摸

倩影
蛺蝶一樣輕盈
輕盈
婉轉百合幽夢

倩影
新月一樣朦朧
朦朧
相伴簟紋孤寂

凌　霄

「天呀！你怎麼不告訴我一聲，就把我的相片給外人看，還題莫名其妙的歪詩？!」佳馨責備岩琳。

「美，就是要供人欣賞；凌霄不是外人，他是你老鄉。人須求可入詩，明明詩和相片挺般配。」岩琳巧辯。

「強詞奪理！你呀，亂點鴛鴦譜！」佳馨擰擰岩琳的圓臉。

見佳馨真生氣，岩琳一副形如枯槁，心如死灰的姿態，盤腿打坐：「再不多管人家閒事。」

「瞧瞧，還沒出閣，就裝起大觀園的李紈，挺像的。」佳馨忍不住撲哧一笑。

「那你像誰？像黛玉有才，沒人家拿捏寶玉的小心眼兒；像寶釵穩重，沒人家城府深；像妙玉清高，沒看破紅塵。得啦，你就是你：其在嬰孩，氣專志一，和之至也。」岩琳

反唇相譏。

　　佳馨笑：「你把我比作巧姐。」

　　「沒錯！你忘了幼稚園的小朋友見了你都喊：『小姐姐！』就你這樣單純，只怕被人賣了，還幫人家數錢哪！」岩琳不依不饒。

　　「好姐姐，你要真愛我，就不要把我和他人比。」佳馨求饒：「時代不同了，咱們是青春美少女。咱倆聯詩吧？」

　　「好！」岩琳答應：

少女詠歎調

質樸村姑是從不開屏的孔雀（佳馨）

虛榮小姐是顧影自憐的天鵝（岩琳）

煙春裏　櫻花悲風泣雨蒲柳之姿（佳馨）

朔風中　臘梅沐霜礪雪譽播香國（岩琳）

夏日暮靄　幽幽怡人的夜來香

窈窕淑女溫柔典雅（佳馨）

秋天湖泊　迎晚風搖擺的蒹葭

庸脂俗粉輕薄浮誇（岩琳）

天真講述妙趣橫生引人入勝的童話（佳馨）

世故斟酌淡而乏味令人掃興隔夜茶（岩琳）

貞潔閃爍　像小家碧玉瑩明無瑕（佳馨）

放蕩墮落　似黯然枯萎的交際花（岩琳）

美似玫瑰浴晨光（佳馨）

嬌如玉髓映彩霞（岩琳）

靚女孩永遠燦爛挺拔（佳馨）

盛開在祖國懷抱（岩琳）

擋得住世態炎涼（佳馨）

抗拒著風吹雨打（岩琳）

柔似絨線繞纖指（佳馨）

烈如猛火煉韌鋼（岩琳）

乖女孩永遠笑口常開（佳馨）

依人小鳥幸福曲調（岩琳）

姑娘的羞澀　母親的慈懷（佳馨）

今世姻緣　前生情愛（岩琳）

成敗功名如浮雲（佳馨）

是非曲直隔層紗（岩琳）

秋波凝神深邃明亮（佳馨）

美少女眼睛清澈晶瑩（岩琳）

蘊歌裁譜　純真坦蕩（佳馨）

美少女心靈春意永萌（岩琳）

聯句完畢，兩人笑成一團，嚦嚦鶯聲花外鳴囀。

岩琳問：「哪一張相片照得最好？」

「下一張！」佳馨眉一揚，岩琳看得美不勝收。

「永保求憾之心，永朝完美看齊！」佳馨解釋。

蘋果花

蘋果樹開花了。輕紗薄綃般拂繞學院周圍的層巒疊嶂，浮起淡粉色霧嵐，像精靈羽翼縈繞著紫晶、藍灰、乳白、翠綠、玫紅……

佳馨穿著粉紅毛衣坐在山腳下，信手用鉛筆在本子上臨摹蘋果花。她專心致志，聚精會神，生怕一停下，春就從指縫溜走。

一個人出現在花影中，是凌霄。

他滿懷激情地朗誦：「春天，甜蜜的春天，一年中歡樂的君王！」

「可惜，春天不是讀書天。」佳馨長歎。

凌霄凝視佳馨。「讀你千遍也不厭倦，讀你的感覺像春天。你的眉目之間鎖著我的愛戀；你的唇齒之間含著我的誓言；你的一舉一動左右我的視線……」

唱完，他綴上一句：「佳馨，你就是一本讓人千讀不厭的書。」

「學理的人這麼酸。」佳馨沒事人似的說：「也是。熊伯伊曰：『燕語鶯歌希領悟，桃紅李白做文章。』，可我也喜歡秋天。」

「淒涼的日子來了，一年中最憂傷的時節。」凌霄模仿

牧師佈道說地獄時的低調，惹得佳馨取笑：「你像宋玉如此悲秋脆弱，小心女孩子乘虛而入啊！」

「我的心裏只有你。」凌霄不容置喙。

一陣風吹動蘋果花素描。

「勾勒得工巧。」凌霄誇。

「春風如酒。」佳馨攏攏被風吹亂的鬢髮。

「當年不肯嫁春風，無端卻被秋風誤。」凌霄如賀鑄一樣惆悵。

「說什麼哪？」佳馨杏眼圓睜。

「荷花。」凌霄故意一本正經。

「天上碧桃和露種，日邊紅杏倚雲栽。芙蓉生在秋江上，不向東風怨未開。高蟾看得開。」佳馨達觀忠厚：「應未許，嫁春風，天教雪月伴玲瓏。到底鄭少微的梅花矜貴。」她望著遠方，那是凌霄未能領略的 —— 永恆。

佳馨凝神遐思，雙眉彎彎的，長長的，像一抹遠山隱入鬢角，讓凌霄心儀。

「走吧。自修美學。」佳馨被看得臉像粉紅嬌嫩的蘋果花。

「假如你後退一步，我跨一步向前，我們就一起住在熱情美麗的夏天。」凌霄來一句裴多菲。

「退一步海闊天空。你更沒指望了。」佳馨抿抿紅潤的嘴角，筆直走在一條開滿紫羅蘭的路，一邊走一邊想全班同學贈她的生日賀詞：「願你經過的天空晴朗無雨；願你路過的站臺鮮花絢麗……」

「多好的同學啊！我真是太榮幸了！」佳馨滿懷喜悅。

凌霄揚著莎士比亞的眉頭：「我是否該把你比作夏天？有時嚴風還會吹落五月的花蕊；你卻更迷人更溫和，夏天的陽光總是短暫，而你的美貌沒有期限。」

佳馨對凌霄說：聽聽我的

四季歌

我在書房翻《花間》，
小鳥窗外咕咕叫：
「踏青去，踏青去；
桃花豔，迎春嬌。」

我在對鏡巧梳妝，
清風送來蟬鳴噪：
「來划船，來划船；
荷熏衣，添俊俏。」

我在客廳暗顰眉，
星星明月勤相邀：
「請欣賞，請欣賞；
聽天籟，憂愁消。」

我在臥室悶寂寥，
陽光照見好心笑：

「曬一曬，曬一曬；
給你披，小棉襖。」

凌霄微笑；「詞是好詞，可惜無人譜曲。」
佳馨深沈：「最好的詞是無字的詞；最好的曲是無譜的曲。詩意地生活比什麼都強。」

兩人走進一叢野生草莓：個個草莓像盞盞小紅燈籠，映照得田野紅彤彤；晶瑩璀璨，嬌豔欲滴，像顆顆紅寶石，鑲嵌在春姑娘的髮飾。陽光下，綴著圓潤的露珠，草莓含羞得閃閃爍爍，透射出虹一樣的光澤，泛一層彩色的虹霓……
空氣激情熱烈地呼吸，草莓的清新沁人心脾……
佳馨和凌霄互相對望，摘一個草莓，細細品嚐，釅釅的汁液像醇厚的瓊漿：那樣的甘美，那樣的芬芳，在韶華燦爛的時光……

凌霄兩手插進褲兜裏，一路吹起口哨「喀秋莎」

蘋果花和梨花已經開放，
河上的薄霧輕輕蕩漾，
高而陡峭的河岸上，
走來了喀秋莎姑娘。
……

鮁魚票

晚飯時間。

餐廳裏剛出海的新鮮鮁魚經廚師精心烹製，香噴噴，誘人，莘莘學子們大快朵頤。

媞容把一張鮁魚票悄悄塞給凌霄。

「給佳馨吧。」凌霄婉言謝絕：「她最愛吃。」

媞容斜睨佳馨，眼角陰森森的餘光如一根鮁魚刺鯁在佳馨心頭，嘔不出，咽不下，尖痛。

「你只看見你兄弟眼中的魚刺，而對自己眼中的大樑竟不理會呢？」佳馨想起了耶穌的話，決心善待媞容。

佳馨開始躲避凌霄。

彤　星

彤星身材高大，溫文爾雅，像個白麵書生，靜如處子，動若脫兔；其實，是校籃球隊的中鋒。

賽場上，他龍騰虎躍，爆發力似爆竹炸響，成為全場矚目的焦點，得分遙遙搶先，為學院爭得聯賽冠軍，立下汗馬功勞。

高幹子弟的他，風采優裕健朗，佳馨一見傾心，正符合她心目中白馬王子的形象：「莫名我就喜歡你，深深地愛上你，從見到你的那一天起……」

　　彤星一有空就往佳馨的教室跑。他和佳馨周圍每個男生都相處得如魚得水：「結交鳳與麟，驪龍吐明月。」

　　彤星坐在佳馨斜對面威治旁邊，眼神有意無意地投向佳馨，羽毛般輕柔飄忽，蜻蜓點水般唐突疾速，閃電般灼灼逼人……佳馨一瞧那雙眼睛，有那麼多綿綿含意，頓感自身中發生一股失措的愉悅，軟軟的情懷……

　　屏息靜氣，垂下眼簾，佳馨腰肢挺得筆直，目不斜視，端端正正坐著，像個貞女，守護心中供奉的「聖靈」—— 愛的純淨。

　　彤星壓低嗓音，森林中竹葉般瑟瑟，竊竊私語：「挺一挺呀，真直，再挺一挺……」迤逗窗外櫻花飄零滾落……
　　佳馨惶惑，記錄彤星的

聲　音

　　你的聲音串響銀鈴花環
　　柔撫我耳畔
　　細緻綿滑　勾繹
　　鍾情的糾纏

　　你的聲音鳴奏切切管弦
　　洋溢浪漫
　　呼喚
　　我聆聽呼吸
　　用微笑封緘隔離

俗世喁喁
珍藏心底

你的聲音永久 echo
但我不是 Narcissus
因為 我喜歡你
同喜歡你的聲音一致

青 睞

佳馨走過英語樓，男生會大叫她的名字，然後，一起哄笑。

佳馨上花園讀書，男生就去花園練武。

佳馨靠窗而坐，窗外梨花皎白如頰，遠峰碧綠，煙雨彌漫，恰似一幅青綠山水……男生從視窗遞給她糖果、瓜子、烤魚片，都是女孩愛吃的。

每晚都有男生約佳馨。

輔導員勝鈺見多了，明知故問：「咱們班誰這麼吸引人啊？」

全班同學哄堂大笑，齊刷刷望向佳馨。

眾目睽睽之下，佳馨羞得擡不起頭，拿書遮臉，大家笑得更歡。

媞容撇撇薄薄的紅唇：「佳馨的老鄉，真是！」

有一個中文系的男生經過佳馨視窗，賴著不走，向她無病呻吟：「你總是如此如此的冷漠；我卻是多麼多麼的寂

窵……」

　　佳馨覺得可笑，拋給他一張紙條

新　月

假如　你感到寂寞的話
那就讀一讀泰戈爾的詩吧
《飛鳥集》帶你
飛往美妙的伊甸
《吉檀迦利》使你
在天竺國裏流連忘返
還有那一彎可愛的《新月》
是一架小小秋千
把你
盪回星星般純真的童年

從此，佳馨得個美稱：新月。

中文系男生只好唱

我祈禱

我祈禱，那沒有痛苦的愛，卻難止住淚流多少。
我祈禱，忘記離去的你，卻又唱起你教的歌謠。
我沒有怨你，我心裏知道。我知道我祈禱。
我像那一支火苗無聲地燃燒，我要唱那一支歌謠，
伴我天涯海角。
我祈禱，留下孤獨的我，走向天涯，走向海角。

我祈禱，帶上無言的愛，從此失去心裏的笑。

男生每逢佳馨，高歌極力引起她的注意。
佳馨不勝其擾，贈詩

勸　學

咳玉嗽珠苦煎熬，送君川貝枇杷膏。
滌蕩紛俗道念生，蟾宮折桂步逍遙。

男生果然考取中國社會科學院研究生專攻訓詁學。
臨別，他送佳馨一本《泰戈爾傳》。

水果和水果糖

人雲：俄羅斯女人是水果；法國女人是水果糖。
佳馨對此心領神會。

波微一頭霧水：「俄羅斯女人和法國女人到底有什麼區別？」
佳馨回答：「其中奧妙只可意會不可言傳。」
恨得波微直捶佳馨的小蠻腰。

佳馨不知道自己喜歡做水果，還是喜歡做水果糖。自己是中國女孩，各臻情味，天然鮮美又有藝術性的昇華。如果少女是水果，長大就精緻成水果糖，宛如一位糖果製造者把一顆草莓放在嘴中咀嚼，品味它芳香的奇異。

借日記

兩個班上合堂課。

彤星搶先挨著佳馨坐。

課間休息。佳馨拿出日記本自娛：裏面有佳馨抄寫的自己鍾愛的詩歌，手繪的彩色插圖，是她的精神秘密花園。

彤星湊近，低聲懇求：「給我看看吧。」

「不!」佳馨急忙放進課桌。

女孩子的隱私怎能輕易暴露在一個男生面前呢？即使他就是自己的意中人。

「你說『不』也好聽。」彤星並未生氣。

佳馨讚美少女天堂的青鳥：青鳥在遠處可望而不可即，像藍寶石在閃光……

默　契

晚自習結束。

佳馨仍伏案攻讀。

彤星走進來，心事重重，目光緩緩停頓在佳馨身上。

佳馨抬起頭，剪水秋瞳靜靜靜靜地凝望著他，如牛郎織女：「盈盈一水間，脈脈不得語 ── 」

佳馨眼裏波光瀲灩。

彤星注視佳馨。

佳馨回眸。

彤星長鯨吸百川，啜飲佳馨鍾情的仙體，深呼吸，矯健的腰身情不自禁一仰一挺，劃一道美麗的弧線，直立，搖搖晃晃、踉踉蹌蹌地靠過來，玉山傾倒，埋首坐在佳馨課桌前……

幸福瞬間氤氳……

彤星修長偉岸的身軀顫慄抖動，撩撥佳馨的心弦，花香般洋溢愛之甘露的沁甜……

答錄機正播放《春江花月夜》，佳馨感受心靈譜曲的默契……

彤星和佳馨柔情蜜意，心曠神怡，今夕何夕？

失　望

「彤星，走吧！」威治招呼。

彤星如夢初醒，不情願地從胳臂上抬頭，直身站立，和威治離去。

佳馨收拾書本，準備回宿舍。

威治走進教室：「我們出去走走。」

佳馨說：「好。」

威　治

深夜。

威治和佳馨並肩走在黑暗狹長的胡同。威治默不作聲。佳馨心無旁騖，呼吸港城新鮮的夜氣，體驗港城深邃的寧靜。夜幕的天鵝絨安適、柔軟、溫和，友誼被海風拂動，喚醒……

佳馨問：「瞧，新月像什麼？」

威治撓撓頭：「像鉤子勾人的魂。」

佳馨充滿嚮往：「像一隻彎彎的小船，把夢想帶向明天……」

此時，星星在表演啞謎；紡織娘興沖沖猜謎底；露珠悄悄長大，不小心驚動蕊戲……

「露珠點點滴滴像水銀珠，凝聚花瓣、草葉、樹葉；月光增添瑩潔，千金難買一刻，好時辰濃縮；皇冠上的鑽石不能和它相提並論，它美，美得清涼純真。」佳馨望著碎銀也似的露珠，大發感慨：「詩人說，淚如露珠，只在黎明時清醒。外國女詩人認為：露珠落在荷花上是淚珠；凝在楓葉上是鑽石。威治，你怎麼看？」

「我認為，落在荷花上，落在楓葉上，都是水珠。就這麼簡單！」威治大大咧咧。

「去你的！」佳馨再不理他。

「言語竟如此蒼白，神秘的靜寂。

　　對視的瞳仁裏，蓄幾滴晶瑩。
　　悠悠顫動著，沁入心扉。
　　苦澀的，是淚；甜蜜的，也是淚。」

威治動情吟誦。
「你寫的？」佳馨刮目相看：「真不錯！」
「吳達宣寫的。」威治有些氣餒：「那位外國女詩人無非想闡明：環境不同，遭遇也不同。」威治慢條斯理。
「的確如此。詩的題目好像就叫環境。可我認為，露珠落在荷花上是珍珠，不是淚珠。只要正直自持，自強不息，奮鬥到底，環境左右不了一個人。請聽我的」

荷
　　青青蓮子塘中萌芽
　　碧波上挺茵茵綠荷
　　娉婷冉冉　夏日美境
　　戴粉紅綴珍珠冠冕
　　金蕊　秋風中褪落
　　結翡翠蓮蓬
　　藕是笙
　　頌良宵月景

「露珠是黎明女神奧羅拉為喪子之痛滴落的眼淚。為何詩人說，露珠落在蓮花上是淚？」佳馨問。
威治聯想：「是否因為蓮花長於淤泥，低而卑微；楓樹高大顯貴？法國有一名勝地就叫『楓丹白露』。」

　　「西方人哪知曉蓮花的榮耀？觀音菩薩以蓮花為座，代表著她清淨的法身，莊嚴的報身。我喜歡一句歌詞：**把生命化作一朵蓮花，功名利祿全拋下。**蓮花喻君子。楓在中國卻有『**曉來誰染霜林醉？儘是離人淚**』的淒涼。」佳馨辯解。

　　「楓樹像熱戀：篝火愈燃愈烈，灼紅秋郊原野；風吹不熄，雨澆不滅；山隔不斷，嶺隱不絕。」威治熱烈地注視佳馨，眼裏火苗跳躍。

　　佳馨昂頭，她知道此時該回避，輕描淡寫：「楓葉是仙女繪畫時，不小心灑落的顏料偶然天成的抽象畫：**悄浴秋風泛緋紅，微施薄霜著胭紅。**」

　　「蓮花像戀愛中戀人臉龐的羞紅。」威治緊追不捨：「辛德源把荷花對比文君

芙蓉花
洛神挺凝素，文君拂艷紅。
麗質徒相比，鮮彩兩難同。
光臨照波日，香隨出岸風。
涉江良自遠，托意在無窮。」

　　佳馨無言以對：「回校吧，夜深了。」

　　威治唱起莫斯科郊外的晚上：「**深夜花園裏，四處靜悄悄，只有樹葉在沙沙響；夜色多麼好，令我心神往，多少話兒留在心上……**」

　　佳馨感動，她永不忘港城師院郊外的晚上。

他倆經過一家專賣店，店名「楓蓮：花香蝶影」。

威治忘乎所以，迫不及待地跑進去看，又面紅耳赤，飛快走出來：原來是賣女士內衣。

佳馨拊掌大笑。

威治也不好意思地笑了。

格麗卿

課間十分鐘。

門上玻璃映著佳馨愉快的笑容。感謝陽光，給佳馨拍下一幀美好的肖像。

威治從講台走過，腳步匆匆。咦？怎麼停下了？凝視門玻璃上佳馨的倩影，整理一下衣領，呆呆不動？

佳馨真想喊一聲：「喂，小夥子，快走吧!快去做你應該做的事情，不要讓幻夢，幹擾內心的安寧！」

威治轉身走來,把佳馨搭在後背的辮子調皮地甩至胸前。

佳馨憤憤地瞪他一眼：「幹什麼？」

「你更像從 Faust（《浮士德》）中走出的瑪格麗特。」威治掩飾住笑意，害羞地說。

贈　書

晚自習。

威治送給佳馨一本精裝《斯嘉麗》。

書裏夾著一封信：

「那晚，你的眼睛眨呀眨，又黑又亮，像天上的星星。

你一靠近，我的心就咚咚咚加速跳動……」

信中夾一朵黃薔薇，新採摘，清香飄拂……

威治在走廊裏唱

昨夜星辰

昨夜的昨夜的星辰已墜落

消失在遙遠的銀河

想記起偏又已忘記

那份愛換來的是寂寞

……

佳馨收起書信：「多情的太多情，無情的太無情。」這是她從小學三年級就記住的電影《三笑》台詞。

名聲與愛情

宿舍裏。

對著鏡子，佳馨把辮子垂在胸前，果然美觀：漆黑的髮辮兩條綢帶般閃亮，珍惜守護嬌嫩的容貌。兩鬢卡著 Bill（威治英文名 William 的昵稱）紫玫瑰水鑽髮夾。玫瑰是佳馨的幸運花，鑽石是佳馨的幸運石。William 意思是 Will+Helmet：威治守衛佳馨如「盔甲勇士」，更顯佳馨神采奕奕。

「還是紫辮子最好看。」波微愛慕：「佳馨的黑髮是原生態！」

「花容月貌為誰妍？」媞容尖聲尖氣：「佳馨如百合花一般，會嫁給一個畫家。」

「不可能！」佳馨否定：「藝術家容易令愛他的女人心碎。」

「第一眼看梵古，嚇了一跳：莫非是《西遊記》裏的妖怪？後來讀了《渴望生活》，越看他越美，越看他越深邃。」波微感慨。

「那是痛苦提煉的靈魂的美和深邃。」岩琳補充：「他最懂愛情！」

「你會愛上梵古嗎？佳馨？」媞容單刀直入。

「當然啦！」佳馨充滿激情：「他是天才，又天使般善良。他畫筆下的向日葵在燃燒……」

「你願意嫁給梵古嗎？」媞容問，好像教堂裏主持婚禮的大主教。

「不會。」佳馨遲疑。

「為什麼？」波微問。

「我喜歡的男生，精神一定要正常。梵古好像不太理想。」

「哼，我就知道，你是葉公好龍。」媞容得意地冷笑。

「如果國家需要你嫁給梵古，佳馨，你會答應嗎？」岩琳看不順眼媞容的自以為是。」

「義不容辭！」佳馨痛快。

「你要做王昭君？」波微一臉仰慕。

「精神可嘉！」媞容明知故問：「請問偉大的愛國主義者：政治考試成績如何？」

「五十九分。」佳馨羞愧。

因為連夜趕寫論文，她臨場發揮失常。

　　波微歎息：「只差一分就要補考！」

　　「醉翁之意不在酒。考五十多分的學生，老師一般都給及格，順水推舟，送個人情。這次……」一向深明大義的岩琳也困惑。

　　「政治老師一定是生我的氣了！」佳馨自責得落淚：「我太丟人現眼！」

　　「佳馨，你去向政治老師好好說一聲，他會讓你過關的。」波微建議，她最受不了佳馨哭。

　　「我們三個一定給你保密！」媞容忽然大發慈悲。

　　「我才不去，補考就補考！」佳馨頭一昂。

　　「佳馨，但願你不是王昭君。」岩琳憂心忡忡。

　　佳馨絕望地痛苦了一個中午。

　　政治課。

　　佳馨心裏鹿撞，頭埋得低低的。

　　政治老師宣佈：「兩次考試成績平均及格的學生可以不參加補考。」

　　佳馨仿佛從地獄重回人間，雲收雨霽，日照中天……終於松了一口氣，破涕為笑。她上次政治考了九十分。

　　全班皆大歡喜。岩琳竟然鼓掌致謝。

　　只有媞容小臉變得比川劇變臉還快，晴轉多雲，好像她要去補考似的。

　　「好戲還在後頭，」政治老師喜悅之情溢於言表：「佳馨的論文《論量變與質變轉化的度的關係》榮獲優秀政治論文一等獎，為你們英語系爭了光！」

　　「佳馨，你真了不起！給我們提綱契領吧！」波微眼睛

裏閃動著羨慕的光。

「東家之子，增之一分則太長，減之一分則太短，著粉則太白，施朱則太赤。這就是美女之為美女的度。」佳馨調皮地一笑。

「好！」政治老師讚揚。

「佳馨眼裏只有美女，」媞容酸溜溜得像吃不著葡萄的狐狸：「她純粹是一個唯美理想主義詩癡！」

「媞容，你呢，眼裏只有帥哥，不過是一個實用超現實主義花癡！」

老師和同學們都笑了。

媞容也多雲轉晴，抿嘴笑了。

「這就是度，佳馨和媞容一定要把握好！」政治老師不忘本行。

回到宿舍。

大家繼續議論：

「佳馨像文竹，苗條纖細空靈；像馬蹄蓮，清新鮮美。」

「像一朵聖潔高雅的君子蘭，綻放在初春的高地。」

「像雪花，捧在手心，怕化了；吹一口氣，怕飛了⋯⋯」大家議論紛紛。

「清清純純如蓮心，」波微認真：「佳馨，不凡的你，為何會生在我們這些俗人之中？」

佳馨抗議：「我可不像蓮子：*紅衣褪盡芳心苦*。」

「像羞答答的一棵含羞草。」岩琳比擬：「開粉色、黃色蝶形花，姿妍怡人，不語令人醉。潔身自愛，自清高，正如佳馨。」

佳馨認同自己

敏　感
含羞草般羞澀
豌豆公主般嬌弱

她聆聽
花開花落的私語
露珠笑醒的夢囈
蝴蝶棲息的顫慄

她破譯
風送溫情資訊
畫意運筆神奇
戀人眼底秘密

她詮釋
陽光譜寫金曲
月色鋪墊佳期
星輝慧點致禮

冰雪封凍中
她追逐轔轔車馬的幻影
伴舞春之精靈的輕唱

最後三句是男生送的，我實在喜歡。」佳馨微笑。

「佳馨就是個令人想逗著玩的女孩兒，只知道 1+1=2。」
媞容總結。

「如果長大意味著虛偽狡詐，我才不願意浪擲年華；如
果留戀赤子的童心，我願永居兒時的天國。」佳馨信誓旦旦。

「當心彼得・潘綜合症噢！」岩琳警告。

佳馨盤起長髮，女王般端坐：「這是我的城堡，誰敢動
我分毫！」

「你就是城堡裏的公主，天真無邪，所有的人都願意為
你效勞。」波微感歎。

媞容突發奇想：「愛情和名聲，哪個重要？」

「愛情重要。」大家異口同聲。

佳馨無語。

「佳馨，你說！」媞容咄咄逼人。

佳馨略加思索：「名聲重要。」

「又想當婊子，又想立牌坊。」媞容連諷帶刺。

大家低頭。

「這跟當婊子，立牌坊，有什麼關係？」佳馨天真地問。

媞容張口結舌傻了眼，啞口無言。

屋裏一下岑寂起來。

「我被佳馨的天真打敗了。」媞容自嘲。

「打敗你的不是天真，是無邪。」岩琳取笑媞容。

大家識趣，紛紛離開宿舍。

　　佳馨獨坐床頭，百思不得其解：如果一個女孩沒有好名聲，男生會愛上她嗎？

　　佳馨知道：「品行是一個人的內在，名譽是一個人的外貌。」

　　佳馨既想做陽春白雪的百合，又想當爛焰爛漫的玫瑰。

　　她的玫瑰百合情意結在《聖經》雅歌裏結合：

（新娘）我是沙侖野地的玫瑰花，

　　　　是山谷裏的百合花。

　　園藝家發現，玫瑰適宜和百合栽培在一起。

　　白玫瑰的花語是聖潔與浪漫，配佳馨。

　　佳馨自彈自唱孟郊

靜女吟

豔女皆妒色，靜女獨檢蹤。

任禮恥任妝，嫁德不嫁容。

君子易求聘，小人難自從。

此志誰與諒，琴弦幽韻重。

　　晚上，佳馨夢見孔子，對她說：「德不孤，必有鄰。」

假　如

　　班裏同學互相寫紙條提問。

　　威治揭開一張紙條，問佳馨：「地球會不會爆炸？」

　　佳馨不加思索：「假如真有上帝，他看到我們大家這樣

相親相愛，一定不忍心讓地球爆炸。」

「以天地之心為心，天下無不愛之民物。佳馨貴有此心！」威治贊許。

媞容使勁拍巴掌。

問題是她提的，毋庸置疑。

課餘。

媞容問佳馨：「假如到了世界末日，你說，人類會做什麼？」

佳馨答：「我認為，世界永無末日。」

「那時，人人會盡情尋歡作樂。」媞容的嘴臉彷彿蘇格拉底的門徒阿裏斯蒂帕斯的幽靈現身。

佳馨一笑了之。

遊蓬萊閣

英語系組織師生遊蓬萊閣。

佳馨的班級和輔導員勝鈺一起登臨「道德神仙」閣，欣賞馮玉祥的楷書「碧海丹心」。

台階上，他們高瞻遠矚：海天一色，浩渺相接：「海市蜃樓」的奇觀。

佳馨買海星標本、貝殼項鏈、八仙過海彩石，和老師同學合影留念。

回到宿舍，佳馨就戴上貝殼項鏈，自以為有趣。

「你要戴著它去教室，我給你買巧克力。」波微打賭。

「一言為定！」佳馨心想：太划算。

晚自習。

佳馨繫小水鑽花蝴蝶結，穿紫雪紡花長裙，戴著貝殼項鏈若無其事地走進教室。並未有波微想像中的戲劇效果，男生女生們只是擡頭看幾眼，低頭繼續讀書，彷彿她天生就是如此打扮。

波微拿出買好的果仁巧克力送給佳馨。

佳馨吃著美味可口的巧克力，看著《公主》，悠然自得。

威治遞過來一張紙條：

一起看電影（Ａ）去（Ｂ）不去

佳馨在（Ｂ）上畫個勾，還給威治。

佳馨憶起和彤星共度的美好時光

我多麼愛你

我多麼愛你我多麼愛你
可你像微風若即若離
悄悄靠近你旁邊
深深吸吮你男子漢氣息
柔情像潮汐
蕩漾在清澈眸子裏

我多麼愛你我多麼愛你
可你像花路絲雨淅瀝

輕輕叫著你名字
暗暗回味你笑意的奧秘
思念像春韭
割斷又長高在心地

我多麼愛你我多麼愛你
可你像美夢惝恍迷離
柔柔圍繞你身影
脈脈想像你隨和的欣懌
親密像鶼鰈
相偎相依永不分離

喜逢春雨

佳馨和彤星作客棲霞農莊大伯家，恰逢

春　雨

細細地密密地
玻璃絲般晶亮的春雨飄灑
遠山隱約　鉛霜雪痕洗淨
原野朦朧　煙籠柳絲　酒醉花盞
嫩梢眉舒展　芽苞嘴啜飲　骨朵臉洗勻

沙沙沙　像春蠶齧桑葉
春神舞衣飛旋　春夢呢喃
種子睜開水綠的眼

一聲鳥鳴撥響雨的琴弦

雨絲纏纏綿綿　繡出錦衣春衫
雨滴歡歌低吟　播灑淨化福音
雨花輕盈濺開　綻放親和笑顏
雨韻意切情真　敲響豐收鼓點
雨情脈脈施功　復活掛果秋天
雨韻閃閃爍爍　春光明媚燦爛

啊　濛濛春雨
綠化無邊無際憧憬
瀟瀟甘霖
催醒萬千氣象更新

佳馨和彤星此時，只有新生的喜悅⋯⋯

桃花源

膏雨洇濕桃花紅。

彤星指著一朵盛開的桃花，似笑非笑：「花萼、柱頭、雄蕊、雌蕊⋯⋯」

「不要告訴我這些，美麗的桃花也顯得不純潔。賞花不需要植物學家。」佳馨桃腮生春：「桃花為豔中之豔、花中之花。」

「人稱桃花『妖客』。」彤星笑。

佳馨嬌叱：「胡說！桃符能闢邪。污蔑桃花之人，分明

妒其美豔，是『忮客』。」
彤星躊躇。

佳馨抿嘴一笑，隨手撥動一根傾斜的桃枝。
彤星冷不防被打了滿臉濕漉漉的雨水，像小珍珠。

彤星摘下一朵初綻的桃花苞，輕輕放在佳馨張開的手掌上：小小的蓓蕾一直開至佳馨的心裏去了。看見細細的蕊上星星點點黃燦燦的甜蜜，佳馨笑了，面頰上的桃暈更深了；她把花苞插在髮間，臨溪觀照……

佳馨和彤星走進桃林深處。
「好一個世外桃源！」佳馨雀躍，從一棵桃樹跑向另一棵，嗅嗅這一朵桃花，貼貼那一朵桃花，拋個飛吻給開在最高枝的花兒，快樂得像隻蛺蝶，忽發一願，學麻姑摘仙桃為人類獻壽，有詩云：「海上桃花千樹開，麻姑一去不知來；遼東老鶴應慵懶，教采桑田便不回。」佳馨夢中會知來。

「薩特說，他人即地獄；我說，現實即監獄。」佳馨嚷嚷，小臉胭脂紅。
「對著一樹樹緋桃，姑娘掉書袋，煞風景。」彤星故意皺眉長歎。
佳馨最不願被人看成書呆子，就考彤星：「你說，現實是什麼？」
「現實是，」彤星勾起佳馨尖尖的下巴頦，由衷地一字一頓，清清楚楚：「現實是：I Love You，佳馨。」

「為什麼？」佳馨直愣愣。

「你的表情真可愛，懂嗎？」彤星用食指刮刮佳馨的翹鼻子。

「不懂。」

「因為，」彤星口占一詩：佳馨，你是

桃花精

丹唇皓齒　粉嫩甜淨
你笑　柳媚花明
齊齊綻放嫣然
悄染春情釀　襯你
眉彎目灼　亮麗幽嫻

花不知妒羨你絕世姿容
你媚　桃花精爛熳
瑩瑩根紫雲嶺
芳華噴蒼穹

佳馨隨口接道：

我的臉是桃花瓣溫馴羞赧紅顏
我的情是桃花蕊凝聚和風煦暖
我的愛是桃花香拂面把你吹醒
睜開眼
心頭綻放明朗鮮豔粉紅

　　佳馨歎息：「桃花紅顏薄命。」

　　彤星安撫：「你有桃花運：玉環飛燕眉間的一點朱砂，怎敵你雙頰輕染的桃花？」

　　佳馨細語：「我出生在四月：牡丹王。芍藥相於階。杜鵑歸。玫瑰香。薔薇蔓。酴醾留夢。」

　　「為什麼我生活得如此愜意？因為我心中有《桃花源記》！」佳馨微笑。

　　彤星端詳佳馨：「你像林徽因的《人間四月天》。」

　　「『一身詩意千尋瀑，萬古人間四月天。』金嶽霖真愛林徽因。」佳馨讚歎。

　　「民諺：做天難做四月天，蠶要溫和麥要寒。賣菜哥哥要落雨，采桑娘子要晴幹。」彤星憐愛：「佳馨，你為人是否常左右為難？」

　　「不欺心，問心無愧而已。」佳馨率直。

　　「那首詩真美！人說林徽因是當時所有女性的敵人。我若生在那個年代，一定是她最好的朋友！」佳馨信誓旦旦：「林徽因的英文教名 Phyllis，含義是：綠葉。泰戈爾詩雲：花朵的事業是美麗的，果實的事業是甜蜜的，但是讓我做綠葉吧，葉總是靜靜地謙遜地垂著綠蔭的。林徽因在北平接待泰戈爾，她和泰戈爾是有緣分的。她的中文名字有：徽，也許預示她參與設計了中華人民共和國國徽。」

　　此刻，佳馨依偎在彤星身邊，幸福無限

　　　四月，像個孩子，
　　　用花朵在塵土上

寫下象形文字，

然後又把它們抹了、忘了。

泰戈爾深諳四月的奧秘。

佳馨用象形文字描繪四月花朵，串成花環，敬獻 —— 美惠三女神。

大眾情人

五四青年節。

學院舉辦歌詠比賽。

英語系的參賽曲目是《年輕的朋友來相會》。

舞臺上，燈火通明。

彤星指揮。他略一示意，音符海浪般洶湧澎湃由樂隊奏響，在彤星胸膛、臂膀、手腕、身體間跳躍、呼嘯、奔流……

佳馨和同學們放聲歡唱，激情狂奔，像一陣風暴波峰濤穀中起伏宕蕩；彤星風華絕代，演繹勇猛剛強，同學們像株株蘭芽，懸崖峭壁裏溢彩流芳；彤星發一甩，甩去世態炎涼，同學們重返愛的天堂；彤星頷一收，收聚鬥志豪邁昂揚，同學們笑迎命運較量……彤星身姿躍動，噴薄日出吞山挾海的雄壯；彤星儀態萬方，釋放兒女熱戀的柔情萬丈……

隨著彤星揮灑自如的手勢，樂曲時而金鼓鏗鏘，時而鳴鑼震場；彤星亢奮衝動，彤星超逸安詳；臂一伸，蠶食桑葉，黃鶯嬌啼韻悠長；指一點，玉脆玎玲，燕子銜泥灑雕梁；忽而晴空霹靂摧，雲興霞蔚；忽而草挺花婉變，香熏日暖。

歐梵思降臨人間。

彤星抬升右肘，歌聲高一個三拍，月圓般明朗，再繽紛璀璨如煙花燃放；彤星緊縮雙臂，懷抱必勝希望，酩酊淋漓酣暢！

「嘩 ── 」掌聲如春雷轟隆。

主持人宣佈：「英語系榮獲『青春杯』金獎。」

幕後。

女演員們濃妝豔抹，流光顧昀，迷陽城，惑下蔡，團團圍住彤星。他似乎有個磁場，彷彿他是從外星球登陸，在女生心中激起新奇磁波的漣漪……

佳馨遠遠地站在角落裏，注視著。女性的直覺，女性的敏感使她意會一個不爭的事實：她們烘托的是一個大眾情人；一顆紅得發紫的明星，照亮她的同時，耀花其他女生的眼睛，將照亮多少春閨幽夢？

彤星淡漠地笑，好像不知道自己的吸引力，這一切騷動與他無關，他可以在崇拜的人海裏魚兒一般穿梭而不必負責；他一雙俊目四下裏搜索 ── 是在尋找佳馨嗎？

佳馨可不想成為追星族們的「眼中釘」。

質　疑

佳馨獨自走回 819，與世無爭的心第一次失去平衡：彤

星對他的愛會被另外的女孩搶走嗎？
　　她寫下

過　客

多麼想挽留這時刻
卻只能珍藏在心窩
你揮灑得如此卓越
纖毫畢致　渾然忘我
你的眼睛裏
愛的火苗燃燒熱烈

她們都被陶醉
誇你正處於巔峰
可我選擇寂寞
寂寞是難言的苦澀

在我生命的幻覺裏
你留下的也許只是身影
僅只是身影
在我人生的驛站中
你也許只是一個過客
一個匆匆太匆匆的過客

啊
你是我淚光中的笑靨
魂牽夢縈的一支歌

佳馨意猶未盡，又作一首

十四行詩

別的姑娘是天堂的小鳥
生來會跳舞歡叫
用迷人的音調撒嬌
上天只賜給我
一雙深情的眼睛
望著你窗口的燈光
克制不住狂烈的心跳
然後　悄悄靠近
像戰戰兢兢的婢女
手捧斟滿的玉液瓊漿
殷切勸你盡觴
共賞美景良宵
也能甘願獻出生命
親愛的人
當你需要

　　岩琳回來，一把搶過，讀罷，歎息：「佳馨，你真傻！彤星對誰都好；凌霄對你比誰都好！你又何苦捨寶山而就敝屣？」
　　「不，岩琳，彤星是最受歡迎的人：全體老師和男生、女生都喜歡他。」佳馨堅持：「院長都器重他，他了不起！」

　　波微煞有介事：「婚姻專家最新研究成果：男人喜歡的

男人，才是女人最喜歡的男人。彤星是男人喜歡的男人。」

「我們佳馨也是女人喜歡的女人呀！」岩琳不服氣。

「所以，佳馨就是男人最喜歡的女人。」波微笑了：「彤星佳馨他倆天生一對兒！」

徵　文

學院舉行《當代大學生風采》徵文。

威治讓佳馨寫稿應徵。

佳馨不情願：「幹嘛讓我寫？班裏這麼多同學。」

波微道：「人家瞧得起你。」

佳馨想：不辱使命。於是，譜寫

女大學生圓舞曲

青春蓓蕾無法獨守空寂

飽吸陽光雨露

渴望綻放春天

所有最美妙的話題

我們年輕　眸清齒白靈活輕盈

我們美麗　鮮嫩裙裾染透天邊霞霓

牛乳甜的清晨　金桔色的黃昏

晚香玉的夜晚

我們拉起

浪漫不羈旋律

執著　熱忱　希冀

我們的目光坦然專注
我們爭執辯論波伏娃女權主義
教室演奏貝多芬《熱情奏鳴曲》
張張課桌是琴鍵排列和諧主題
理想　信念　啟迪

春雨淅瀝濕潤大地
心靈幼苗滋長清洗
友誼背信棄義　愛情猝然破滅
一個個日子被嚼成一顆顆醋栗
卻笑著對別人說是蜜餞
我們捨棄　拼搏　尋覓
樂觀　開朗　堅毅

夜色多麼甜蜜
像溶化深藍色糖飴
花粉薑香薄荷　氣味沁人心脾
深情顧盼星星般閃爍
紫羅蘭思念夢一般神秘
教人灑下幸福淚滴

啊　明媚的青春請永遠和我們在一起
當歲月悄悄爬上我們額際
圓月皎潔　銀光灑地
我們一如往昔接受月華洗禮

起舞吧　用女孩子的溫柔
我們多姿多彩　像蝴蝶
飛起來
擁抱寰宇

佳馨在系裏獲優秀獎。

媞容獲一等獎，被一群崇拜者前呼後擁，走進教室，手裏捧著一個豪華的大大的文集冊 —— 獎品，襯得佳馨獲贈的日記本小而寒碜。

佳馨羞愧地把本子放進書桌。

岩琳要看，佳馨都沒好意思拿出來。

第二天，學院貼出徵文結果：佳馨榮獲二等獎，媞容獲紀念獎。

佳馨的獎品是一本精裝影集，紅絨面，鍍金字。

班裏同學熱情向佳馨表示祝賀。

波微伏案不語。

佳馨不快：波微一定妒忌我，才不和我說話。

岩琳看出，遞給佳馨一張紙條：

「真正的欽佩寂靜無聲，像天使的羽翼庇護對方的才能；嫉妒的喧嘩鬧鬧哄哄，用誇張的激情掩蓋心中不平。」

「只一個俗念頭，錯做了一生人。只一雙俗眼睛，錯認了一生人。」佳馨暗自羞恥：自己險些誤會一個真正的朋友。

　　佳馨喜歡花樣年華穿著比基尼的林青霞：完美的身段沒有花飾；波微一看，細白的臉泛起潮紅，專挑一個裹得嚴嚴實實，頭戴一頂鴨舌帽的林青霞：「這個最美。」

　　佳馨用印有維納斯雕像的紙包書皮，波微馬上用紅筆給維納斯穿「T 袖」。

　　比起佳馨給男友寫情詩，波微更願意給他織毛線手套。佳馨愛波微正是愛她的務實本分。

　　佳馨自己是懷著叛逆種子的。但她也心靜息寧和，身養正為美，追求天長地久。兩人的眼睛一樣珠藏玉韞，兩人的情懷一樣悲天憫人：如周璇的長相：像小家碧玉，紮一條烏黑油亮的大辮子，繫紅頭繩。
　　「雄鷹巡迴演唱隊」的男主唱秦川就盯著佳馨唱：「花籃裏花兒香，聽我來唱一唱，唱呀一唱……」
　　波微做了一條彩色花裙子，開心地也唱起《南泥灣》，唱給自己一個人聽，一遍又一遍……
　　佳馨納悶：波微莫非有意「雄鷹巡迴演唱隊」的帥哥？

馬　克

　　佳馨患得患失，對彤星一片癡情令她長籲短歎，晝夜難安。
　　岩琳週末拉她逛街。

她倆踏上返校車，一個男聲吹響口哨。

佳馨頭也不擡，置若罔聞。

岩琳好笑。

「我給你買票。」男生急乎乎地給佳馨掏錢。

「不用，我自己買。」佳馨把錢遞交一旁看戲的女售票員，她贊許地望望佳馨，收下。

「你是電影學院的吧？」男生沒話找話。

「不是。」佳馨冷淡。

「那你是什麼大學？」男生窮追不捨。

「師範學院。」佳馨平靜。

「當老師，沒意思，沒前途。」男生搖頭：「我看你氣質好，嫻雅，真為你惋惜。」

「我自己都不惋惜，你惋惜什麼？」佳馨冷冰冰地回敬。

「教師的拉丁文意義是指一個教導人的人，一個教育人的人，一個使人懂得為人之道的人。」一個金髮碧眼的外國青年一旁用一口純正的普通話說道：「教師是世界上最崇高的職業。」

「想必閣下就是最崇高的老師嘍？」男生譏諷。

「不錯。我叫馬克，來自加拿大，在師院教書。」馬克不卑不亢。

岩琳聲援：「孟子說，得天下之英才而教育之乃人生一大樂事。」

「教師在學校好比井底之蛙，沒出息。」男生強辯。

　　「School（學校）一詞源出於古希臘，本意是度過閒暇的地方，是一種豐沛高遠的精神生活，而不是僅有發呆和白日夢的狹隘和空想。」馬克義正詞嚴。

　　「我們應該進重點大學，不必說學校，學院都差一個檔次。我在煙臺大學。」男生趾高氣揚。

　　「Academy（學院）是對柏拉圖住所的稱呼，他在那裏講學，教育逐步成長的學生。你不會看不起柏拉圖吧？」馬克似開玩笑。

　　男生呐呐：「柏拉圖？老掉牙，早過時了！」

　　「不！柏拉圖哲學文體華美動人，耽於玄想，獲 Dame philosophy 的謔稱。你能說一位高雅的夫人過時嗎？」馬克保持有風度的笑容。

　　男生無言以對。

　　佳馨打破僵局：「柏拉圖把詩人逐出理想國，不可思議。」

　　「詩人的靈感來自 Muse，受神的庇護，你不必擔心。」馬克安慰佳馨。

　　佳馨微微含笑。

　　「跟我去煙臺大學玩吧？那裏離海很近。」男生殷勤地邀請佳馨。

　　「不了，你的唾沫星子已經像海浪一樣，幾乎把我淹沒。」

　　佳馨的嘲弄令自己也嚇了一跳。

　　車上的人都笑了。

　　男生訕訕地低頭。

　　馬克好奇地注視佳馨手中的小瓷人：女孩紮著藍頭巾，圍著藍圍裙，和一個小男孩親吻。

　　「給他吧。」岩琳示意佳馨。

　　佳馨有幾分不捨，自己畢竟也喜歡，但還是慷慨贈送給馬克。

　　馬克連聲道謝，饒有興致地指著小禮物：「荷蘭藝術流行記錄當時的熟悉場景和日常生活。」

　　他們一起下車，友好地分手，說：「再見！」

當我想你的時候

　　凌霄來 819 玩。

　　正巧停電。

　　燭光中，姑娘們秀流行歌：《大約在冬季》、《咖啡屋》、《More Than I Can Say》，一支接一支，大家唱啊，笑啊，無拘無束，盡興狂歡，樂不可支。

　　佳馨要洗頭，端起臉盆就走。

　　岩琳叫道：「不許出去！凌霄有保留節目。」說著，她朝凌霄遞個眼色：「請問，凌霄先生，你準備了什麼金曲呀？」

　　姑娘們鼓掌。

　　佳馨放下臉盆，坐在床邊。

　　凌霄緘默。

波微慍恚：「佳馨，你叫他唱，他准唱。」
佳馨勉強圓場：「好姐姐，就別難為人家吧。」

凌霄猛地站起，清清嗓子：「我唱一首《當我想你的時候》。」

初唱，緊張、顫音，動情處，富有磁性的樂感真摯、淒惻、動人：「我也曾醉過，也為你哭過；愛情如此的折磨，究竟是為什麼？！」凌霄深不可測的雙眸痛楚地聚焦佳馨，聲淚俱下。

佳馨慌亂地移開視線，心靈深處，一股若有若無的萌動，一縷飄飄渺渺的溫情，隨橘紅燭光暈染、搖顫……一絲柔柔的纏綿幽幽地浸滲開去，像化入韻味無邊的心田，又宛如消融漫漫傾灑的燭光裏……

溫馨

月光柔和　彌漫
彩雲幽靜的感動

水藻曼搖　蘇醒
清潭深邃的潔淨

溫情恒久　忍耐
種子萌芽的自由

梔子鬢旁　閃爍

　　芳馨矜持的馥鬱

窗外，大朵大朵的木槿花盛開。

女生們聽得心猿意馬。

媞容怨婦般捏著小花手絹的一角，像是負心漢欠了她的情債未還，苦大仇深。

凌霄唱完，來電。

岩琳招呼：「歌也聽了，電也來了，咱們就別做電燈泡了，撤！」

女孩們會心，魚貫而出。

佳馨也站起來，凌霄一把握住她的手。

這是佳馨和男生第一次親密接觸。

她吃了一驚，手本能地往回抽。

凌霄用力攢得更緊。

佳馨坐下，低首不語。

凌霄交給她兩首詩：

心語對話

一首摘抄：

　枝間新綠一重重，小蕾深藏數點紅。

　愛惜芳心莫輕吐，且教桃李鬧春風。

一首自作：

　春風失意滿愁容，道是有情也無情。

但笑桃李不識趣，心有小蕾一點通。

「恭喜你，有女朋友了！請教芳名？」佳馨喜上眉梢，笑吟吟。

「不！佳馨，我們好久不見，小蕾是 ── 」凌霄欲言又止。

「你忙著刮春風，哪有空到這裏來？我們 819 是『春風不度木門關。』」

佳馨打斷凌霄的話，繞開敏感地帶，給他打一劑「強心針」：

「據說：快樂的人看得透，故不躁；

開心的人放得開，故不惱；

坦蕩的人行得正，故不倒；

自信的人容得寬，故不老。

你是哪種類型？最好都是你。」

良久。

「佳馨，你真不知道我的意思？」凌霄艱澀沙啞的聲音一字一頓，眉峰越蹙越緊，鎖不住滿腔幽怨鬱悶。

他念牆上佳馨橫幅手書古樂府：「只緣感君一回顧，使我思君暮與朝。」

凌霄解釋：「君是文君的君。」

佳馨大笑：「凌霄，你弱智？」

她細一尋思，有深意。

佳馨強自鎮定：「凌霄，我懂。可是 ── 我倆不合適。你應該找一個外向的女孩：個性強，體貼；媞容是英語系系

花，她喜歡你。她是有不盡如人意之處，金無足赤，人無完人。岩琳 ── 」

「夠了！」凌霄怒不可遏，面色鐵青，粗暴地打斷佳馨的話，語含譏刺：「謝謝你好心好意替我著想。本著佛陀大慈大悲一報還一報的偉大宗旨，讓我也設想一下你的美滿姻緣：你的他一定眉清目秀，風流倜儻；你們倆個在一起，郎才女貌，相得益彰！」凌霄憤懣地拂袖而去。

佳馨百無聊賴，手中一本《孟東野集》觸目驚心：「小人槿花心，朝在夕不存。」

如今，恐友情也告結束。

可佳馨她不是小人心，是君子心……

羅奈爾得

佳馨漫步在教室門外的林蔭道溜達。

迎面走來一個外國中年人：體形壯碩，戴一頂巴拿馬禮帽，眼睛像東方人似的烏黑。

佳馨好奇地看他兩眼。

「來杯咖啡，還是茶水？」外國人衝佳馨微笑，是個自來熟。

佳馨一聲不吭，繼續走路。

上課時間到。

門被一個人推開。

佳馨睜大兩眼 —— 居然是他，自來熟。

他把講義放在教桌上，用粉筆在黑板上寫下：Ronald。他手指佳馨：「請讀出我的名字。」標準的華盛頓口音。

佳馨清清楚楚地唸出。

羅奈爾得滿意地點點頭，正式就任英文精讀老師。

羅奈爾得的口頭禪是：「Banana」。（香蕉）

岩琳解釋：「我們中國人黃皮膚，接受西方白種人的教育，所以被他們稱為『香蕉』。」

「我們也有中國傳統文化的積澱呀！洋裝雖然穿在身，我心依然是中國心。」佳馨不喜歡「香蕉」稱號。

羅奈爾得遇到不順心的事，就像個孩子似的皺眉，裝哭：「我要告訴我的媽媽！」轉身用頭撞牆，惹得全班大笑。

最　怕

羅奈爾得問全班學生個人最怕什麼。

波微說：「熊。」

佳馨答：「我不知道。」

「佛教講，心無所住，便妄念不生；妄念不生，便沒有恐懼。」羅奈爾德問：「是嗎？」

「是的。」佳馨答應。

羅奈爾得理解。「你最喜歡什麼？」

「中國。我的祖國。」佳馨答道。

「請坐。」羅奈爾得深表敬意。

　　媞容提高聲音：「我什麼也不怕，我喜歡挑戰！」

　　羅奈爾得在黑板上寫：「挑戰。」然後，他說：「很好，我也喜歡挑戰，媞容！」

　　媞容臉上堆滿勝利者的微笑。

　　佳馨看看媞容，她果然不是省油的燈，是個女強人。

　　自己要不要做個強中強？不！佳馨不願意違背自己的天性：既不願挑戰他人，也不願接受他人挑戰。

　　「你最後悔的事是什麼？」羅奈爾得問。

　　「沒好好用功，考上清華。」波微嘆息。

　　「條條大路通羅馬。」羅奈爾得開導。

　　「我為自己以往的過錯悔恨。」佳馨痛不欲生。

　　羅奈爾得安慰：「《易經》中，悔是吉卦。」

　　「願你以後永佳！」威治喊道。

　　「我從未後悔。」岩琳肯定。

　　「誠必不悔，決絕以諾；貞信之色，形於金石。」羅奈爾得伸出手：「岩琳，我向你致敬。」

　　岩琳並不伸手相迎。

　　慢慢長大，佳馨知道，自己也有最怕：「仰愧於天，俯怍於地。」

　　「仰不愧於天，俯不怍於地。」是她為人處事的底線。

髮型秀

　　禮堂的 T 臺上，上演髮型秀。

　　彩燈下。

　　媞容穿紅緊身連衣裙，一頭波浪長髮披肩，貓步登臺亮相：明豔照人，妖冶不可方物。

　　羅奈爾得帶頭鼓掌捧場：「Gorgeous!（漂亮）」

　　背朝觀眾，媞容誇張地扭胯擺臀，腰肢細軟，裙幅波浪般起伏旋轉，掀起全場陣陣高潮，掌聲、口哨聲、跺腳聲彷彿要震翻禮堂。

　　佳馨旁邊一個男生看得兩眼冒火，口乾舌燥，直叫曹孟德大名。

　　一絲寂寥之感令佳馨寧靜。

　　黑暗中的看客迎合臺上五光十色，尋歡作樂。

　　佳馨有顆玥心，只能反射，不會融合。

　　禮堂舉辦盛大的舞會。

　　跳著，跳著，羅奈爾得一把抱住懷中的媞容，高高舉起，全場一片譁然。

　　佳馨離開禮堂，呼吸新鮮空氣，天地間生髮良善之念，石濤「物隨物蔽，塵隨塵交」，佳馨自歸然不動，安分守己

菊

雲纖露冷月上枝，正是香消玉黯時。

東籬猶有千縷雪，素心幽骨綻冰姿。

賞　菊

追歡逐樂紅塵滾，誰是高風亮節人？

獨秉幽懷伴明月，千古猶覺五柳親。

佳馨毅然做出自己的

抉　擇

我堅拒燈紅酒綠的誘惑
夜空的明星提醒著我

我摒棄隨波逐流的汙濁
池塘的蓮花香薰著我

即使霧霾降臨蒼穹原野
我依然明媚清新如香水百合

即使烏雲籠罩娑婆世界
我也要靈魂純淨如皎潔明月

這就是我
一個中國女子的抉擇

燦　爛

羅奈爾得組織學生看《亂世佳人》原版錄影。
螢幕上，夕陽映紅晚霞。
羅奈爾得讓學生描述。
佳馨不由吟誦張慶和的

火燒雲

肆意地施展魔力

狂放地布散誘惑

有仰望者

有追隨者

當一個個被熱烈迷倒的時候

你卻無聲無息地走了

點燃的靈魂被拋進黑暗

做起火紅火紅的夢

吟罷，佳馨高喊：「Splendid!」

羅奈爾得不解：「什麼意思？」

「Brilliant（燦爛）的意思。詩中『做起火紅火紅的夢』正有 Scarlet（郝思嘉）『紅』的含義。郝思嘉暮色沉丹般誘惑眾多追求者。」

「你才華橫溢！」羅奈爾得說：「誰像郝思嘉？」

「媞容像。」岩琳深思。

「我倒是像郝思嘉，可惜沒人像白瑞德。」媞容憤憤。

「你看我像不像白瑞德？」羅奈爾得問媞容。

「像極啦！」沒等媞容回答，波微搶著說。

「哈哈！哪位像希禮？」羅奈爾得狂笑。

「佳馨像：在藝術殿堂裏是個天才，走出來，是個弱智。」媞容輕蔑地眼一橫。

「佳馨不像希禮，像媚蘭：柔弱的身體裏有一個偉大的靈魂。」岩琳更正。

「的確。」羅奈爾得附和。

「不，不是！」佳馨臉都紅了，像所有不願意受人讚美的人。

約　會

紫色、紅色、藍色的牽牛花，黃色、粉色的薔薇攀援菁菁校園的籬笆，繪成一幅五彩斑爛的油畫。

女生們身著裙裝，搖曳生姿，挽住夏日女神留戀的翅膀，許許多多藍莓花綻放，赤誠得盪氣迴腸。

星期天晚上。

「噹噹噹」819 響起有節奏的敲門聲。

佳馨一個箭步閃到門後，食指放在唇上示意：「噓 ── 就說我不在。」

波微開門，是凌霄。

「佳馨不在。」波微輕聲細語。

凌霄失望至極，離去。

「佳馨，你太狠心！」厚道的波微責備：「我看見凌霄眼睛佈滿紅絲，有淚。」

「強扭的瓜不甜。哲學是穿著盛裝的常識。凌霄談起哲學頭頭是道，怎麼連普普通通的常識都不懂？」岩琳幽幽地感歎。

媞容看到凌霄維特般失魂落魄的煩惱，恨不能日後和他翹課而去。

佳馨梳妝打扮，彤星約她看電影《羅馬假日》。

「鳥中之王稱鳳凰，木中之王為黃楊。」佳馨用一把

黃楊木梳

光閃閃黃燦燦
斜插烏雲新月彎彎
理不清　嬌媚花姿悠顫
梳不斷　萬丈情絲纏綿

綰一個蟠桃髻
襯一朵紫玉蘭
恰便似
梨雲冉冉生岫煙
嫦娥曼舞下月殿

妝　奩

青絲如瀑，素手如酥，佳馨挽髮成辮，想起外祖母家有一個古老的

紫檀木妝台

雕花刻葉　描蜂繪蝶
泛著霞醴的光澤
煙波雲海　龍紋鳳理
鑲嵌珍珠螺鈿

演繹青瑣朱門裏
一幕幕情愛傳奇

每一個抽屜
都擱置一件秘密
至今
依稀飄逸
那時的粉香脂膩

深閨及笄
輕揭繡幌　蓮步悄移
綠傾蟬鬢　纖腰如柳
鸞鏡前端坐
翠翹金縷　蕊黃腮雪
玉指慵掂眉筆
綺窗外　子規正啼

也許曾映照一雙儷影
相視淺笑　香近語低

一聲彈指
古老的紫檀木妝臺
珍藏了多少溫馨記憶
浪漫婉約　惝恍迷離
每次　面對它
都覺得自己不像自己

　　妗子要送給外祖母一個翡翠鐲子，老太太推辭：「戴那個做什麼？沉甸甸的。」

　　佳馨羨慕：姥姥真是尊貴。

　　年逾九旬的姥姥上過舊時女子師範，神清骨秀，居家也如做客一般。

　　姥姥九十四歲，駕鶴西去，臨終遺言：「放鞭炮！」

　　佳馨得了媽媽一隻玉鐲，愛若至寶，晨練時，不小心甩丟了。佳馨悵然

憶　鐲

碧玉鏤成　春冰刻就
祥紋蘊瑞　淡月幽光
綠窗人靜　皓腕凝脂
銀屏香細　靜拂學書
滑涼溫存　冰肌玉骨相親
觥籌交錯　雪膚酒色氳氤

採蓮含露　劃槳汗濡
朦朧霞彩　沈湎秋夢
珠滋水潤　甦醒明淨
一痕天光雲影

閃閃瀅瀅　皎皎瓊英
願佳人偶拾　晶晶高擎
向檀郎毓秀鍾情

佳馨打開自己的

首飾盒

銀質耳環親近媽媽的母愛體貼
石榴石戒指凝聚爸爸的慈心告誡
水晶項鏈縈繞孀孀的淨化亮澤
景泰藍手鐲鎖住姨姨的古典情結
檀香木佛珠數著妹妹的虔誠許願
水鑽花頭飾閃爍戀人的美好思念
碧玉簪插緊青絲密密的眷眷纏綿
藍蝴蝶結振翅天真的無邪浪漫
天鵝絨緞帶挽住靜女飄逸的麻花長辮

首飾盒
斂息噤聲
浮華紅塵的一縷思古幽情
親吻神經的一股賢淑貞靜
惺惺相惜　隨妝賦性

初試
對鏡端詳的燦然驚喜
卸妝
依依不捨的遊離歎息
驚鴻一瞥期盼等待
重啟妝盒　再整眉黛

佳馨戴上一枚心愛的

髮　夾

白蝴蝶綠蝴蝶
莊子睡夢中幻化
寶釵紈扇下曼舞
翅膀上沾滿花露
嗅吻著鬢髮香霧
梁山伯祝英臺
翩躚花前月下
親睹眾芳爭豔
難捨嬋娟真情
盤旋髮間
摯誠凝聚水鑽

　　波微在佳馨的黑髮上紮一塊細紅格手絹，襯得她綽約多姿，唇紅齒白。

　　「秀色可餐。」波微打趣。

　　「佳馨可不願意做玩物。」岩琳斬釘截鐵。

　　「以色事他人，能得幾時好？」佳馨玉振金聲。

　　「小心讓人金屋藏嬌。」媞容調笑。

　　「我若有才，自置金屋；我若只有貌，早晚會被趕出金屋。君子愛財，取之有道。」佳馨嚴正。

　　「你不食人間煙火，會拜金？」波微難以置信。

　　佳馨拿出一份《歷史學刊》：「請不吝賜教。」

大家湊過來一看，是佳馨才發表的

銅錢的故事

我有一串銅錢，是外祖父的贈品。

晉王衍稱其「阿堵物」，令見錢眼開者汗顏。

趙壹在《秦客詩》裏指責世風鄙俗：「**文籍雖滿腹，不如一囊錢。**」

這一串銅幣中，宋朝有太宗時期的「淳化通寶」；真宗時期的「祥符通寶」；仁宗時期的「天聖元寶」；英宗時期的「治平元寶」；神宗時期的「熙寧重寶」；哲宗時期的「元佑通寶」；徽宗時期的「崇甯元寶」，還有一枚「崇寧重寶」是賞賜幣，由宋徽宗用「瘦金體」親筆書寫。北宋所有皇帝中，缺少開國的太祖和亡國的欽宗。

這些銅錢，都是「外圓內方孔」，稱方孔圓錢，俗稱方孔錢。戰國時期的環錢即有方孔的。秦始皇統一幣錢制，以銅錢為下幣。名為「半兩」，即採取此形式。銅錢中間有方孔由當時工藝條件決定。銅錢邊緣有毛刺，去毛刺靠銼刀加工，錢中間留有一孔才能串在棍上。這種錢幣對古代中國人象徵天圓地方，天地合一，天庇萬物。一統概念對秦朝皇帝非常重要。他們統一中國並相信他們的權力足以普及四方。

半兩錢濃厚的美學思想代表人與自然的關係。圓代表自然的特性：自由、舒適、輕鬆。方是人為的法律秩序和約束的符號。成語「外圓內方」形容人外表隨和，內心端方嚴正，叫「錢道」。《淮南子‧主術訓》：「心欲小而志欲大，智欲圓而行欲方。」顛沛流離的生活令柳宗元悟道：「材良而器功，圓其外而方其中。」

　　王莽一度行刀、布等錢，後因用「錢刀」泛指錢或金錢。卓文君詩雲：「**男兒重義氣，何用錢刀為！**」後二千多年間都行方孔錢。西晉魯褒作《錢神論》有「親愛如兄，字曰孔方」句，後人戲稱方孔錢為「孔方兄」。

　　銅幣上面為何有些鑄「通寶」、「元寶」，有的卻是「重寶」？

　　通寶起於唐祖武德四年（西元 621 年）鑄造的「開元通寶」。辛亥革命後，雲南、福建還曾試鑄「民國通寶」，是最後一種方孔錢。中國歷代農民政權亦有發行通寶的，如張獻宗的「大順通寶」；李自成的「永昌通寶」等。日本、越南、朝鮮等國的錢幣也曾用通寶的名稱。

　　我那枚「開元通寶」是含缺口的。宋代毗陵女子有《詠破錢詩》：「**半輪殘月掩塵埃，依稀猶有開元字。想得清光未破時，買盡人間不平事。**」深刻揭露了封建社會世道不公，金錢萬能的黑暗腐朽現實。

　　元寶唐宋兩代鑄造較多，因唐「開元通寶」讀作「開通元寶」而得名。最早使用元寶名稱的是唐肅宗幹元元年（西元 785 年）

　　最早的重寶是唐肅宗乾元元年（西元 785 年）鑄的「乾元重寶」。

　　我的外祖父這老一輩人把銅錢叫「製錢」。我查資料才知，明代稱本朝官爐所鑄的銅錢為製錢。清代稱本朝官爐所鑄的小平錢為製錢。

　　朋友送我一枚「康熙通寶」的異品。銅質精良，製作精美。歷史老師借去展覽，再沒歸還。後來，才知那叫「羅漢錢」，有很多神秘的傳說，民間一直把它當做吉祥、幸福的

象徵。康熙自稱暗夜多羅漢，乾隆自稱直福德羅漢。清代之前的佛教廟宇多塑十八羅漢，為把康熙和乾隆請進羅漢之列，從鹹豐以後，便以十八羅漢增至五百之數。

「一文不值」亦作「一錢不值」，謂毫無價值。當然，如今這些銅錢並非「一文不值」。舊時，銅錢一面鑄文字，故稱錢一枚為一文。

緡，是舊時串銅錢的繩子，由此成了量詞，一緡，為一千文。

銅錢內含銅，後常譏諷愛錢之人有「銅臭。」東漢崔烈有名於時，以錢五百萬買得司徒。問子崔鈞：「吾居三公，於我者何如？」鈞曰：「論者嫌其銅臭。」（見《後漢書‧崔寔傳》）白居易詩雲：「私家無錢爐，平地無銅山。胡為秋夏稅，歲歲輸銅錢。錢力日已重，農力日已殫。」可謂深諳民間疾苦，當權者的貪婪。

俗話形容人嗜錢如命叫「掉進錢眼裏。」方孔即錢眼。

銅錢中間有孔，常用繩索將一個個錢幣穿成串再吊起來，所以，一串錢又叫一吊錢（舊時錢一千叫一吊，北京話一百文也叫一吊）。穿錢的繩索叫「貫」，小時候，我看過一齣戲叫《十五貫》，即涉及十五串錢的一個案子，當時痛哭流涕，幸虧這樣的悲劇不會在新社會重演。

人們在出遠門辦事探親之時，只能帶上笨重的成串銅錢。把銅錢盤起來纏繞腰間，既方便攜帶又安全，因此，古人將這又「盤」又「纏」的旅費叫「盤纏」。

古人腰間佩一隻玉雕的蟬，寓意「腰纏萬貫。」「腰纏十萬貫，騎鶴下揚州。」

我突發奇想，對父親說：「世上如果沒有錢，該多好！」

父親怒斥：「你真是越長越倒退。」

「錢幣，是從每一種錯誤中鍛造出來的。」維特根斯坦曾言。我的奇思怪想也非無理。

唐伯虎「閒來寫幅青山賣，不使人間造孽錢。」，清高得可以。

「佳馨可謂循循然善誘人，博我以文，佩服!佩服!」岩琳說。

佳馨抱歉：「長篇大論談錢，饒舌聒噪之至，慚愧！慚愧！」

「一個佩服佩服，一個慚愧慚愧，兩個冬烘！」媞容撅嘴。

「佳馨知道的真多！」波微讚賞。

「我有好奇心！」佳馨說。

「Curiosity killed a cat.」（好奇傷身）媞容雙目下垂，陰著臉，像一個女巫。

佳馨心一緊：「老子曰：塞其兌，閉其門，終身不勤；開其兌，濟其事，終身不救。多謝提醒，謹記在心。」

「我得走，要不然，就遲到了啦！」佳馨照照鏡子，塗一塗口紅，卻不用香水。

「佳馨今天真可愛！」岩琳笑：「去晚了，諒他也捨不得怪你。」

「哼！說不定得受罰！」媞容一吐舌頭。

岩琳關愛地看著正對鏡補妝的佳馨，小聲

勸

輕輕地　不要打擾她
一朵寂寞的剪秋蘿
清香嫋嫋繞天涯

悄悄地　莫去驚動她
一顆安靜的露珠兒
純真明媚閃淚花

柔柔地　別來傷害她
天生善良的小羔羊
上帝慈愛呵護下

　　佳馨對鏡審視一番，朝媞容友好地嫣然一笑。
　　媞容忽然俯身伏被痛哭，佳馨莫名其妙。

　　佳馨順滑的黑髮油光可鑒，長成旺盛的藤蔓。
　　岩琳把一件薄薄的絲綢披肩裹上佳馨的肩頭，披肩成了
「飄搖在晚風時的慰藉，一片看得見風景的天空，是那一隻
停憩在美人肩頭的夢中蝴蝶……」波微感歎。

　　佳馨溫潤神秘，錦衣夜行，遇見兩個男生。
　　其中一個對同伴讚歎：「你說師院沒有漂亮女生，這位
如何？」
　　另一個評論：「有特色！」
　　「一看就是受過軍訓的。」他倆嘖嘖。

坐在影院裏，彤星握著佳馨的手。

佳馨喜歡和彤星在一起時，默默而內心裏春潮翻騰的奇異感受……

自從和彤星結識，佳馨就有做不完的美夢：那些單純固執的夢境裏，只有一個彤星。佳馨卻從未看懂他的心，佳馨的眼睛被愛神用玫瑰絲帶蒙住了，有一層飄渺神聖的光環罩住彤星：白天，他是她的陽光，向心花灑落金波，讓柔情激蕩愛河；夜晚，他是她的星月，給窗櫺裝飾雕刻，派甜夢遣來使者，像 Rose Davidson 的

LIFT OF LOVE

Give me someone to dream about
　　　When I am alone
One who holds me in his arms
　　　And lifts me to love's throne

愛的舉托

儅我孤單一個
讓夢中有人來過
他雙臂擁我入懷
舉我至愛的寶座

美人指甲

佳馨用了媞容的指甲油。

正值媞容要登臺台表演舞蹈《阿姐鼓》，指甲油用完。
佳馨上花園裏摘幾朵鳳仙花，給媞容染指甲。

第二天。
「看看，你指甲比塗指甲油還受看。」佳馨詠

美人指甲

筍尖雨晴　露沾春蔥
水晶削薄　新月澤瑩
雲母裁霜　鱗光凝冰
皎如玉潤　潔似瓊英

對鏡細描柳葉眉
龍鳳雙盤小圓鬟
背人輕彈胭脂淚
畫盡相思叩雕欄
剔燭撥焰救飛蛾
支頤心向阿誰邊
調脂弄粉剖繡線
許嫁親結五彩纓
並刀剪紙春風喜
雪藕戀絲琵琶怨

晨起笑向秋香訝
昨日才染鳳仙花
紅玉氤氳沁煙霞

纖指香挑碧窗紗

「聽聽，多會哄人！得了便宜賣乖，喜歡你甜言蜜語，我倆分蝦吃。」媞容夾給佳馨一隻大對蝦。

「鳳仙花別名：淚客，傷心！」波微臉一沉。

粉紅領帶

英語寫作考試。要求是「顏色（選一）」。
佳馨一氣呵成，上交羅奈爾得

粉　　紅

粉紅是我最喜歡的顏色；甜蜜、柔和、優雅、詩意的安恬……

造物主偏愛粉紅。黎明和黃昏，陽光透過朵朵白雲，逐漸地把它們浸染成粉紅、酡紅羞赧如醉；粉紅色的桃花、蘭花、康乃馨把花園點綴得嬌豔迷人。粉紅色的荷花出淤泥而不染，隨風飄送縷縷清香。海底粉紅色的珊瑚放射璀璨的光彩。最昂貴的鑽石是粉紅色鑽石。有著粉嫩臉蛋兒的嬰兒的呼吸，像一根羽毛撥動母親的心弦……

有一首流行歌叫《粉紅的回憶》：「**浪漫的夏季，還有浪漫的一個你，給我一個粉紅的回憶……**」。曲調活潑輕快，像少女的雀躍。

理查·克萊德曼彈過一首鋼琴曲《藍色的愛》，多麼希望他再彈一首《粉紅色的愛》。

　　騷人墨客欣賞粉紅。詩篇寫在桃紅的「薛濤箋」，文采蘊藉，筆跡雋永，溢彩流芳。李賀詩曰：「**浣花箋紙桃花色，好好題詞詠玉鈎。**」浣花箋紙即薛濤箋。

　　我喜歡粉紅色的化妝品。胭脂使我面若桃花。唇上塗淡淡的粉色唇膏，性感而不張揚。桃紅光澤的指甲油，豔光通透，精緻可人。張子野詞雲：「**學妝皆道稱時宜，粉色有天然春意。**」

　　尤今評道，粉紅不三不四，像個風塵女子。其實，粉紅溫馨清純，嫵媚明豔，一塵不染，正如一位薄施粉黛的婷婷玉女。

　　《綠山牆的安妮》中女主人公安妮認為：粉紅是世界上最令人心醉神迷的顏色。

　　奧黛麗・赫本相信粉紅。

　　科學家研究證明，穿粉色衣服可以提高內分泌系統的活力，有「永葆青春」的功效。我是金牛座，粉紅色淨化心靈，賜予我來自宇宙的能量，源源不斷……

　　如果我和一個穿粉紅襯衣或打粉紅領帶的人約會，一定很浪漫，很激動人心……

　　第二天，羅奈爾得拿著試卷走進教室。

　　佳馨目瞪口呆，啼笑皆非：

　　羅奈爾得天藍西服的白襯衣上，大大方方繫著一條粉紅

色的領帶！

　　羅奈爾得開門見山：「有一天當我們老去，我是否還是你最愛的顏色？風中呼嘯而過的粉紅，終能與時光的聲音彼此唱和。」
　　佳馨無語。

畫　像

耶誕節即將來臨。

一個漫天大雪的傍晚，羅奈爾得要在他住所教學生們排練聖誕頌歌。

佳馨前去。

她穿著一件藍白花格大衣，配藍點蝴蝶結。

羅奈爾得一見，就背誦起一首俄羅斯民歌：「你會出現門口，服裝是那樣的素雅，彷彿織就你的衣料的，真個就是飛揚的雪花。」

羅奈爾得拿出一袋炒花生款待佳馨。

佳馨一粒未動。

同學們來齊。

岩琳指著花生問佳馨：「你給他買的？」

佳馨搖頭：「他給我的。」

媞容不屑地瞟一眼佳馨。

羅奈爾得察覺，激怒，吼道：「她是我的朋友，你 —— pang（劇痛）！」他用拳頭狠擊桌面。

媞容低眉順眼，未敢作聲。

威治撿著花生，吃得津津有味，一粒未剩。

排練完畢。

羅奈爾得說：「佳馨，你留下。」

同學們走後。

羅奈爾得給佳馨沖了一杯雀巢咖啡：「你的臉像玫瑰，雪中聖誕玫瑰。」

「梅花也在雪中生長。」佳馨說：「You Foreigners 不知道古老中國詠梅詩的美：疏影橫斜水清淺，暗香浮動月黃昏。」

羅奈爾得抗議：「不要叫我 Foreigner（外國人），叫我 Visiting Guest（外賓）。」

「I apologize for it.」（我為此道歉）佳馨說。

「不要用 IT。」羅奈爾得教導。

佳馨費思量。

佳馨端著咖啡，細細欣賞瓷杯上的花紋，忍不住用手撫摸。

羅奈爾得瞅瞅佳馨的手，問：「你會彈鋼琴？」

佳馨回答：「不會。」

「那你一定是個畫家。」羅奈爾得命令：「給我畫張畫。」

他遞來紙筆，坐在佳馨對面。

佳馨鋪好紙，一邊看著羅奈爾得，一邊一筆一筆描繪羅奈爾得的肖像。

佳馨好奇地問：「你怎知我會畫畫？」

「你有一雙感情豐富的手。」羅奈爾得誇。

佳馨笑：「你還會骨相學。」

肖像繪好，佳馨在旁題英文詩一首

To Ronald

When Ronald enters our classroom,

We all students look at him.

He is a professor from America,

Not fat, just fluffy .He is fond of beer.

He is always crying for his mother,

And asking for banana.

He is romantic, Yes, more romantic than a knight,

Still waiting for his Cinderella.

（致羅奈爾得

每當羅奈爾得走進教室，

我們學生都看著他。

他是來自美國的教授，

不胖，只是毛茸茸，喜歡喝啤酒。

他總嚷著要吃香蕉，

哭哭啼啼要他的媽媽。

是的，他比騎士還浪漫，

至今等待他的仙德瑞拉。）

「你令我震驚！」羅奈爾得看完，哈哈大笑，笑容像帕瓦羅蒂歌唱太陽，熱情昂揚。

他把畫貼在他的門上，向佳馨鄭重其事地表示：「我為

你驕傲。」

　　然後，羅奈爾得悲哀長歎：「我希望像你一樣有才。」
　　「我用才華把歲月裝扮得絢麗多姿。我要把畫拍賣掉。」
佳馨開玩笑。

　　「我們能賺一大筆錢。」羅奈爾得說：「我保證！」
　　「你是財迷？」佳馨問。
　　「錢微不足道。」羅奈爾得否認：「只為好玩。」

不速之客

　　驀地，有人敲門。
　　佳馨依在家的規矩，走進裏間回避。
　　她自小輕易不願見生人：**雙足不出繡樓門，拜佛只拜觀
世音。**
　　羅奈爾得見狀，哈哈大笑。
　　他開門，迎進兩位外國女青年。
　　她倆落座。
　　羅奈爾得請出含羞帶怯的佳馨，介紹給她們。

　　她們看過門上佳馨的畫，問：「詩裏 Cinderella 出自何
處？」
　　「Cinderella 是格林童話裏的灰姑娘，這個童話是靈魂的
故事。」
　　佳馨的回答令她倆會心一笑。

羅奈爾得和她們談天說地,其中一位姑娘要去陽朔旅遊。

佳馨建議她一定要去桂林灕江一遊,為她們背誦自己已發表的詩

灕江水

灕江水綠
翡翠碧玉綠松石琤琤
鳳尾竹綠蟻酒般醇濃
太陽雲朵映出綠玉盤碧浪似的倩影
撐篙女的水袖　水洗般青蔥
紅鯉花朵般綻開在綠波叢

灕江水清
透明的流淌的水晶
日月星光　閃亮的妝鏡
柳條親吻著清澈的流水
令人沈醉的倩影
花蓮蓬小舟在輕悠緩行

灕江水秀
碧綠的江水鍍一層金
蜿蜒的綠帶穿過繁花似夢
萬紫千紅　彩豔分明
香味像一圈圈蕩漾的漣漪

融化煙霞中

灘江水幽
兩岸青山嫵媚綿延蓼汀
草地滴露亮晶晶
浪花沖洗古老的菱歌
忽然　一顆龍眼落入水中
彈響清脆的琴韻般的鳥鳴

羅奈爾得問：「仁者樂山，智者樂水，你只愛水？」
佳馨答：請聽

山　水

我是山
托起森林逶迤

我是水
施予礁石洗禮

我是山水
山青水秀真美

女賓驚喜稱奇，告辭。

燭光晚餐

佳馨頻頻低頭看錶。

羅奈爾得不快：「如果你再看錶，我就把它扔出窗外。」

「食堂開飯了。」佳馨要走。

「我邀請你共進晚餐，已預訂。」羅奈爾得盛情挽留佳馨。

出於禮貌，佳馨同意。

服務員按時送來晚餐：油悶大蝦、煎雞蛋、清蒸鱈魚、炸帶魚、紫菜湯和吐司。

羅奈爾得點燃枝形銀燭臺上的蠟燭，和佳馨面對面而坐。

「這就是西方的燭光晚餐吧。」佳馨忐忑。

羅奈爾得打開一瓶白蘭地，向佳馨講述他在日本的趣事：「我想買一瓶酒，回旅店一嚐，卻是一瓶醋。」

佳馨拘謹地坐著，象徵性地動了動筷子。

「你吃起來像一隻小鳥。」羅奈爾得不滿，命令佳馨：「放鬆！」

佳馨知道：放鬆是人的最好狀態，可她時時刻刻對羅奈爾得提高警惕。

飯後，羅奈爾得放音樂：「《秋葉》。我喜歡它的曲調。」

他彈電子琴，佳馨一一視聽：汽笛、起錨、小狗歡跳、雨、晨霧、螺號……

羅奈爾得對佳馨的音樂天分感到不可思議。

他找出一疊照片給佳馨看。

裏面有羅奈爾得和美國總統雷根夫婦的合影。

「我要告訴美國總統，你是中國最漂亮的女孩。」羅奈爾得直視佳馨。

羅奈爾得的祖先是法國人。

他把母親寄來的信給佳馨看。羅奈爾得的母親已年逾七旬，給他寄來乳酪，勸他不要在課堂上和學生開玩笑。

佳馨感動：兒行千里母擔憂，可憐天下父母心！

佳馨看羅奈爾得在好萊塢當導演時的相片：羅奈爾得叼著一支雪茄，穿著方格西裝，身旁一位摩登金髮女郎。

羅奈爾得說：「佳馨，你長得不像中國人，像印第安美女。」

佳馨吃驚地發現羅奈爾得和媞容的合影：羅奈爾得坐在沙發上，旁邊坐著媞容。

「她想和我去美國。」羅奈爾得輕蔑地說。

佳馨無語。

「佳馨，你不同。You are special.（你是特殊的）你不僅外表美，內心也美。」羅奈爾得激動地凝視佳馨：「你一出現，男生們都會落淚。因為，You are tough.（你堅定）」

　　羅奈爾得請求：「請你穿裙子讓我拍照，好嗎？我哥哥肯定嫉妒我。」

　　「不，不行。先生。」佳馨否決。

　　「叫我 Ron，請叫我 Ron。」羅奈爾得熱切地教佳馨發音。

　　佳馨沒作聲。

　　她可不是鸚鵡，什麼話都學。

　　「你願意做我的嚮導，寒假一起去北京嗎？」羅奈爾得問。

　　「為什麼挑選我？」佳馨不解。

　　「因為，你會使我發瘋。」羅奈爾得兩眼放光。

　　「不，不去。」佳馨不寒而慄。

　　「你怕什麼？我會進攻你？」羅奈爾得緊盯佳馨。

　　佳馨坐不住了，告辭。

　　羅奈爾得把佳馨送至賓館大門外。

　　他拿出一把鑰匙，對她說：「給你一把我房間的鑰匙，你可隨時來玩。」

　　「謝謝你的晚餐，晚安！」佳馨禮貌地擺擺手，沒接鑰匙。

　　佳馨回到 819。

　　波微關切地問：「羅奈爾得都和你談些什麼？怎麼這麼晚才回來？」

　　「風花雪月而已。」佳馨淡淡的。

「怎麼不和我們談？外教們為什麼喜歡你？我就不明白。」波微笑。

佳馨寬衣。

她自己也不明白：美國人習慣保持距離，可那些女外教們一見她，就又摟又抱，親熱得不得了。

「外國人對你這麼看重，你一定自我感覺良好吧？」岩琳問。

媞容豎起耳朵。

「只有當中國人都喜歡我時，我才自我感覺良好！」佳馨堅決。

「外國人都喜歡找妓女，妓女 Sexy（性感）。」媞容煞有介事。

佳馨一驚，羅奈爾得的確說過自己 Sexy，但自己清白。

「媞容，你使我想起《離騷》中的一句詩：*眾女嫉餘之蛾眉兮，謠諑謂餘以善淫。*」岩琳嗤之以鼻。

波微旁敲側擊：「我和岩琳可不是眾女中的。」

佳馨一夜無夢。

青茂的花葉遮住整個蓓蕾，守護少女天然的香氣……

新同學

班裏轉來一位女生,英文名 Hope（希望）。佳馨從她言談舉止中看不出一點希望：彷彿戴著一成不變的面具，不苟

言笑，一副拒人於千里之外的自閉。

　　Hope 卻偏愛佳馨，說她像小鹿：溫馴含情，無害不爭，偶爾也受驚。

　　佳馨總覺得 Hope 嚴肅有餘，活潑不足。

　　佳馨無意中知道，她和一個男生鬧失戀。

　　佳馨真想幫她走出陰影，於是，常找 Hope 一起玩。

　　Hope 告知佳馨，她的英文名是她外教家一隻狗的名字。媞容當做笑話。

　　佳馨送 Hope 一首詩

　　　　花園裏看不到七色花朵，
　　　　果園裏找不出無斑水果。
　　　　最完美只有那朦朧希望，
　　　　方是方圓是圓任你雕琢。

　　Hope 是個好名字，《在希望的田野上》那支歌伴隨佳馨成長。

　　媞容用裴多菲反脣相譏

　　　　希望是什麼？
　　　　希望是個可怕的妓女，
　　　　無論對誰，她都一樣親密；
　　　　等你失去了你最寶貴的東西

你的青春，
她就把你無情地拋棄。

潘朵拉魔盒唯有「希望」留在了盒底，想再回當初，已經晚矣。

佳馨反駁：「只要有希望、愛，青春就會永在！在我們中華民族的精神寶庫裏，希望永存：『吾令羲和弭節兮，望崦嵫而勿迫』；每天清晨把巨石搬到山頂的西緒福斯最令人難忘。他的精神賦予生命意義，帶給黑暗中的人們希望之光！」

Hope 逐漸合群，威治親自教她彈吉他。

佳馨為之高興。

Hope 借給佳馨一本長篇小說《曼哈頓的中國女人》。佳馨讀不下去，Hope 當做枕邊書。

羅奈爾得索求佳馨的一張照片，遭拒。羅奈爾得伸手一把搶過照片，貼在自己的裸露的胸口上。佳馨反感，就不要那張照片：「貞姿冰雪質，豈容污泥涴！」

Hope 對羅奈爾得深惡痛疾。

羅奈爾得問佳馨：「為什麼 Hope 不理我？」

佳馨答：「問問你自己。」

新年晚會，佳馨和女生們朗誦 Hope 的散文詩，佳馨配樂。

畢業時，Hope 給佳馨留言：「我們都曾經孤獨，但友情使我們共度了多少歡樂時光啊！只望把希望和陽光珍存！」

秋季。
Hope 來訪。佳馨寫

秋天的陽光

秋陽　濃鬱醇酒
陶醉楓葉
紅靨融化唇邊
酡顏鮮艷

秋陽　甘甜蜂蜜
醃漬累累碩果
柿子葡萄柑橘
飄溢綿綿不絕香氣

秋陽　溫柔愛撫
暖和和的紗巾
拭去農人收穫的汗滴
淡藍炊煙歡送雁陣

秋陽　無聲弦樂
傾播幸福曲調
側耳聆聽與陽光對歌

我是它心中最純真的音色

Hope 正如秋陽下，人淡如

菊

細管花瓣簇秋心
絲絲垂簾
夢回東籬南山下
銀裝素裹

清爽甘冽秋風裏
菊是我的嘉賓
採一把嚴霜凜凜

但願人約黃昏後
何妨人比黃花瘦

菊為逸友，花語：吉祥長壽。

「也許如你所言，我像小鹿，為了友誼的眷戀，有一天，我會回頭，對著鮮花、芳草、甘泉、溪流……」佳馨留言：「也許，鹿永不回頭，因為，等待著它的，也有狩獵者的槍口。」

Hope 絕不像她外教豢養的一隻獵狗，佳馨會不會鹿死誰手？

　　佛說：「只要你沒有拋棄心靈中的那尊希望之杯，我就會一次次地為你斟滿你渴望得到的玉液瓊漿。」

　　Hope，有朝一日，佳馨會再和你乾杯，Cheers!

賣花姑娘

外語系英語演講比賽正式開始。

題目：《我想做 ── 》

選手們依次登臺，雄心勃勃。

有的想當聯合國秘書長；有的想當駐外大使；有的想做宇航員⋯⋯

佳馨膽怯得手心裏出汗，和他們相比，自己的志願是多麼渺小，能行嗎？

佳馨發怵。

該佳馨上臺。

站在主席臺上，佳馨深吸一口氣，望著台下眾多的同學，接觸到彤星投來的讚賞鼓勵的目光，他認為身著花棉布裙的佳馨格外動人。

佳馨鎮定自若地開口

我想做個賣花女

「基奧都說過：鮮花是繁衍的詩意和內在生命力搏動的象徵。

當我來到花園，有些花張開著紅紅的花朵和碧玉般的葉子，有些花開始結果。不管是否被注意，花兒靜靜地美化世界，使世界充滿芬芳。花兒令人高興，是心靈的嗎哪和醇酒。

我把康乃馨獻給母親，玫瑰獻給戀人，百合獻給新娘，鈴蘭獻給雙子座的人。」

　　佳馨克制不住笑意：「蝴蝶是花神送給花朵的彩翅，蜜蜂是愛神送給花朵的媒妁。」

　　佳馨微笑的嘴角上彎，露出白石榴籽般的皓齒，妙語連珠，滔滔不絕，不時贏來陣陣掌聲。

　　最後，佳馨以一個動情的願望結束演講；
　　「我想做個賣花女，只要世界需要和平，愛，美好和微笑。」

　　彤星朝她豎起大拇指。

　　評委主席羅奈爾得當場提問：「賣花女令我想起　Beat Generation 的花孩兒，Beat 何意？」
　　「Beat 就是至福：Beatitude。」佳馨脫口而出：「但我們不是 Beat Generation，我們不是垮掉的一代！」

　　羅奈爾得宣佈：「一等獎獲得者，佳馨！祝賀你！」

疑　竇

　　「外教接觸你就是有好處，你的語音語調進步真快！」波微誇佳馨。
　　「羅奈爾得懷疑那篇演講是抄襲。」媞容慢悠悠地說。
　　佳馨想：那可是我一個週末的心血啊！

「系主任向羅奈爾得保證：他百分之百信賴佳馨是個誠實的好學生。」岩琳振振有詞。

系主任對佳馨有知遇之恩。

佳馨經過系主任辦公室，聽見羅奈爾得的大嗓門：「佳馨 is very quiet.（佳馨很文靜）」

「君子訥於言而敏於行。辭寡者吉。佳馨表面上文靜。中國古人雲：真動不動，靜在其中；真清真靜，動在其中。」系主任解釋。

羅奈爾得驚呼：「中國文化太玄妙了！」

系主任笑著補充：「佳馨是一個詩一般 Romantic（浪漫）的女孩。」

「你們中國人也 romantic?」羅奈爾得好奇。

佳馨走進辦公室，朗聲道：「人能自己選擇價值觀念去決定自己的生活道德是浪漫的實質。」

羅奈爾得連連點頭，讚揚佳馨：「你的演講有 creativity。（創造力）」

佳馨問：「什麼叫 creativity?」

羅奈爾得解釋：「創造力是讓你自己從想像桎梏中獲得自由，看到新關係和類型，從而體現事物的新價值。」

佳馨沉思。

羅奈爾得進一步闡述：「即每天能夠保持去重新認識生活。」

佳馨恍然大悟：「苟日新，日日新，又日新。」

「正是！」羅奈爾得驚呼。

系主任頷首微笑：「趙翼有詩：滿眼生機轉化鈞，人工人巧日爭新。預支五百年新意，到了千年又覺陳。人應力求創新！」

謝謝主任

系裏主辦中英文翻譯講座。

佳馨去晚了，多媒體教室裏座無虛席。

佳馨搬一把椅子，坐在最前排。系主任正在螢幕上顯示一首英文詩

Bless the kitchen in which I cook
Bless each moment within this nook
Let joy and laughter share this room
With spices ,skillets and my broom
Bless me and mine with love and health
And I will ask not for greater wealth

系主任期待地望著學生們。

佳馨第一個舉手。

她站起，順暢地翻譯

祝福我烹調時用的廚房

它的每一個角落的每一寸時光
讓歡樂和笑聲與香料，鍋和我的筶帚
把這個空間共同分享
我不會要求更多的財富
賜我和我的家人愛和健康

「Very good!」系主任讚賞：「還有沒有補充？」
「前面最好加上『主啊！』」岩琳建議。

系主任接著顯示一首

     Disguise

Always we have believed
We can change over night .
Put a different look on the face ,
Old passions out of sight .

And find new days delivered .
But something always stays
And will not be outwitted .
Say we put on dark glasses ,
Wear different clothes and walk
With a new unpractised stride ——
Always somebody passes
Undeceived by disguises
Or the different way we talk

And we who could have defied

Anything if it was strange .

Have nowhere we can hide

From those we refuse to change .

又是佳馨舉手。

系主任含笑：「請我們之中的真人佳馨翻譯《Disguise》。」

佳馨流利地譯道

偽　裝

我們一直相信一夜之間

我們就能改變。

換上不同的臉色

舊的激情不見。

接替新日子一天又一天。

但某些事物總是停留

不會被欺騙。

想像我們帶上墨鏡，

把不同的衣服穿

用新的步態走路還不熟練 ——

總有某人經過

不被偽裝欺騙

或者我們用不同方式交談。

我們也許曾向奇異挑戰。

我們無處躲藏

從我們拒絕改變的那些方方面面

講坐結束時，佳馨起立，打開教室的門。
系主任眾目睽睽之下，俯身搬起佳馨的椅子，向門外走。
佳馨連忙拿過椅子：「謝謝你，主任！我自己來。」
主任親切地端詳佳馨，慈愛地笑了笑：「別客氣。」

佳馨回到 819，寫下

別客氣

你只輕輕的一聲；「別客氣」
三個字　多麼知己
出自你口中
「別客氣」也變成「客氣」

像一襲清爽的風
吹去炎夏的暑意
綻放呵護的氣息
可只一瞬間
我又珍愛地收藏
不讓它沾染世俗的猜疑

它是一個鄭重承諾
一聲歎息
還是藏在心裏的喜愛
我猜不出謎底

於是整夜我對自己說：「別客氣」

客氣得不想戳穿這個謎

像你一樣

讓它永駐心底

PRUNE

暮色深沈。

彤星佳馨漫步松林。

彤星送給佳馨一個裝潢考究的鐵盒，上面印著：Prune。

「Prune 是什麼東西？」佳馨不懂。

「打開看看，不就知曉？」彤星笑笑。

佳馨打開一看，裏面是蜜漬李子乾。

「我的英語辭彙量太貧乏。」佳馨慚愧失笑。

她忽然想起一件事。

「我給羅奈爾得送作業本，他摸我的手。我氣壞了，狠狠扇他手一下。他說：『You need to be turned on.』彤星，『turn on』是什麼意思？」佳馨問。

「狗雜種！敢竄到中國撒野。哼！他媽的欠踹，我非收拾他不可！」彤星咬牙切齒地咒罵。

佳馨嚇壞，睜大驚恐的眼睛，囁嚅：「你怎麼……氣成這樣？」

「『turn on』是俚語，『激發性欲』的意思。」彤星陰沉著臉，像蒼鬱的松林。

佳馨臉一會兒白，一會兒青，說不出一個字。

默然半晌，佳馨望望松樹，轉移思路，安慰彤星：聽聽

我的

松林四季吟

熏風柔柔
松林處子般嬌嫩
拂去潔白雪紗巾
指縫篩出　高山流水
粲然雅韻

幽邃青蒼
香脂流淌
松鼠撐起執拗頑強
華蓋悠悠支起
婆娑碧浪蔭涼

王者威儀
早朝靜穆
山神關愛庇護
翡翠冠冕　露鑽清純
恩澤惠及斯民

瘦石寒泉
啄木鳥敲響梵音
松林像朝聖香客
勁姿聳立　抽袋旱煙
沖太陽借個火

彤星眉頭一皺：「我也想來根煙。」

初　吻

「我們倆看起來都像 prune。（傻瓜）」彤星解嘲，自言自語：「我見系主任幫你搬椅子。」

「怎麼啦？」佳馨問。

「沒什麼。」彤星若有所思：「佳馨，你太可愛。晚上，我們男生在宿舍議論女生，談得最多的就是你。」

「說我什麼壞話？從實招來。」佳馨好奇。

「辮子靚，人也靚。」彤星得意地笑：「他們說你是才女，我心裏像喝了蜜。佳馨 ── 」

彤星低喚，聲音拉得長長的。

「嗯？」佳馨仰起臉，天真地望著他。

彤星摟她入懷，唇溫存地輕貼佳馨的嘴，深深地吻下去……

在愛的第一個吻中，睡美人甦醒了。

你的人

819 藍紗帳朦朧。

「彤星，彤星，星……」

床上。

佳馨在心裏千呼萬喚，翻來覆去，忍不住起身，燈光映

著她微酡的雙頰……

　　她文思泉湧，詩興勃發，一揮而就

愛之韻

　親愛的
　我輕聲地呼喚你
　這三個字多麼神奇
　多少次我把它和你融化在一起

　燈光映紅簾櫳
　燕子臥巢憩息
　共譜一首月下相思曲

　親愛的
　像星星在夜空微笑
　像玫瑰在風中歎息
　時時刻刻鳴響著愛的旋律
　在我心靈的每次顫動裏
　像空氣飄蕩著薰衣草的香氣
　伴隨著我生命的呼吸

　親愛的　讓我再次呼喚你
　輕輕地悄悄地靜靜地

此時此刻，佳馨就是一個

情　癡

把你的溫存釀成酒
一飲而盡
胸中奔湧你濃鬱的真醇

把你的誓言含成吻
吸氣如蘭
唇上鏤刻你輾轉的愛戀

把你的影子流成淚
苦澀酸甜
眼裏映耀你灑脫的再現

把你的名字當成命
貼心呵護
今生來世是你的人

[p]和[l]

羅奈爾得上語音課。

發[p]時，他拿一張紙，嘴縮成圓形，用力噴氣，紙震動。

羅奈爾得吩咐每個學生拿一張紙，同桌之間模仿他互相對吹練習。

波微請假。佳馨一個人坐著。

羅奈爾得見狀，從講臺上踱到佳馨身邊，心血來潮，胳膊肘壓在佳馨的課桌上，頭湊上去，示意佳馨，以他的臉為

紙，發[p]。

「太行摧前而不瞬，盛夏流金而不炎。」佳馨無動於衷。

羅奈爾得窘迫得面紅如發高燒，走開。

發[l]時，羅奈爾得發現佳馨的捲舌不到位，問她：「為什麼？」

「因為我的舌頭不夠長。」佳馨回答。

羅奈爾得哈哈大笑。

「笑什麼笑？」佳馨恨恨：「長舌婦發[l]，不就『亂』了？」

魔　鬼

測驗正在進行：繪英語音點陣圖。

佳馨削好鉛筆，低頭，鼓唇，對著桌面吹鉛筆灰。

羅奈爾得在講臺上見此神態，大叫：「佳馨，You are an evil!（你是個魔鬼）」

他快步奔下講臺，欲吻佳馨。

佳馨立即把頭扭向一邊，怒目而視。

羅奈爾得若無其事，拍拍波微的胳膊，走回講臺，站立。

佳馨繼續答卷，心裏罵道：「You are an evil，羅奈爾得！」

繡詩帕

　　819 的女生們有的成了織女，翻找書中花樣織毛衣；有的繡十字繡。

　　佳馨看著她們專心刺繡的可愛相，來一首

繡花女

粉頸低垂　烏髮曳水
幽蘭沁露　纖指香凝
閃亮的花針綿長的花線
牽引繾綣的思緒
鑲嵌在霜雪般的布面

喜鵲登梅　鴛鴦戲水
觀音大士　麻姑獻壽
夢被拉成一根永無止境的絲線
遊弋心靈與繡繃之間

鮮嫩嫩活生生密茸茸
深藏絲絲蜜意
蘊含縷縷柔情
陽光在織錦搖晃
春風從指間流淌
黑眸流瀉　脈脈柔情
滋潤天女撒落的斑斕花朵

未完的嫁衣
初染臉龐紅霞似的羞澀

一心一意
提煉一絲微芒
妙趣知天理
橫生化太虛

姑娘們真想：有個人「針線閒拈伴伊坐，和我，免使年少光陰虛過。」

佳馨要送給彤星一份特殊的「定情物」，送什麼好？思來想去，繡一方手帕吧。

佳馨日複以夜，針心相印，花隨玉指添春色，人在繡中自入畫。

手帕繡好，女生們賞玩：旺盛的綠葉襯托著朵朵玫瑰，紅的像火，黃的似金，白得賽雪，含苞欲放，嫣然乍開，容彩煥發……三五隻蜜蜂、蝴蝶栩栩如生，嫋繞多姿，翩翩飛舞……

岩琳稱道：「花紅還靠綠葉扶。」

「紅花配綠葉，俗。」媞容冷嗤。
「只要佳馨人不俗，就行。」波微雲淡風輕。
媞容的伶牙俐齒像蛤蜊閉合，她轉身面壁幹慪。

「為什麼繡如此多的花？」岩琳問。

「等閒識得東風面，萬紫千紅總是春。」佳馨笑。

「花影雙畫，莫遣離情又。」岩琳戲謔。

「且待新婚後。」波微微笑。

佳馨嬌嗔：「手帕還我，不給你們看了。」

佳馨一針一線，在手帕上題

帕　詩

彩線繡圖郎劬劬艱辛
柔勾細挑儂拳拳癡心
針針光耀郎愛意纏綿
絲絲縈繞儂殷殷情深
葉挺葳蕤郎風姿勁健
花恣嬌媚儂麗質天然
蜂戀郎心釀蜜糖
蝶迷儂芳舞春光
藍橋路接蓬萊山
月老千裏繫紅線

　　佳馨在手帕四角各繡一朵銀蓮花，點綴環繞一首英國傳統民歌

The Anemone
The first spring-blown anemone
She is in his doublet wove
To keep him safe from pestilence
Wherever he should move

（譯文）

銀蓮花

春天裏吹開的第一朵銀蓮花
她就織進他的盔甲
使他安然脫離禍害
無論他漂泊至哪

佳馨剪下一縷

青　絲

青絲一縷含情剪，不是情人不淚漣。
與君永結纏綿意，如膠似漆天地緣。

佳馨把黑髮用紅線繫紮，包入手帕。

齟　齬

羅奈爾得指定佳馨收發作業，倆人交往頻繁。

一個午後，羅奈爾得約佳馨去賓館。
佳馨走至大門口，賓館助理攔住她，問：「你來幹什麼？」

佳馨恭恭敬敬：「羅奈爾得讓我替他買酒。」

「他叫你買酒你就買酒，他叫你幹什麼你就幹什麼嗎？！」

助理蠻橫地命令佳馨：「把酒交給服務員。」

佳馨只想連瓶帶酒摔個粉碎。

忍了忍，她還是交給服務員。

「你可以走了。」助理傲慢得不可一世。

最小的權利往往發揮了最大的功率。

佳馨走在回去的路上，氣憤得眼淚直流。

羅奈爾得在陽臺上看見，問：「怎麼啦？」

「沒事！」佳馨加快腳步。

羅奈爾得怒不可遏，外套也沒穿，下樓找助理。

助理理屈詞窮。

羅奈爾得找回佳馨，對助理說：「你應該向她道歉。」

助理紅著臉，一笑了之。

助理憤憤地向系主任告狀。

系主任批評助理：「這就是你的錯了。學生幫老師買瓶酒有什麼？佳馨是個好孩子，我們大家都要保護她。」

助理見到佳馨，主動示好：「你好！佳馨！」

佳馨心頭一熱，由衷地感謝「你好！」

佳馨思前想後，心有餘悸：多虧助理，以羅奈爾得的品行，繼續交往，自己恐怕會險遭不測。

生日 Party

　　佳馨的生日來臨，她束長髮，繫黃蝴蝶結，穿嫩綠毛衣，墨綠格緞裙，腳踏棕色方口漆皮鞋。
　　佳馨去教室，自修英語成語。

　　羅奈爾得從賓館樓上叫住她，請她上樓。
　　佳馨不肯。

　　羅奈爾得親自下樓，邀佳馨務必賞光，有要事相商。

　　佳馨上樓，進門就坐。

　　房間裏頓時響起「祝你生日快樂」的歌聲，女生們手捧鮮花從側門走出，向佳馨祝賀。

　　岩琳送佳馨一個黑頭髮的布娃娃；波微送她一隻大象玩偶；媞容送她一支歐萊雅護手霜；Hope 送她一個環形玉佩，佳馨繫在裙子的絛帶上。

　　勝鈺也來了，她送給佳馨一棵鑲嵌在玻璃裏的幸運草，解釋：「第一片葉子給你自由；第二片葉子給你愛情；第三片葉子給你健康；第四片葉子給你財富。四片葉子代表夢想的達成。」
　　勝鈺送給佳馨一個英文名：「Helen 是 bright（光明）的

意思。」她就要去新加坡讀博士去了。

　　岩琳說：「這個名字讓我想起荷馬史詩《伊利亞特》。」

　　羅奈爾得懇求：「詩，給我一首詩！」

　　佳馨朗聲道

　　　　　Troy

　　Helen's beauty

　　In warfare overthrew thee – Troy.

　　Homer's elegy

　　Resounded as an historical echo

　　And reverberated over the wall worldly.

　　O Troy, love caused thee to into ruins;

　　Only love can plant thee firmly forever in human hearts.

　　The singer played the harp

　　Maidens bathed besides the brooklet.

　　Children radiant

　　Plucked the grape harvest

　　And merrily danced, full of vitality.

　　Then came the ten year nightmare.

　　Valiant spirits!Daring feats!

　　Hector, a hero! A legend!

　　Buffeted by the storms of the Fates.

　　Your head pierced the cloud,

Your feet trod the land.

O Troy, looted Troy!

Poet's tears stain their clothes!

Tourists sigh, gripping their wrists!

Historians keep silent without words.

Today the frozen dawn is quiet

The blooded-red dusk is in thought.

The wild wind swirls a cloud of dust

Leaving no thoughtful proof, no years' imprint!

O Troy, Troy! In the future

How many temples will be here?

The sunshine gives out the miracle.

特洛伊

海倫的傾城貌

使你在戰火中坍塌

荷馬悲歌

震盪歷史回音壁

啊

特洛伊　愛情把你變成廢墟

只有愛情才能使你在人們心中

重新永遠矗立

歌者吹著魯豎琴
姑娘在泉邊沐浴
孩子們喜氣洋洋
採擷豐產的葡萄
舞步歡快　充滿生機

十年戰爭靨夢降臨此地
精神的英烈　勇敢的戰績
赫克托耳　你是怎樣一位英雄　怎樣一部傳奇
頂天立地
任命運風暴打擊
啊　特洛伊　遭受浩劫的特洛伊
詩人涕淚沾衣
遊客扼腕嘆息
史家沉默不語

今天　凍結的黎明靜悄悄
血染的黃昏痛苦沉思
狂風席捲紅塵
真實的見證　歲月的痕跡
啊
特洛伊　特洛伊　未來
會有多少座神殿立起

陽光照耀著　給出奇跡

羅奈爾得激賞：「Helen，你是特洛伊的美女！」
佳馨聲明：「我是中國少女。」

威治闖進來，送給佳馨一張生日卡片，又匆匆離去。
卡片是可愛的小丘比特，頑皮地笑著，在射一枚金箭，背面寫著：「書山共登攀　學海齊泛舟」。
佳馨疑惑地擡眸看著波微，波微淡然：「C'est la vie。（這就是生活）知道嗎？你最難得的是，沒有一個男生不喜歡你。」
「岩琳最難得的是，沒有一個女生不喜歡她。」佳馨見賢思齊。
「岩琳最喜歡的女生卻是你，佳馨。」波微低頭。

佳馨不願拒絕同學們和老師的盛情，但內心裏實在不想加入羅奈爾得為自己舉辦的生日 party。

進退維穀之際，宴席已由大家擺好，佳馨勉強入席。

羅奈爾得即興朗誦自做的一首詼諧小詩

Gift

I will not make you a candy creamy，
Because candy is familiar，though dainty；
I will not give you expensive jewelry，
For jewelry though is rare，gleaming dazzlingly；
I will not send you favorite flattery，

Since flattery though is sweet , bringing you stupidity .
But in my sincere poetry ,
Happy Birthday !
Long live my dear fair lady !
（譯文）

禮　物

我不給你奶油糖果，

糖果雖甜美，但俗套；

我不送你昂貴珠寶，

珠寶雖稀少，但炫耀；

我不甘言奉承你，

奉承雖悅耳，使你愚；

但在我真誠的詩歌裏，

祝你生日快樂！

萬歲！我親愛的淑女！

「咚咚咚 —— 」響起敲門聲。

開門一看，是系主任。

「系主任親自來祝賀你的生日，佳馨！」羅奈爾得興奮。

佳馨特意切了一大塊蛋糕，雙手遞給系主任。

侮　辱

生日 party 令佳馨百感交集。

　　她帶著一百元錢，請系主任轉交羅奈爾得。

　　系主任寬慰佳馨：「他也是一番好意，你應該謝謝他。錢你自己留著花吧。」

　　「我不喜歡羅奈爾得的為人。」佳馨不情願。

　　系主任勸說：「他人還善良，就是放蕩。你以後離他遠點。他找你，你就說要做功課，讀小說。別把此事放在心上。」

　　「可是 ── 」佳馨欲言又止。

　　「佳馨，你的心有時只有針尖般大。」系主任銳利的目光明察秋毫，直視佳馨。

　　佳馨笑了。

　　她想起一天中午，羅奈爾得問她：「吃什麼飯？」

　　「Needles.（針）」佳馨答。

　　「Noodles.（麵條）」羅奈爾得更正。

　　「君子之心不勝其小而氣量涵蓋一世。」佳馨辯解。

　　「你氣量涵蓋一世？」系主任哈哈大笑。

　　佳馨不甘心，一個人去找羅奈爾得，把錢交給他。

　　羅奈爾得不接，臉一沉：「你侮辱了我，我很悲哀。」

　　佳馨本想回一句：「你活該！」

　　看羅奈爾得黯然神傷，她強忍住，不說。

　　一個小學男生背著書包好奇地湊過來。

　　「你吸引了小男孩。」羅奈爾得恭維佳馨。

　　佳馨沒理他。

　　兩人靜坐，四周無人。

　　猛然間，佳馨猝不及防，羅奈爾得撩起佳馨的上衣，瞥見她發育良好的乳房：「They are small, but they are beautiful.（它們很小，但是很美。）」

　　佳馨騰地血氣上湧：「You bastard！You are so mean!（討厭鬼！你卑鄙！）」

　　「What do you mean?（你什麼意思？）」羅奈爾得厚顏無恥。

　　佳馨離開。

　　「羅奈爾得真是個流氓。」佳馨自責：「Hope 早就看出來了，為什麼我還和他交談？」

　　「誰的行為僅次於流氓？那些和流氓說話的人。」佳馨覺得蒲伯正在墓地裏指指戳戳地罵自己，她無地自容。

　　佳馨差點一頭撞著一個人。

　　「佳馨，你臉色蒼白，不舒服嗎？」那人關切地問。

　　原來是院長。

　　「我很好，謝謝院長關心。」佳馨差慚。

　　院長不放心地走了。

　　「佳馨，院長約你打網球嗎？」羅奈爾得大驚小怪地嚷嚷。

　　「混蛋！」佳馨罵道。

　　羅奈爾得的名字有「規則」的含義，可他從不按規則出牌。

　　北魏《定國寺碑》言：緣障未開，業塵猶擁，漂淪欲海，顛墜邪山。

活在當下

見佳馨對他視若仇敵，誓不兩立，羅奈爾得才意識到事態的嚴重性。他在黑板上寫下一段話

SEIZE THE DAY

One day at a time —— this is enough. Do not look back and grieve over the past, for it is gone, and do not be troubled about the future for it has not come. Live in the present, and make it so beautiful and it will worth remembering .

（譯文）

把握今天

一天有一次 —— 這就足夠。不要回顧並為過去悲傷，因為它已過去。不要為未來煩惱，因為它還未來臨。生活在現在，使它如此美麗並將值得記憶。

佳馨依舊不依不饒。

其實，她早就曉得石屋禪師雲：「過去事已過去了，未來不必預思量；只今便道即今句，梅子熟時梔子香。」菩薩不會想一秒鐘之前，一秒鐘之後，這叫華嚴境界。

「Seize the Day 如何？」羅奈爾得狡黠。

「未若 Seize the Moment（活在當下）。」佳馨呵斥，正眼不瞧他。

「Yes, Madam！（是，女士！）」羅奈爾得「啪」地一個立正。

羅奈爾得變得比佳馨還凝重，連續多天不刮鬍子，像個野人。

「男人蓄大鬍鬚是為掩飾自己的羞澀。」岩琳說。

佳馨詫異：羅奈爾得還會害羞？《笑林廣記》。

「Everything has an end.」（凡事終會歸去）羅奈爾得乞求。

佳馨仍和美國人「冷戰」。

羅奈爾得忍無可忍，私下向佳馨挑釁：「I made love with you.」（我和你做過愛）

佳馨肺都要氣炸：「Nonsense！（胡說八道）」

羅奈爾得：「I can imagine.（我可以想像）」

他在意淫。

佳馨離開：「我鄙視你。」

「我不在乎。」羅奈爾得大笑。

佳馨不再多言，佛法稱之「默摒」。

佳馨冷冷而去。

岩琳不願見佳馨情緒低落，強迫她每天對著鏡子微笑三分鐘。

「你把我當木偶耍。」佳馨笑。

佳馨如此堅持，果然心情就不一樣了。

你太美

佳馨穿一件鑲荷葉邊的白雪紡長裙，露出雕刻般精緻伶俐的腳踝。腰後系一個大大的蝴蝶結，辮子黝黑光滑，修長地走在花園的小徑上，像一枝

風中蓮

出落得這般鮮豔
一枝青蓮
亭亭玉立在湖中
風的柔情吹得她芳心動
顫微微　神怡魂悠
只為想你　從凌晨到三更
只為愛你　從清醒到懵懂

你的氣息
輕撫著她的花瓣
瓣瓣綻開　清香浮送
只為
聖潔的一吻
醉頰粉柔　泛著紅嫩

忽然，傳來一陣哄笑聲，佳馨隨聲望去。
幾個外國青年接觸到她的目光，都靜下來。
「Is she chic？（她標緻吧？）」伴著一聲響亮的長長的

口哨，其中一個年輕人一邊問同夥，一邊朝佳馨拋來飛吻。

佳馨羞窘，頭轉向一邊。

「這裏是中國。」一個金髮碧眼的高個青年制止同伴。他正是佳馨和岩琳在校車上偶遇的馬克。

馬克迎著佳馨的目光走過來，輕聲懇求：「Forgive him, you are so beautiful.（原諒他，你太美）」

佳馨不語。

「妳還恨他？」馬克問。

「我想起一句話：對於內心深處的過客，不要動用飛吻或飛鏢。」佳馨道。

暢　談

葡萄架下。

一個石桌，周圍擺著石凳。

佳馨和馬克走到那裏，面對面坐下。

一串串瑩潤飽滿的葡萄像彩色珠璣：翡翠、紅玉、瑪瑙熠熠閃耀。葡萄藤蔓蟠龍般延伸，微風吹來，揚起五角葉片波浪，串串葡萄鳴奏華彩樂章……

教堂鐘聲響起，露珠般滴落心房，清涼安謐……

「你的裙子是 fairy tale dress，童話中仙女穿的衣服，精美絕倫。」馬克讚賞。

佳馨用樹枝在地上寫下一個「旦」字：「The sun is rising on the horizon.（太陽正在地平線上上升起）」

「Morning!（早晨）」馬克脫口而出。

「對啦！中華文明的奠基者周公『仰而思之，夜以繼日；幸而得之，坐以待旦。』周公設天地四時之官，又立三公以燮理陰陽。」佳馨微笑：「傳說薑嫄履大人跡而生周的祖先後稷；聖人們大都『因生以履姓』，故周為『姬』姓，因履大人跡而得生；中華民族的祖先黃帝，姬姓。黃帝主要給世間萬物命名。物體一定要先有名，而後有這個字，所以一定要知曉命名的本原，才可以知道文字的本原。」

馬克虛心：「我正學習漢語。」

佳馨高興：我可以向你描述

中國漢字

像禾黍深深吸吮肥土沃壤
像松檜滋滋沐浴雨露陽光
象形　會意　形聲　假借　指事　轉注
中國傳統的「六書」

點如夜空墜流星
嵌入炎黃子孫厚德載物赤子心
勾如彎彎新月牙
凝系天子驕子自強不息民族魂
橫似地平現廣線烘托朝暾
豎似擎天矗立柱剛直穩重
撇如鯤鵬展硬翅力敵萬鈞
捺如閃電催霹靂昭顯光明
堂皇端莊　方方正正

灑脫恣肆　華夏雄風

伏羲氏制「八卦」
倉頡創造你的雛形
甲骨文占卜蝕歲月香痕
籀文篆體異彩紛呈
顏歐柳趙羲之「書聖」

孔夫子編撰《詩經》思無邪
屈大夫詠《離騷》光彩豔絕
《漢賦》擷翰振藻雕金鏤玉
《史記》肝膽相映銘亮汗青
唐詩　唐三彩陶塑般豪爽瑰麗
宋詞　景德鎮瓷器般剔透細膩
元曲　孩兒枕工藝般酣暢淋漓
淚雨泣露　嘔血成花
情癡情滅　夢魘夢醒
《紅樓夢》文壇問鼎登峰造極

珍惜你中國漢字
你是母親一汨汨甘甜乳汁湧出胸脯
你是父親一聲聲親切教導發自肺腑
影落驚風雨　毫動泣鬼神
雅音留鵁鶄　麗姿舞龍蛇
中華兒女奮筆疾書錦繡藍圖
昂立世界文明巔峰的翹楚

馬克讚歎：「中國漢字是世界上最神奇美妙的文字。然而 ──」馬克聳聳肩：「據說，中國人欠缺 Enthusiasm（熱忱）。Enthusiasm 的英文字源來自於希臘字，意思是：上帝與我長在。」

「外國人欠缺 Moderation（中庸）。中庸之道為美、為聖。」佳馨針鋒相對。

「什麼是中庸？」馬克問。

「天容萬物，海納百川。」佳馨答。

馬克想利用假期在中國旅遊，問佳馨：「中國南方美，北方美？」

「駿馬秋風冀北，杏花春雨江南。各有千秋。三峽各具其美。」佳馨介紹。

「我去三峽。」馬克決定。「中國最美的地方在中國人的心靈。」佳馨認真。

佳馨說：「我最想去的地方是 ──」

「巴黎。」倆人異口同聲。

「你怎麼知道？」佳馨奇怪：「我喜歡羅浮宮珍藏的法國印象派畫家畢沙羅的畫，光影閃爍柔媚祥和。」

「根據你的氣質：浪漫多元，對嗎？」馬克認真地笑了：「畢沙羅是一個明智、忠誠，有原則的人，他很受世人尊敬。你知道嗎？」馬克問。

「不知道。我只是非常欣賞他的畫。」佳馨老老實實承認：「真是畫如其人。」

「走，到我宿舍去玩。」馬克說。

拉窗簾

午後。

馬克的宿舍。

馬克給佳馨看他女朋友的照片和他買給她的禮物：一個中國古典仕女行樂圖的手工木刻珠寶匣。

馬克贈送佳馨一張他在北京天壇的照片。

他倆並肩坐在一起，靜靜地望著窗外。

陽光燦爛，像馬克熱切地燃燒著火花般的目光，時而溫煦怡人……馬克就那麼兩手緊握，指關節按得咯吱咯吱響……

陽光有些刺眼。

佳馨站起，拉上一半藍色窗簾。她想讓眼睛休息一下。

馬克生氣地立即扯開窗簾。他誤會了。

浪漫是錯誤開出的花朵。果然。

佳馨告辭，心裏很不是滋味，委屈。

圍　巾

馬克離開中國前，託岩琳送給佳馨一件禮物：好美呀！藍紅花紋相間的寬大的羊絨圍巾，邊緣綴滿考究的棕色蕾絲。最令人自豪的：領口用紫水晶蝴蝶結做扣環。

　　每逢冬天，佳馨戴著馬克送的圍巾，想起他倆第一次在校車上見面，馬克盯著佳馨裸露的頸項，他是關懷著她的。那天，寒風刺骨。佳馨穿著低領天藍上衣：北風又傳來熟悉的聲音，霎那間我忽然覺得好冷……。

　　佳馨想問馬克：「你在他鄉還好嗎？」

　　聽到加拿大民歌《紅河谷》：「聽說你就要離開故鄉，我勸你不要這樣匆忙，要知道紅河谷上，還有熱愛你的姑娘……」佳馨默祝馬克不再漂泊流浪，留在紅河谷上，和女友成雙。

　　離別，醇化了蝶飄風香；
　　回眸，畢竟有歲月烙下的傷……

沈珍珠

波微在佳馨的本子上抄寫電視連續劇

《沈珍珠》插曲

　　天姿蒙珍寵，明眸傳珠輝。蘭心慧質出名門，吳興才女沈珍珠。

　　達理又知書，備位東宮主。多彩多姿蝶飛舞，紅袖望竹人羨慕。

　　風雨起，波瀾急，珍珠淚悲泣。玉潔又冰清，那堪流言襲，夢斷兩京留傳奇。

　　佳馨對波微刮目相看：雅芝慎淑，端莊賢惠的她竟寄予

我厚望！

　　佳馨惋惜：波微一心比天高之佳人，而未遇洪恩浩蕩之眷寵，且看後事如何。

　　佳馨覺歌詞不吉，續道：

　　　　陰霾霽，嫣然巧笑，唇綻櫻顆；鳳冠霞帔壓不住玲瓏活潑；
　　　　品豔絕，嬌俏婉約，彩帨懸門；步搖明璫偏襯出靈秀冰雪；
　　　　美譽衍家聲，佳配毓才情。

　　佳馨在波微本子上寫一首席慕容的

山百合

　　與人無爭靜靜地開放
　　一朵芬芳的山百合
　　靜靜地開在我的心裏

　　沒有人知道它的存在
　　它的潔白
　　只有我的流浪者
　　在孤獨的路途上
　　時時微笑地想起它來

　　波微說：「佳馨，你就是那朵山百合。」

佳馨問：「你有沒有孤獨的流浪者？」

「你的心純得跟一朵山百合似的，哪能知道？」波微守口如瓶。

波微送給佳馨一個百合花蓓蕾狀的圓珠筆，是她在合唱團獲得的獎品。佳馨因音質嬌嫩高亢，與眾不同，被合唱團老師拒之門外。

她一個人在花園唱：「孤單獨自在夜裏，身邊飄過茫茫的風雨⋯⋯」唱著，唱著，淚就不知不覺流到腮邊⋯⋯

找個伴

佳馨喜歡一個人上街，獨來獨往，逍遙自在。

她正等車，威治經過，見她穿「伊都錦」白裙子，戴白蝴蝶結，挽住兩條長辮，鎖骨冷澈，奉勸佳馨：「以後上街要找個伴，你一個女生不安全。」

佳馨想：光天化日之下，怕什麼？威治多心了。

佳馨咬著一串酸酸甜甜的糖葫蘆，逛擺小攤的，相中一個小相框：一個胖胖的小男孩坐在大樹下釣魚，他頭戴草帽，褲腿挽得高高，光著倆小腳丫，憨厚地笑。

佳馨喜歡上它，拿在手裏，看了又看。

「賣給你，一塊錢。」攤主笑眯著眼。

佳馨高高興興地買下。

攤主的妻子來了，大罵攤主：「九塊錢的東西你一塊就賣了？！你這個吃裏扒外的！」

佳馨快步走開。

她擔心攤主蝕本。

因為，父親說過：「不賺錢，誰白伺候你啊？」

佳馨上音像店買了兩盒磁帶：《世界浪漫派古典名曲》和伍思凱的《特別的愛給特別的你》。然後，直奔心中聖地 —— 新華書店。

佳馨低下頭，臉腮碰觸髮辮，書海泛舟，躲不開一個十六、七歲男少年肆無忌憚的視線。

「我解決了你！」少年低吼，緊貼佳馨的身體蹭過去。

佳馨才想起威治的忠告。

當天，威治在街上擒拿盜賊，失主感謝信貼在學院宣傳欄。

暗　戀

威治向佳馨借磁帶。

佳馨交給他，隨口一句：「《特別的愛給特別的你》。」

波微臉色突變，不悅。

佳馨細細琢磨：每逢威治上課回答問題，波微的臉就變得像紅蘋果。

佳馨後悔自己一時孟浪。

威治就是波微的「流浪者」。

波微傾慕的不是沈珍珠的皇親國戚，卻是現實中最適合自己的「真命天子」。

佳馨開玩笑：「波微，你是不是愛上誰了？」

「沒有呀。」波微一臉無辜。

「威治唄！」

「壞丫頭！」波微臉一紅。

「好一個花姑娘，瞧瞧！」佳馨拋給波微一首自編的小詩

花與愛

動的是含羞草　靜的是山茶花
他來到你微笑　他走開你緘口
別說不理他

熱的是紅玫瑰　冷的是臘梅花
談起他你溫暖　不談他你冷漠
別說不想他

濃的是木樨花　淡的是茉莉花
他在場你迷醉　他離開你清醒
別說不愛他

「小妮子花癡，編派我！」波微大叫。
倆人追追打打跑出教室。

買大衣

寒流侵襲煙臺。呼氣成霰，滴水成冰。
波微主動陪威治買棉大衣。

倆人相伴走後，北風吹，雪花飄。

佳馨心裏湧動一股暖流，為波微叫好。

媞容嘲弄：「大衣買來了，倆人在路上讓來讓去，還不知道披在誰身上。」

「反正披不到你身上！」岩琳毫不留情。

佳馨想：媞容，別忘了，你也有愛上人的一天！

波微回來，臉蛋紅噴噴的，興奮地說：「威治請我在萬達廣場『船歌』吃墨魚水餃，給我倆各買了一件印有鐵錨圖案的保暖內衣。你們說，這意味著什麼？」

「他和你兩條小船要抵達同一個愛的港灣，明知故問！」岩琳用手指點臉：「不羞不羞！」

「傻瓜，那叫情侶裝！」媞容在一邊湊趣。

佳馨心中閃過一個疑問：萬達廣場？威治可是「萬人迷」啊！波微能終成正果嗎？

她不禁為波微暗自擔心。

佳馨想起彤星，自己又愛他的什麼？

是他為之付出的

山海之戀

愛就是愛你的巍峨　你磊落

像一座巔峰蘊藏相愛的羞澀

像一片大海伸展默契的廣闊

你愛我像豌豆花
躲躲閃閃耍小心眼兒
春筍般使性子對你的呵護不耐
硬是雨後冒尖兒
你愛我牽牛花的稚嫩單薄
迎著朝陽奏響情歌
你愛我像蘭花噙著淚珠
孤單守在安靜角落
我像文竹裊裊婷婷　詩意盎然
案頭　蔥蘢你情思縱橫捭闔的激昂
你愛我像蒲公英恣意飄遊
令你夜不成寐愀然困惑
你愛我像蔦蘿任性撒嬌撒癡
攀援你魁偉豪放的氣魄

愛你
何必掩飾
我在你肩頭像天堂鳥綻放喜悅
孩子般說笑哭鬧
你一味遷就忍納
海一樣把我包容
我像一顆水草嬉戲在你懷中
永遠做不完美夢
我像海鷗在你臂膀起伏跌宕
遊弋翱翔在藍天白雲中

因為　你有山一樣深邃的智慧
因為　你有海一樣博大的心胸

這是佳馨心目中的彤星。

鏡　子

口語測試正式開始。
佳馨一人走進考場。
系主任和羅奈爾得坐在她對面。
佳馨抽到的題目是《鏡子》。
佳馨醞釀，做詩

鏡　子
古而至今　紅粉佳麗
以最認真的表情
為取悅於人而取悅於你
像面對生活
朝你微笑　兩情相怡
向你顰眉　傷害自己

二八羞映鏡　豆蔻初萌
按捺芳心一點動

青春喜攬鏡　風荷招展
激情勃發笑嫣然

中年悅觀鏡　桂子飄香
圓朗中秋月正明

垂老閑窺鏡　雪裏梅紅
霧裏看花香正濃

洞察一切　沉默無語
鏡
顧影自憐的玻璃
最需要高懸良知明鏡
時時刻刻　內外兼修
關照心靈　矯正行徑

羅奈爾得問：「什麼叫良知？」
佳馨從容不迫

良　知

良知　是清醒露珠
纖塵未染　剔透晶瑩
淨化滋潤童貞

良知　是指路明燈
明亮普度萬物
日月淩空氣象呈

　　良知　人心本體
　　至誠冥冥相通
　　自然奧秘無窮

　　良知　造化精靈
　　天理昭彰　宇宙充盈
　　慈善正義必勝

系主任含笑：「良知 conscience 是拉丁文『我知』之意。」

羅奈爾得不懷好意：「『按捺芳心一點動』是何意？」
主任和佳馨同時警覺。
佳馨義正詞嚴：「女孩子害羞之意。有一聯專詠女子照鏡
　　妝臺懸皓月，江山澄氣象；
　　倩女梳烏雲，冰雪淨聰明。」

羅奈爾得連聲：「我懂了！」，挽回面子。

羅奈爾得繼續考問：「鏡子伊始？」
　　「母親的眼睛。母親臉上的眼睛是我們心中的鏡子，我
們可以發現自己：一個母親愛的人，一個愛母親的人。」佳
馨聯想：「母親眼睛照見我們是好孩子、壞孩子。」

　　世上還有一面沒有玻璃的鏡子 ── 」羅奈爾得停頓。
　　「未來。」佳馨思緒悠遠，幻想一個「視所不見」的世
界。

　　羅奈爾得出其不意：「多少世紀以來，婦女一直被當做一面鏡子，具有神奇而美妙的魔力，可以讓男人的形象放大兩倍。此話如何理解？」

　　「以我個人看來，有兩層含義：莎士比亞說，女人的名字是弱者，男人面對弱勢的女子，騎士風度油然而生，變得更加強大。女子的美貌令男人愛慕，男人提升自己，為贏取女子的垂青。」佳馨答。

　　「高見。」羅奈爾得深思。

　　「有的鏡子太真實，人不敢照不願照，是什麼鏡子？」系主任發問。

　　「是真理之境，羞惡之心。」佳馨毫不遲疑：「古人雲：以鏡自照見形容，以心自照見吉凶。」

　　「有的鏡子太昂貴，人無暇照無心照，是什麼鏡子？」

　　「是反省之鏡，自知之明。」佳馨對答如流：「人貴有自知之明。」

　　「還有沒有第三面抽象的鏡子？」系主任又進一步。

　　「聖若鏡，不將不迎，應而不藏，故萬化而無傷。」佳馨回《淮南子》。

　　「唐太宗說：以銅為鏡，可以正衣冠；以古為鏡，可以知興替；以人為鏡，可以明得失。以書為鏡呢？」系主任問。

　　「可以變優劣。維特根斯坦說過：我應該只是一面鏡子，

我的讀者可以通過這面鏡子看到我的思想的全部缺陷，從而端正自己的思想。」佳馨不假思索：「司湯達稱小說是一面沿途行走之鏡。」

「書的確如鏡，可助人清除心中雜質。」羅奈爾得感慨。

「菩提本非樹，明鏡亦非臺。本來無一物，何處染塵埃？」佳馨笑得如一朵碧桃花：「物我俱忘，純然一如。」

「妙！」羅奈爾得回味；「我如今才知道什麼叫徹悟。謝謝你，佳馨，今天照過你的鏡子，大開眼界。」

「龜山智真禪師有詩曰：心本絕塵何用洗，身中無病豈求醫。欲知是佛非身處，明鏡高懸未照時。」佳馨提醒：「相傳秦朝宮中有一種鏡子，能夠照出人心中的邪念。紫陽真人有一輪法力無邊的明鏡：今朝磨瑩照乾坤，萬象超然難隱。」

佳馨正視羅奈爾得。

羅奈爾得急忙表白：「我是友好人士，佳馨。」

「你得到的是 A+，佳馨。」系主任評價：「如入禪境，如鏡照物，物來則現，物去不留痕。」

守　玉

羅奈爾得在涼亭招呼佳馨，佳馨裝聾作啞。

「請過來。」一位外國女士道。她坐在羅奈爾得旁邊，聲音如此親切，佳馨不知不覺走過去。

「Beryl，a very interesting lady.（一位極有趣的女士）」

羅奈爾得介紹。

Beryl 小巧瘦削，短髮淺棕，灰色眼睛。

佳馨友好地笑笑。

羅奈爾得介紹：「佳馨，一個天才，如果她咆哮，全世界都會知道。」

「你過獎了。」佳馨說，她才不想舉世聞名。

羅奈爾德悠然：「**鳥隨鸞鳳飛騰遠，人伴賢良品行高。**」正巧，一隻小鳥從他們面前飛過。

羅奈爾德說：「瞧，佳馨，你正是鸞鳳。」

「我只不過是一個平凡的小女孩，為了一條花裙子急得睡不著覺！」佳馨回答。

Beryl 力邀佳馨上樓玩。

佳馨接受邀請，和 Beryl 進屋喝牛奶巧克力午茶，心情愉快。

Beryl 請佳馨給自己起個中文名字。

佳馨想了想，靈機萌發：「就叫：守玉。你的英文名字 Beryl 寓意：寶石。玉是中國自古以來最貴重的石中之寶，喻高貴、美好。你的姓氏 Shawl 可音譯成中文：守；守玉：守身如玉，中國女子最珍視的品格。你來自美國密蘇裏州，別稱 Show Me State（不輕信之州），渾然天成。」

Beryl 很滿意，一遍遍跟佳馨學說「守玉」。

她請佳馨在紅紙上工工整整寫下：守玉，Beryl 親手貼在門上。

Beryl 為佳馨拍照，直誇佳馨美貌，和她合影留念，讚歎佳馨：「You are energetic.（你有活力）」

Beryl 斜倚在床，眼裏水光蕩漾，說著，說著，語音語調就變了：「My dear ──」（我親愛的）像杯中奶茶嫋嫋……
Beryl 向佳馨招手。
佳馨翻臉，嚴正告辭。

走在路上，佳馨才明白羅奈爾得說的 interesting (有趣) 是何意。
佳馨想 Beryl 是一位同性戀，一見面就想上床，自己給她起名「守玉」，簡直是諷刺。
回到 819，佳馨順手打開一本《詩刊》，排遣不快，竟是

守身如玉
對愛情
我恪守著優秀品格
走出閨中
守護我如玉的貞節

少女之花
不受時間的限制
一個人她可以在一夜間
凋謝一個人也可以
一輩子彌漫淡淡的馨香

長髮如此珍重
披肩的夜晚
遮住身後數不盡的
星星的眼睛
白天盡可以束起來
讓陽光傾肩而下
照亮我挺拔的胸

那孤傲的公主啊
為了某個人
默默地等待守身如玉

佳馨想：我配叫守玉。

鎮定下來，佳馨看她和 Beryl 的合影：紫荊樹下，花簇
繁密，Beryl 的手搭在佳馨的肩上。

紫荊花象徵兄弟和睦：「紫荊花下說三田，人離人合花
亦然。」

佳馨和 Beryl 同為女性，佳馨被同學們視作「女子中的
女子」，倆人在紫荊花下勾肩搭背，佳馨感受怪怪的。

以後，見到 Beryl，她熱情依舊，佳馨端莊凝重，視若陌
路人。

韋應物詩曰：「雜英紛已積，含芳獨暮春。還如故園樹，
忽憶故園人。」佳馨看著盛開的紫荊，想起菁菁校園裏和
Beryl 的往事，恍如隔世，寧願它從未發生。

請　客

中秋節。

應彤星邀請，佳馨和女生們一起去男生宿舍會餐。

「請進，請進！」威治一疊聲殷勤地把姑娘們讓進屋。

桌上擺滿大盆大盆熱氣騰騰煮好的對蝦、螃蟹和牡蠣。

「彤星剛被一個朋友叫走，有急事，恕不奉陪。」威治致歉。

佳馨失望地坐在彤星床邊，可口的海鮮吃得味同嚼蠟。

臨走，佳馨悄悄把手帕藏在彤星枕旁。

蜜　意

佳馨漫步林間，但見一輪

明　月

金風送爽　丹桂馥鬱

澄明纖練　碧海一線

月像錦紈夢圓　繡上青天

亙古不變　深沉銅鏡

嫦娥親手拭亮

彩巾長舞飄揚思鄉仙調

玉兔揮杵搗制濟世良藥

弄玉吹簫詠歎美人芳草

月　欺雪飛霜
素面原無粉黛
月　坦坦蕩蕩
播灑銀輝在大地上
山川田野湖泊蒹葭
籠罩吉祥幽夢至溫馨人家

冰絲浸碧　玉液欲滴
皓色綿延波萬裏
龍的傳人慶佳期

「月影罩霞鮮，清露釀花香。」佳馨獨立花陰，觀彩雲追月。

良久，她潸然淚下：「花月怒放夜自明，幾人解得風情？」

微風吹過，花枝搖曳，佳馨淚光瑩瑩的眼睛被一塊手帕遮住，正是她親手所繡。

佳馨一激靈，擡頭：心中事，眼中淚，意中人 ── 正是彤星。

「一個人躲在這裏，做什麼？」彤星問。他雙眸裏滿是寵溺，像對待幼稚園裏哭泣的小女孩。

佳馨真想變成一條小魚遊在他深情的眼波裏。

彤星雙手捧起佳馨的臉龐，吻去點點淚珠。佳馨的臉更

加皎潔。

　　佳馨粲齒一笑，撒嬌地倚在他胸前，煙草、酒精、男子漢的味道令她踏實安穩。

　　彤星下巴抵在佳馨頭上，撫摸著月光下她溪流般瀲灩的長髮，喃喃傾吐著愛情：

　　「佳馨，你的頭髮真密。新生報到那天，你辮子梳得高高的，像蓬蓬鬆鬆的松鼠尾巴，繫一個彩色鍍金有機玻璃蝴蝶結，穿一條鑲紅緞帶白連衣裙，像動畫片裏走出的白雪公主。一夥男生衛士般守著你，我看得眼睛發紅，暗暗發誓：這就是我心目中夢寐以求的女孩，我要得到她。除非我，誰都休想碰她一根手指頭！懂嗎？佳馨，你是我的，我一個人的──」彤星箍緊懷裏的佳馨。

　　透過薄薄的裙子，佳馨摩挲到彤星岩石般堅硬發達的肌肉。

　　佳馨不安地扭動一下身子。

　　「馨，你真美！」彤星在佳馨額上、臉上、唇上、頸上雨點般狂吻，口中呼出股股熱浪，舌尖蛇一樣靈活地吸吮佳馨小巧玲瓏的耳垂；他長青藤般堅韌固執地糾纏佳馨，手探進她的胸衣……她的肌膚凝脂般嫩滑……

　　驚懼攫住了佳馨的心。

　　「不，不行！」她拽他的手。

　　「馨，你就讓我做一次夢吧！」彤星冀求。

　　佳馨用力掙脫他。

　　彤星迷離的瞳仁被月光映照得像琥珀閃爍……

　　「看！天上兩顆星星：大的是你，小的是我。」佳馨手
指浩瀚的夜空：「我用繁體字出一上聯：

　　「秤桿星　星準星差人心測公平」
　　「戕鏡月　月盈月蝕天道昭正義」
彤星對仗極工。

　　佳馨再出一上聯：
　　　「木生東變棟」
　　彤星又對出下聯：
　　　「人逢二成仁」
　　佳馨出一上聯：
　　　「有愛有緣有三元」
　　彤星對出下聯
　　　「尊師尊正尊六政」
　　「三元：精氣神！」佳馨說。
　　「六政：道德仁聖禮義！」彤星和。
　　佳馨又說：「有愛有緣有三元」
　　彤星再對：「修身修福修六府」
　　「何謂六府？」佳馨問。
　　「古以水、火、金、木、土、穀為六府。」彤星答。
　　「多謝賜福。」佳馨道個萬福。

　　「仰望星空，腳踏實地。」佳馨款款細語：「大星星和
小星星多親近，我愛星：星有好風，星有好雨。」

　　彤星長喘一口氣，抱緊佳馨，臉深深伏進她蜿蜒順滑的

青絲裏，閉上眼，汲取她髮間的清香……

夜，像透明的香水，溫情隨月色起伏飄蕩。佳馨真願意這樣：和心愛的人相依相偎到天亮……

狹路相逢

佳馨和彤星手牽手走著，迎面凌霄攜帶厚厚一摞書從圖書館出來。

凌霄雪亮尖銳的眼睛鷹隼般盯住佳馨和彤星，眸光睫影中交織出石火電光，洞若明燭。

佳馨鬆開彤星的手，彤星拉回佳馨的手。

一縷扭曲浮現在凌霄的面容，他像與對手肉搏決鬥的勇士，負傷，錐心刺痛，低下頭，逕自從戰場匆匆撤離……

嗖嗖海風吹捲著凌霄的衣袂，夜幕中他的背影孤單決絕。

看著凌霄獨行的修長身形，佳馨心頭一陣悵惘：皓月無幽意，清風有激情。

好　球

操場上。

彤星和隊友們打籃球。

佳馨一邊記英語單詞，一邊觀看。

彤星汗流浹背，連進兩個三分球，投球的姿勢漂亮利索，像他最崇拜的球星「飛人」喬丹。

羅奈爾得大搖大擺，旁若無人地從球架前方經過。

「仇人相見，分外眼紅。」彤星搶過隊友手中的籃球，高高舉起，對準羅奈爾得的頭顱，氣勢洶洶地用力狠砸過去！

「Oh!」羅奈爾得猝不及防，疼得呲牙咧嘴，怪叫一聲，雙手護頭，蹦得離地有三尺高。

佳馨拍手嬌呼：「好球！」

鼻青臉腫的羅奈爾得怒氣衝天，剛要發作，大動干戈，彤星沖他扮了個笑臉：「Sorry！」

媞容走來對羅奈爾得說：「我陪你去醫務室。」

羅奈爾得嘟嘟嚕嚕，悻悻而去。

地上一灘血跡。

失　蹤

「叮鈴鈴——」考試結束的鈴聲打破校園的寂靜。

大學生們迅速離開考場。

回到 819，佳馨查查詞典，生詞全部答對，沾沾自喜，哼起《粉紅色的回憶》。

「凌霄失蹤！」岩琳進屋，心情沉重。

「啊？！」女生們驚詫。

「有人說入普陀山為僧，有人說去九華山修道；眾說紛紜，莫衷一是。」

佳馨無力地靠在櫃子上，手指冰冷，心痛如碎：「因為我？他是那麼優秀的人才，正當勤奮學習，為國效力，怎能為兒女私情看破紅塵？」

「解鈴還須繫鈴人。」可是，淩霄，你在哪裏？
佳馨自怨自哀，以淚洗面，不思茶飯。

波微給佳馨買來開胃的金桔，又親自借人家的廚房做了一碗香噴噴的蛋炒飯。

岩琳上山為佳馨挖掘石竹、萱草。據說，萱草可忘憂。

佳馨親手種在花盆裏。紅的，黃的花朵，比桃花的熱冷豔，比水仙的清含蓄，比臘梅的寒溫和。

看著萱草，佳馨彷彿親見萱堂，慈愛地勸慰：「好孩子，別哭，要像石竹一樣堅強。」

佳馨淚下如注，露珠般灑在鮮花上，澆灌花兒成長，綻開……

佳馨心中的花萎謝、落寞、墜落……

媞容唱：「一個籬笆三個樁，一個好漢三個幫……」

冷　落

　　彤星受到佳馨突如其來空前的冷落，一次次約會被拒絕。想想出走的凌霄，佳馨怎能和彤星耳鬢廝磨，卿卿我我？彤星困惑，懇求解釋，佳馨木然沉默。

　　彤星像一頭被激怒的雄獅，在籃球場上拼搏，在足球場上橫衝直撞地發洩。

　　男性的自律和尊嚴卻使他在佳馨面前表現得像龔賢的畫意，幽異疏朗。

　　「在愛神的山裏，良心和義務被遺忘！」 —— 但是，這可不是佳馨，她忘不了凌霄，覺得自己是罪魁禍首：她拒絕他，推開他，拋棄他，使他脫離人生的正常軌道。

　　佳馨和岩琳貼了無數尋人啟事。

　　凌霄，佳馨

多麼期待能夠見到你

多麼期待能夠見到你
當我穿上剛做好的新衣
讓你驚詫我的美麗
保留甘醇如酒的記憶

多麼期待能夠見到你
當我走在繁華喧鬧的街衢
穿過冷漠陌生的人們
找回刻骨銘心的默契

多麼期待能夠見到你
當我沐浴著絲絲細雨
小傘遮一方溫馨甜蜜
一起聆聽雨中衷曲

多麼期待能夠見到你
當我在花園寫一本日記
落花飄零在深藍淺藍的淚痕
有著一行行關於你的詩句

女大十八變

晚間。

波微削好一個蘋果，給佳馨。

佳馨伸手去接。

波微細看佳馨，好像初相見：「真是女大十八變。佳馨
越長越俏，鵝蛋臉尖成瓜子臉，青黛一縷，細細長長彎彎，
我見猶憐。追你的男生有一個加強連吧？」

「什麼加強連？都是些白麵書生。你，波微，可是全體
男生的搶手貨。」岩琳搶白。

波微訥訥：「我哪兒比得上佳馨？描眉都模仿她的樣子。」

　　兩朵紅雲掠過佳馨雨打梨花般蒼白愴楚的臉。

　　「哎，你們說，什麼牌子的胭脂好看？」岩琳問。
　　「美寶蓮。搽起來像水蜜桃：淡白梨花堪入臉，嬌紅桃
粉可凝腮。有人白得像個鬼。」菱花鏡裏，媞容蔑視佳馨，
直而無理。
　　她如今的身份是羅奈爾得的未婚妻，滿面春風。

　　佳馨因為羅奈爾得的醜行劣跡，私下裏勸媞容慎重。不
料，反遭媞容嘲笑：「葡萄的滋味是酸是甜，我還是知道的。」
　　夏蟲不可語冰。
　　佳馨仁至義盡。

　　媞容翹起塗滿蔻丹的小指，倨傲地把一朵珠花簪上高聳
的髮髻，為自己加冕慶功。

　　「媞容的頭髮亮。」波微道：「佳馨的頭髮又多又長。」
　　「我的頭髮比她黑。」媞容自得。
　　「你的心也黑。」佳馨想說，忍住，不禁

自　問
　　一個人的心
　　能慘痛幾分
　　當侮辱的冷箭
　　射自同窗的人

> 一個人的情
> 能原諒幾分
> 當一而再再而三
> 室友助長仇恨

> 一個人的愛
> 能容忍幾分
> 當疤痕揭了又長
> 長了又揭鮮血淋淋

佳馨雪亮的眼睛直視媞容，明淨得如新生嬰兒初察人世，媞容垂下了頭，無處可逃。

偶　遇

候車室。

佳馨孤單單地坐在椅子上。

「Hi!」一個男生站起，向她打招呼。

佳馨沒認出來。

「我是宗嶺。」他果然是佳馨的高中男友。

「佳馨，見到你太激動了！」宗嶺在佳馨面前找個位子坐下，低頭凝思。然後，他拿出紙筆，飛快地寫起來，交給佳馨

印　象

我不在意冬寒的肆虐

　　卻無法忍受秋意的沁涼
　　我渴望一場夏的風雨
　　卻只看到淡淡的春光

　　你忍受著思念的憂傷
　　只把幻想當成濃濃的渴望
　　沒承想當初不經意的離別
　　竟成我如今最無奈的印象

　　佳馨想：不愧是從前的知己，火眼金睛，自己的心思被他洞察無遺。

　　佳馨在詩後續上兩句
　　別離是一種巧妙的化妝
　　美化如今最無奈的印象

　　宗嶺微笑沉吟。

　　佳馨糾正：「我在想像，不在幻想。」
　　「有區別嗎？」宗嶺饒有興趣。
　　「理解的想像充滿愛和火，幻想則是冷酷無情的心智能力。」佳馨有板有眼。
　　「你還和上高中時一樣較真。」宗嶺笑了，像個友愛寬宏的大哥哥對待伶牙俐齒的小妹妹。
　　宗嶺看過紙條，張嘴想說什麼，佳馨用目光，教他

別出聲

不要說不說

永遠別出聲

你的情我領

你的愛我懂

像鳥飛得高遠

浩浩然朦朧

沉浮迴旋追趕彩虹

像梅低臨溪畔

照自己清晰的月影

別出聲　珍藏

初戀的瑩潔明淨

用我們心底脈脈溫情

只是別出聲

言語淺薄不如時光深厚

沈默短暫勝過永恆

檢票時間。

佳馨和宗嶺並肩走向檢票口。

宗嶺唱起《朋友》：「朋友一生一起走，這些日子不再有，一句話，一輩子……一生情，一杯酒，不，佳馨，我不會放你走！」

佳馨熱淚盈眶，她甚至想靠在宗嶺肩頭痛哭一場。可是，不行，宗嶺不行，彤星不行，遁世的凌霄也不行。

佳馨只好躲在心裏哭：都說淚水又苦又鹹，心裏流淚借詩風乾：「從此無心愛良夜，任他明月下西樓。」

月臺上。

月色如水，把佳馨的衣裙漂洗得更加潔白，體態玲瓏凸凹。她像中學生那樣不諳世態，宗嶺用眼睛頻頻向她坦率示愛，卻增添了佳馨一份決心，決心永遠永遠把他忘懷。

宗嶺送給佳馨一盒高勝美的《新白娘子傳奇》磁帶。

車廂裏。

佳馨對面坐著一位年輕人。他看著佳馨，充滿好奇。

佳馨垂眸。

青年劃一根火柴，一邊炙烤自己裸露的手臂，一邊微笑著注視佳馨，皮膚直冒青煙，滋滋響⋯⋯

佳馨於心不忍，俯身上前吹滅火柴。

她的惻隱之心感化年輕人，他問佳馨旁邊的宗嶺：「她在哪兒下車？」

宗嶺白他一眼，沒理他。

一個無賴之徒緊擠著佳馨坐下，本來倆人的座位一下坐三人。

佳馨的紅裙子貼著無賴的長褲。佳馨厭惡至極，憤然而起：不惜紅羅裂，何論輕賤軀！

宗嶺摩拳擦掌。

無賴無趣地離開。

思母心切

佳馨歸心似箭，如饑似渴盼望見到

母　親

出門的女兒瞧瞧母親
她的笑容讓你如沐春風的溫馨
飽滿的臉龐刻幾道皺紋
那是天使印下的吻痕

勤奮的青年抱抱母親
她的胸懷比溫泉溫
雪中送炭她對你噓寒問暖
錦上添花她盼你雙喜臨門

歸來的遊子聽聽母親
她的絮語流露世態的紛紜
泡一杯熱茶　放幾朵菊花
拉拉家常說說閒話人間煙火最養人

成功的志士探探母親
給她梳一梳白髮揉一揉筋
含辛茹苦　哺育你長大
頤養天年是她的福分

孤獨的旅客貼貼母親

握緊她暖柔柔的手掌心
血脈相連的果與根
滋枯養瘠　相濡以澤甘露沁

幸福的全家親親母親
喜悅舒展她緊皺的眉顰
老人不圖兒女多麼孝順
望子成龍　盼女成鳳就是她一顆拳拳苦心

抑鬱症

踏進家門，像飽經風霜肆虐的翠竹，佳馨一下撲臥在床。
　　闔上眼，她就定格淩霄的音容笑貌。佳馨在內疚的油鍋裏煎熬，恐懼的冰窖內冷凍，煉獄的烈焰中焚燒……她患了抑鬱症。
　　主治醫生黃彥歎息：「大學是多麼美好的時光！」
　　佳馨苦在心裏。

黃彥低下頭，他懂得很多很多，雖然他不說……
佳馨陷入深深的冥想

前世今生
前世依稀

也許
我是搖櫓的船娘

送你連夜渡河　你躲過一劫
碼頭　惜別月亮

也許
我是貼身的丫鬟
給你鋪紙研墨　你筆舞龍蛇
香案　燃紅心篆

也許
我是賣花的村姑
贈你茉莉百合　你琴瑟和諧
庭院　俏立翠竹

也許
我是埋名的女俠
替你懲奸除惡　你伸冤洗雪
青史　流傳佳話

也許
我是臺上的花旦
向你暗遞秋波　你心投意合
梨園　變換綺年

今生

我是柔弱的小妹

待你如見貴客
喚你一聲「哥哥」
芳心　素蕊含淚

　　服藥一周後，佳馨病情好轉，和黃彥之間的新鮮感覺如
親情，像漫天飄灑的白蘭花，甜而不膩，香而不烈，清而不
俗，綿綿不絕……

　　宗嶺打來電話：「我晚上一夜未睡，不知你為什麼變得
如此消瘦憔悴，告訴我。」
　　佳馨強笑：「與你無關。」
　　「可我心痛。」宗嶺執拗。
　　佳馨掛機，任鈴聲響。
　　宗嶺給佳馨寄來《西方幽默畫冊》和一尊塑像「祈禱」：
祈禱的女孩眼角掛著一顆淚珠，佳馨拭之不去。
　　佳馨讀懂女孩的祈禱詞：平安。

　　電視連續劇《紅樓夢》正在上映。
　　佳馨在黛玉的悲情中痛苦地宣洩

詠黛玉

閬苑仙葩　含煙泣露
神瑛侍者挹彼清芬
吹花嚼蕊　冰雪聰明
遺世獨立　煢然伶仃

靜讀《西廂》通戲語

借題芳菊亮秋心

瀟湘館龍吟細細鳳尾森森

情絲嬝嬝　幽怨深深

晝長思鄉寒露侵

埋香塚風刀霜劍紅消香斷

杜宇聲泣　似讖成真

可歎冷月葬花魂

蛩鳴竹咽雨打蕉

高標傲世孤魂銷

香消玉殞見情真

驚天動地泣鬼神

竟未打動月下人

　　佳馨在《薛域風華》發表韻文《留住黛玉》：「留住黛玉，她情美如芝蘭芙蕖，才美如星漢錦茵，貌美如湘妃洛神……留住黛玉，就留住了中國古典女性美的精魂！」

　　佳馨細思：黛玉只能留在《紅樓夢》裏，留在人們心裏，現實生活是留不住的。

　　佳馨銀牙暗咬：「我偏要為黛玉爭一口氣。」

　　佳馨耿耿於懷

詠寶釵

花容雪膚　態端韻遠

穠姿冷質　文藻卓犖
珍重芳姿晝掩門
淡極始知花更豔

蘅蕪苑魂染體香
滴翠亭撲蝶慵憨
靜慎安詳　從容婉轉
結交殷勤城府嚴
相容含蓄　舉止函閑
粉黛場裏諳周旋

琴瑟難和紅絲斷
倏忽淒涼金玉緣

　　佳馨譯成英文，著名翻譯家北大教授許淵沖先生稱奇：
「中英詩俱佳，有詩意，鑒賞水準高。」
　　祝佳馨：「勝利！」

　　一日午後，佳馨在門口閑坐，白衣綠裙，意態蕭索。
鄰居家兩個男生清談，長得像臺灣言情劇男主角。
一個說：「門外那女孩像林黛玉。」
另一人評論：「多麼高貴！她會比黛玉幸福！」

　　翌日。
男生母親登門造訪。
佳馨全家無不納罕。

那位鄰家母環顧室內簡樸整潔的家居擺設，說明來意：給兒子向佳馨提親。

佳馨母親一口回絕：「她還是個學生，在讀書……」

那位大姨告辭。

佳馨緊縮的心放鬆下來，那男生弱不禁風，缺乏男子漢的陽剛強勢和氣魄。

親　眷

姨媽力勸佳馨去她家靜養，視如己出，倍加疼愛呵護。

姨媽是方圓百里出了名的大美人

良家女

蓮臉生香　眉籠新月
明眸珠韞　嬌羞融冶
秋水為神　梨雲是骨
一襲素淨藍衣
娉婷清英印在
雕花格子窗櫺

朱唇綴櫻　燕妒鶯詫
畫不盡鮮妍曼倩
淡煙素月　幽姿逸韻
描不出秀容安恬
烏雲挽髻　纏綿倭墮
挽不住油滑光鑒

天仙榮耀　王後稟賦
隱居民間甘於平凡

多麼想撫去你鬢邊汗珠
讓你縱情歡笑無拘無束
卻見你眉間幽思凝聚
遠山橫翠令人心儀

春風溫存　細梳髮絲
圓月皎潔　遙照玉顏
繁星閃爍　點綴碧簪
滋潤玉蘭花瓣
純潔心靈　顯現露珠
骨嘟墜落柔柔輕歎
水晶簾裏　玻璃盞前
蕙心紈質　剪裁雲錦
女紅針黹天衣無縫
織女也豔羨
妙手回春　樂善好施
杏林譽金匾

喜歡看你洗洗臉
芳澤無加　鉛華不施
清水出芙蓉　天然

佳馨還見了

小　姨

小姨　一件黑底白花裙
穿過四分之一世紀
最拿手紅燒帶魚糖醋排骨
眼裏有幹不完的家務

天桃精神畫眉舌
錯失受教育的良機
中國從此少一位
名播青史的才女
誰娶了隨遇而安的你
今生最大的福氣

小姨的口頭禪：「人行好事，莫問前程。」

　　佳馨崇拜的大妗子，直爽熱情，百年老字號廣濟堂藥店
的總經理，是一棵無畏無懼、自強不息的

木　棉

花朵紅彤彤燃燒英勇
噴發熱辣激情
血液奮湧奔騰凝煉寶石鐘磬
枝柯劍戟般刺向蒼穹
明亮的眼睛怎揉得下沙礫
對世間陰霾正直訴控

風狂你擋　雨暴你遮
堅強如鋼　笑傲眾香
你是花中巾幗

都羨慕你熠熠生輝奪目耀眼
誰曉你歷盡千難萬險悲痛辛酸
遍體鱗傷鏤刻你默默忍受次次愀然心碎
腳下土壤浸透你獨自灑落滴滴滾燙熱淚
啊！木棉
你的軀體承載著家族劫難
你的靈魂綻放出必勝絢爛

志美如虹　映亮藍天
壯哉！心愛的木棉
愛你　愛你今日的堂皇富麗
愛你　更愛你昔時的滄桑傳奇

妗子帶佳馨去「廣濟堂」。
一進大廳，迎面中堂畫寓賈島詩意：「松下問童子，言
師採藥去。只在此山中，雲深不知處。」
對聯：
「有藥皆妙藥圃無凡草
　無丹不靈松窗有秘方」

佳馨欣賞一個

粉彩花瓶

生存於炫耀境地
在雕花紅木案幾
以靜物的矜持

青白底描敷翠綠緋紅
牡丹金粉花蕊
瑩泛暖黃的光澤
映襯尊貴溫馨

往昔的心事
濃縮成瓶頸
綻放新插的玫瑰百合
浪漫純潔

生機盎然　充滿房間
窗外一陣清風
送入一對蝴蝶

　　坐堂老中醫對佳馨望聞問切：「心陰不足，陽氣上升。」
給佳馨細開藥方，有麥冬等。
　　「我做一夢：左手是長江，右手是黃河，延伸……」佳
馨奇怪。
　　「你血液循環不暢，故做此夢。」老中醫捋須呵呵一笑。

妙子看後，點頭：「含四物湯，可養顏。」

佳馨問：「哪四物？告訴我，我推薦給我們宿舍女生。」

妙子說：「當歸、川芎、芍藥、熟地，補脾胃，養氣血，臉色自然粉嫩。」

友　誼

佳馨收到威治寄來的慰問信，上面有全班同學的親筆簽名，盼佳馨早日康復，回校團聚。

媞容寄來一首詩

綠葉的回憶

第一次走進校園

我驚喜於

初秋裏的一枚完好的綠葉

把它輕輕撿起

夾在日記裏

蠻以為自此　收盡了春意

在飄雪的寒冬

打開日記本

想重吻綠葉的回憶

卻發現

它不知什麼時候　已丟落到了哪里

佳馨在回信中坦率直言：「友誼是一種契約，也是一種

甜柔的責任。友誼需要滋養、信任、欣賞，更需要相互的尊重，友誼之樹才能長青！

　　你曾經送給我的那個蘋果，是這個世界上最美味可口的蘋果，我永遠忘不了它的甘醇芳馥……」

　　全班同學都寄來明信片，佳馨回一張

賀年卡

你們把祝願凝聚成卡片
精美的圖案　清雅的芬芳
純真的話語暖人衷腸
飛越萬水千山
來至我的身旁

帶來風花雪月彩霞星光
叮叮咚咚甘泉流淌
祝願美好的日子
像一隻可愛的夜鶯
縱情歡唱
像一幅春天的銅版
在我們心中珍藏
祝福的心跳
按同一頻率交響
寂靜中
傳至四面八方

彤星杳無音信。

彤星可知，佳馨

想著你

想著你
坐不安　行不穩　立搖撼
披星戴月無眠
形銷骨索立
衣單秋風寒

想著你
蕙性蘭心顫
楊柳細腰纖
愁眉濃轉淡
相思苦也甜

想著你
嬌羞脈脈　滄海月明
曲致款款　藍田日暖
多少回如膠似漆的眷戀
多少次拈花一笑的纏綿

想著你
滾滾珠淚落銀漢
遙遙港城隔雲端

天高地遠有盡頭
兩心相系手難牽

想著你
前有直插青冥之高山
後有九曲迴旋之險灘
有意身生翅
情癡化渡船

想著你
白天變黑夜
黑夜變白天
望穿秋水魂欲斷
畫餅充饑難下嚥

佳馨止不住對彤星

想念
想你想得心兒揪成一顆桃
甜蜜著急小臉紅得直發燒

想你想得眉毛蹙成柳葉梢
眼淚一個勁地吧嗒吧嗒掉

想你想得夕陽快下半山腰
恍恍惚惚晚風追著彩霞跑

想你想得星星夜空熠閃耀
忽明忽暗輾轉反側睡不著

想你想得做夢都在把你找
睡醒滿眼都是你在笑

佳馨來一次

愛的占卜

日落時　已暮色深沈
冷風撕扯著雪白的綢裙
漫步郊外　採摘雛菊
據說能占卜愛的命運

是否別的姑娘對他鍾情
其中一位他特別稱心
頻頻相會　難捨難分
忘了遠方伶俜的人

即使偶然在夢中出現
最好根本別看他們
杜鵑啼血　悲愁陣陣
不由把髮辮編結得緊緊

佳馨登奚仲閣，文昌亭

感　懷

霜天蕭颯夕陽留，悒鬱縈懷自登樓。

悠悠霞光蘭櫂晚，渺渺蕭瑟荻花秋。

無邊桑榆景更好，萬水千山只是愁。

何如林深聞鷓鴣，比翼齊飛共綢繆。

秋　思

低雲籠曠野，明月照東山。

瑩瑩銀霜冷，颯颯楓葉妍。

寄語南去雁，問君幾時還？

清淚溼香羅，詎惜粉黛減。

轉學吧

佳馨痊癒。

爸爸媽媽建議她轉學曲阜師範大學，換換環境，有益身心。

威治的父親在曲師大任支書，答應接收，附加條件：必須是威治的女朋友。

威治來佳馨家探望，佳馨父母很賞識他。

他已說服父親，可以無條件讓佳馨入學。

爸爸媽媽徵求佳馨的意見。

佳馨不依，堅持回原校。她仍然對彤星

依　戀

從來我沒有依戀任何人
像依戀你這樣深
如縈繞山巔氤氳的白雲
如印在水面甜蜜的一吻
如金色葵花永遠迎著
我自己的太陽　你的心

和我多呆一會兒吧
我愛
我只想把這珍貴的時刻
在幸福之泉貯存
每當難過時　就輕輕啜飲
細細品味　它沁人的清純
那朵悄悄綻放的心花
就靠它來滋潤

威治臨走時，留言

佳馨：

你好！

　　雖然我們接觸不多，但我眼中的你是那麼羞澀、文靜、純樸，沒有半點造作與裝飾。你就是你。我，和咱們班的每一個同學都衷心地祝福你 —— 純潔善良的女孩

　　天天開心，生活充滿微笑！

威治

相面

威治陪佳馨返校。

火車上。

一個商學院男生向佳馨大獻殷勤，給她講笑話 ——

《消息》

某人喜歡捉弄別人。一天，他對室友說：「告訴你一個好消息和一個壞消息。」室友說：「先說好消息。」他說：「好消息是你女朋友剛才打電話找你。」「壞消息呢？」「我在騙你。」

又有一天，他對室友說：「我告訴你一個好消息和一個壞消息。」其室友擔心再次受騙，就說：「先說壞消息。」他一本正經地說：「我看見你女朋友和一個男生去看電影了。」「那好消息呢？」「我又騙了你一次。」

佳馨「撲哧」一笑，忍俊不禁。

男生吹噓：「我氣功練得爐火純青，日後會出天眼。」

佳馨有一搭沒一搭聽他說話，專心看窗外美景，心想：菩薩保佑！幸虧你練氣功,要是你練武功,說不定我才慘哪！

男生糾纏佳馨：「叫哥哥！」

佳馨始終不鬆口。

男生下車前，從茶几下塞給佳馨一封信：「你是一個真實的女孩，我想和你交個朋友。小姐，請別多心吆！」男生信中留了地址和電話號碼。

佳馨正看，威治一把奪去。他冷眼旁觀，早已對那男生

忍無可忍。

威治把信搓成一團，扔出車窗外：「那傢夥不地道。兩眼靜若螢光，動若流水，尖巧喜淫之相，正合《冰鑒》。」

佳馨到校後的一個夜晚，商學院男生在樓下大叫：「佳馨，佳馨！」

佳馨起初躲在屋裏，不願下樓。

男生叫個不停，弄得四鄰不安。

佳馨下樓，男生一把抓住她的胳膊，驚喜：「可找到你了！」

佳馨甩開胳膊，面無表情：「請你回去。我已有男朋友。」

男生無趣，離開。

此是後話，在此一提。

不期而遇

819。

姑娘們團團圍住坐在床上的佳馨。

「這麼長時間不回來，我們以為你轉學了。」媞容依舊快人快語。

「佳馨淑女樣。」岩琳笑眯眯。

佳馨站起，伸腿亮臂優雅自如。

「佳馨的四肢筆直筆直，真像《天鵝湖》裏的白天鵝。」媞容歆慕。

「你就像掌中輕的趙飛燕，被男生用手托起，你表演的舞蹈《飛天》我還記得。」佳馨回敬。

食堂的臺階上。

佳馨彤星相遇。

彤星悵然，舉目向天，悲憤，痛惜，回天乏術……只是，
發出一聲

歎 息

輕柔的一聲歎息
一朵雪花降自天際
一隻雁翎飄悠飛起
一顆露珠滾落首蓿

沉重的一聲歎息
一粒種子播撒田野
一個枇杷果熟蒂落
一滴淚珠滑下眼角

明確的誓言多麼單薄
露骨的詩句多麼蒼白
高亢的歌聲多麼乏力

不發誓　不吟詩也不歌唱
只是發自肺腑的一聲歎息

最初也是最後一聲
為了你

佳馨垂目矜持幽怨。

兩人擦肩而過，無言。

以前，「即使背影已經遠去，彼此的心還踮起腳尖呼喚。」

寄　託

佳馨每天獨來獨往。

一日，抬頭見窗外儷影雙雙，佳馨自遣

秋　思
—— 集句

日日思君不見君，秋閨怨女拭啼痕。

高髻不梳雲已散，蛾眉罷掃月仍新；

吳刀剪破機頭錦，茱萸花墜相思枕。

鳴環動佩出房櫳，斜倚欄杆似詫人。

自 責

中午。餐廳。

佳馨站在岩琳前面,排隊等候買菜。

彤星走來,站在岩琳身後。

夾在中間的岩琳略微思索,讓在彤星後面。

佳馨和彤星一前一後緊挨。

佳馨把頭低下,平靜而忐忑,露出雪花石膏般白嫩的頸項。佳馨知道自己的後頸很美,白皙修長。梳辮子的時候,她用小鏡子照見映在大鏡子上的後頸,細膩泛柔光。

彤星呼吸加重,急促的男子漢氣息呵得佳馨恍恍惚惚,飄飄然……

佳馨接過白菜湯,慢回嬌眼,迎著彤星的臉:饑渴、痛苦、自尤自艾,唯獨沒有佳馨期待中的愛情。

佳馨心靈失重,自責,恢復尊嚴,昂首挺胸離開彤星。

青絲依舊墨玉一般的順滑,羅紗輕掩的香頸,依舊雪般的無瑕。眉間冷,英氣爍;心上悲,笳聲咽……

就當一切都如一縷幽緲清風,吹過莫奈湖中夢幻瑰麗的睡蓮……

吃冰棒

一個人走在紅磚鋪砌的小徑上,佳馨自得其樂。

佳馨喜歡紅磚路,喜歡走在紅磚路上的爽潔。

白色工藝布涼鞋踏在雨後濡濕的紅磚上,輕巧的鞋跟沒

有發出一絲兒聲響。偶爾一陣微風，幾朵夾竹桃花墜入池塘，有的落在紅磚路上，好像一踩上去就成碎絮，令人不忍涉足……

　　不遠處，八角亭裏。

　　彤星和媞容竊竊私語。媞容小鳥依人，穿黃色套裝，紮獨辮，手執一根霜淇淋冰棒，自己咬一口，獻媚地送到彤星嘴邊。

　　彤星略加遲疑，低頭吃一口冰棒，像往常一樣倜儻不拘。自愛俏皮的浪漫勁兒曾令佳馨迷戀不已。

　　彤星媞容相視而笑，笑容甜蜜膠著，像霜淇淋凝聚的奶油。

　　媞容在彤星咬過的地方嚐一口霜淇淋，眼瞇成一條縫兒，細細品咂，一臉的愜意滿足，像是滴出來的奶油汁。

　　彤星擁住媞容嬌小乖覺的身子，把口中含的冰水吐到她的櫻桃小嘴裏。

　　乳汁沿媞容的腮幫流成一條水線……

　　佳馨像被抽了絲般虛脫空洞，春夢隨雲散，飛花逐水流……

　　媞容手中的冰棒滑落，她舉起纖細柔軟的胳膊攀住彤星的脖子，彤星俯下身去，兩人粘在一起，像一棵交叉的枝椏……

　　佳馨扶住梧桐，形影相弔，「淚眼問花花不語，亂紅飛

過秋千去。」她不知怎樣走回 819。

一個曠世孤魂的自述

孤零零一個人
我站在路叉口
東西南北風的交匯處
寒意利劍般刺骨
我默默感受著
失魂落魄的孤獨

淚湧出　比黃連苦
我被孤立　一個多餘的人
還有誰會在乎？！
我從未向任何人卑躬屈膝
除非祈求
父母的寬恕
我不辯白　不申訴
不！　絕不！

啊！我還有什麼顏面活著
我唯一能做的
是留下一堆遺物

我如此強大
無人能幫得了我
無人能拯救我

我如此渺小
獨自一個人面對
命中難逃此劫

我感激天賜的溫暖
總有一支歌
永久回蕩　響徹肺腑
多少次來自天使的祝福
我的至愛
即使我化作塵土
你也是滋潤我的甘露
迎來燦爛的日出

她不知怎樣走回 819。
須臾，窗外雨疏風驟。
佳馨默不作聲。許久許久，她才哭出聲，哭那首霍達的

難訴相思

　　孤館寒窗風更雨，欲欲語還休，昨日春暖今日秋，知己獨難求！四海為家家萬裏，天涯蕩孤舟。昨日春潮今日收，誰伴我，沉與浮？

　　連夜風聲連夜雨，佳夢早驚休，錯把春心付東流，只剩恨與羞！風雨吹花花何苦，落紅去難留。暮春淒淒似殘秋，說不盡，許多愁！

　　孤弦難訴相思意，咫尺歎鴻溝，花自飄零水自流，腸斷人倚樓。夜夜明月今何在，不把桂影投。關關雎雎恨悠悠，

一般苦，兩樣愁！

　佳馨詠窗外盛開的

秋海棠

　生來孤僻立古芸，月明偏照秀姿新。
　露滴點點胭脂淚，雨浥斑斑翡翠痕。
　螢鳴玉階蕙蘭心，蝶舞幽華嫣勝春。
　素節憐卿鍾情地，長作蓬萊宮裏人。

再回首

觀眾席上，歡呼如潮。
學子們迎來一年一度的狂歡節 ── 卡拉 OK 暨詩朗誦。

佳馨目不轉睛望著臺上，掌心拍得發熱。
彤星登臺。
佳馨取出隨身聽，塞上耳機，埋頭手中的《花間集》。

媞容悄悄地遞給佳馨一張紙條，佳馨一看，是一首詩

讀書的你

　面對著厚厚一本線裝書
　眼睛像兩泓清澈的春江水
　目光靜靜地隨紙頁移動
　腮暈紅霞　意興蝶飛

那裏的肴饌饋饑者強健
那裏的硬骨撐弱者無畏
那裏有黑夜指路的北斗
哪里有寒冬火紅的柴堆

啊！思想的聖殿　精神的堡壘

即使你懷有最難忍的苦痛
也會從那裏得到溫柔的撫慰
即使你飽含最憂傷的淚水
也會從那裏感受喜悅的陶醉

你就那樣默默地攻讀
忘記了時間的流逝　人世的輪回
你就那樣津津地品味
張開了夢想的翅膀　搏擊騰飛

啊！心境的昇華
靈魂的高貴

鏤月裁雲　脫胎換骨
蘭熏麝越　暖冬回春
眉梢眼角　桃花綻蕊
知道嗎？
你讀書時的樣子最美

一曲終了，同學們議論紛紛。

「彤星《再回首》唱得最好。」岩琳評論：「再回首，雲遮斷歸途；再回首，荊棘密佈；今夜不會再有難捨的舊夢……我的眼淚一下上來了。」

女生們愛護地看著佳馨，生怕她傷心難過。

媞容做了虧心事，不敢抬頭。

佳馨睜大天真無邪的眼睛，泫然欲泣，卻好像什麼也沒有發生，什麼也沒有傷害過她，什麼也傷害不到她，並且永遠也再不會受傷害。

岩琳體貼地拍拍佳馨的後背。

大家無語。

波微上臺朗誦流行一時的

畢　竟

畢竟我們從冬天
走進了春的世界
畢竟血管裏流的是血
才會有愛的表白

搖撼我們頭頂的星空
畢竟十分美麗
滾動我們腳下的地球
畢竟不是在夢中

畢竟真誠的呼喚
會在心穀響起回音
畢竟幻想的翅膀
會托著真實冉冉上升

小島畢竟在撫慰大海
大海畢竟在歌唱風帆
儘管航行在茫茫黑夜
騰飛的海浪畢竟很近

畢竟有一條坎坷小道
讓我們並肩前行
畢竟有一隻不圓的月亮
為我們的眼神押韻
白帽子畢竟戴在你的頭上
紫丁香畢竟開在我的眉心
還需要什麼默許嗎
不，那奔湧著跑過來的
畢竟是泉水也似的清晨

掌聲四起，波微兩眼深湛，臉頰緋紅，走到台下。

819 宿舍。

媞容說：「波微，我建議你的詩朗誦結尾改一改，效果
可能更好。」

「真的麼？怎麼改？那可是我的最愛！」波微虛心求教。

媞容清清嗓子，說道：

> 畢竟有一隻圓圓的手銬
> 為我們的雙手押韻
> 綠帽子畢竟戴在你的頭上
> 紅破鞋畢竟掛在我的花心
> 還需要什麼證明嗎
> 不，那哭喊著跑過來的
> 畢竟是你我的夢中情人

哄堂大笑。

「你這挨千刀的！」波微按倒媞容：「看我不撕你的嘴，該下拔舌地獄！」

「千金難買一笑，看在媞容讓我們大笑的份上，就饒了她吧！」岩琳笑得捂住胸口。

波微才不了了之。

媞容給大家看照片。

波微好奇：「是你和彤星的合影。」

岩琳明確表態：「我不看。」

媞容小心翼翼地問：「佳馨，你看呢？」

佳馨詫異：媞容是裝傻，還是故意？但她還是看了：照片上，佳馨從未見彤星笑得如此開心、燦爛，整個人煥發出奪目的光彩。

佳馨點點頭，看來，彤星是幸福的，佳馨心平氣和。

搶位子

系裏來了一位德高望重的外教 —— 卡爾：紳士風度，滿頭銀髮，黑西裝，簡直是 Chanel 總監 Karl Lagerfeld 的翻版。

卡爾器重佳馨，每次偶遇，總主動首先舉手示意。

佳馨心生好感，報以微笑，想起親愛的父親，像卡爾，慈祥威嚴。

卡爾見到佳馨的父親，稱讚他友善。

卡爾講授英語成語，念道：「Blood is always thicker than water.（血濃於水）」，他殷切地看著佳馨，讓她翻譯，視佳馨如她的親戚。

卡爾和全班同學玩「搶椅子遊戲」。

他負責放音樂，岩琳站在講臺上監督。同學們團團圍住教室中間的一圈椅子。

音樂開始。同學們繞著椅子轉。音樂一停，沒有搶到椅子坐的同學退出。

音樂響起又停下，佳馨每次都有椅子坐。

最後，只剩下佳馨和威治，還有一把椅子。

卡爾按鍵，兩人轉著走，音樂停，佳馨剛想坐下，威治一把搶過椅子，高高舉起。

佳馨向卡爾告狀：「威廉搶走了椅子。」

　　卡爾小聲悄悄地在佳馨耳邊哄勸：「我給你另外一件禮物。」

　　佳馨較真，不答應。

　　卡爾把禮物送給她 —— 一條水晶掛鏈。

　　媞容說：「佳馨穿粉紅長裙，走路優美自如，像希臘人。」

　　「『行走時香風細細，坐下後淹然百媚。』像孟玉樓。」波微贊許：「乖人。」

　　「我更願香風不露。」佳馨眉頭一皺，皺得又可愛又堪憐。

　　「我出上聯：孟玉樓」岩琳道。

　　「我對下聯：趙清閣」佳馨回。

　　「佳馨走路抬頭，下巴上翹，老來福壽非淺。」岩琳認真。

　　佳馨把水晶掛鏈送給威治，她不願讓威治勞而無功。

　　後來，水晶掛鏈戴在了波微的頸上，堂而皇之，閃閃發光。

忘年交

　　卡爾感冒。佳馨特意到花園摘一把月季，登門探望。

　　互致問候，卡爾的夫人麗蓓嘉熱情地擁抱佳馨，轉頭對卡爾說：「她真漂亮。」

　　佳馨暗暗努嘴，她想起一句話：「漂亮的東西是不美的。」

卡爾彬彬有禮，溫文爾雅地笑而不答，微微頷首：「她是個藝術家。」

麗蓓嘉的英文含義是：圈套。

西諺雲：婚姻是個圈套。佳馨不知道麗蓓嘉怎樣套住卡爾，老倆口眉來眼去，夫唱婦隨，恩愛得勝似新婚。

麗蓓嘉挽著佳馨的胳臂，並肩坐在沙發上，給她一本《Dress Yourself Up》（《打扮你自己》），裏面有各式各樣的女孩子髮型、衣著，估計是她少女時看的。

佳馨看中一位女模特，身材苗條，穿一件玫紅連衣裙，繫一條白腰帶，腳上一雙白涼鞋，巧笑倩兮，美目盼兮。佳馨甚是喜愛，一筆一筆細細畫下來，給她起了個英文名Catherine（含義：純潔），並配詩一首

> **致** Catherine
> 玲瓏女孩嬌俏韻致
> 黑髮捲曲美麗
> 像一襲黑綢
> 心跳鳴奏青春贊頌
> 像一枝紅玫瑰
> 凝聚愛的簇擁

「她自命不凡。」麗蓓嘉表示異議。

「不，她只是為自己的美自豪。」佳馨替 Catherine 辯護。

「你從未傷害過任何人的感情嗎？」麗蓓嘉好奇。

「從未。」佳馨肯定。

「你偉大。」麗蓓嘉油然而生敬意。

吃　驚

卡爾病癒。

上課鈴響後，他走進教室門口，望一眼佳馨，低聲迅速說了一句令佳馨大吃一驚的話：「You look like my first wife .」（你看起來像我的第一位妻子）

佳馨從此對卡爾有戒心。

儘管卡爾笑著對她說：「我還有你送的月季。」

卡爾請佳馨每週一次去他家教漢語。

佳馨婉言推辭：「我正準備畢業論文。」

卡爾說：「我小時候會編柳條成簸箕。」

佳馨學過《禮記》，知道此類人擅長制弓。

佳馨是鶯形人，更對卡爾避之唯恐不及。

《紅樓夢》裏，黃鶯鶯與藕官在河邊柳蔭下折柳編花籃兒，遭斥罵。

《西廂記》中，崔鶯鶯落入張生之手，弓長「張」。

陽　光

佳馨在作文中把波微的笑容比作 Sunshine（陽光）。

卡爾於是教同學們一支英文歌

You Are My Sunshine
You are my sunshine,
My only sunshine.
You make me happy when skies are gray;
You never know, dear,
How much I love you!
Please don't take my sunshine away,
（你是我的陽光，
　我僅有的陽光。
　你使我快樂，當天空灰暗。
　你從不知道，親愛的，
　我多麼愛你！
　請不要拿走我的陽光。）

卡爾唱時，看看佳馨，陽光般溫暖。

佳馨望著窗外高大的雲杉，濃蔭匝地，心想：我不是你的陽光，麗蓓嘉才是。

借　書

佳馨與之相處的外教中，曾問心有愧的只有美國人Heap。

公車上，人群推搡擁擠，叫嚷的，罵人的，上火的，亂成一團。

佳馨抓牢把手，一聲不吭，安然自在，身跟大眾一起，心地清淨無染：有口若啞，有耳若聾，萬態紛錯與前，而心常一，自如自在。

臉紅脖粗的 Heap 窘迫地向佳馨苦笑，他正被擠得東倒西歪。

佳馨靜靜地微笑：「聖誕快樂。」

那天正是耶誕節。

Heap 也回一句：「聖誕快樂。」

兩人歡笑。

Heap 在班裏表揚佳馨心態好：composed.（鎮靜）。

岩琳說：「莊子所謂攖寧，就是說雖置身紛紜騷動，交爭互融之地卻不受幹擾，而後方能修成虛寂寧靜的心境。」

「《聊齋志異》裏，有一個狐狸精就叫嬰寧。」媞容的眼角瞟一瞟佳馨。

佳馨雪亮的眼睛利箭般射向媞容。

媞容無地自容。

佳馨幫外教羅莎莉批改作業。

Heap 見了，問：「你能幫我改卷子嗎？」

佳馨不語。

波微搶著說：「當然可以。」

佳馨嗔視同位一眼，她正忙得不可開交。

Heap 紅著臉走開。

Heap 在操場上和彤星一夥打籃球，衣服邊放著一本書

《DESTINED FOR THE THONE》（《命中註定的寶座》）。

　　佳馨被書名吸引，拿起翻看：書的扉頁貼著羅莎莉的藏書票，一片蘋果林，寫著：我樂於和我的朋友們分享我的圖書，只請求你們好好對待它們，並送它們完好回家。

　　Heap 把書借給佳馨。

　　羅莎莉是佳馨的好友。佳馨贈給她一條紅寶石項鏈，她喜慶地戴在頸上，擁抱得佳馨喘不過氣來，因為，佳馨是她英語聽力課考試第一名的愛將，她引以為榮：「佳馨，因為你，我喜歡上了中國人。我要嫁一個中國丈夫！」

　　佳馨高興：「好啊！祝你早日找一個如意郎君。」

　　羅莎莉回送佳馨一個用 Dior 香皂雕刻成的女子頭像，周圍綴以白紗花邊，香氣撲鼻。

　　佳馨至今仍把羅莎莉和全班同學的合影貼在書桌前，時常想念她和同學們。

　　Heap 的小兒子送給佳馨一枝自動鉛筆。佳馨收下。

　　Heap 回國了。佳馨追悔不已。

　　佳馨從此有個心願：遠在大洋彼岸的堂哥設法和 Heap 聯繫，完璧歸趙。

　　羅莎莉（Rosalie）的英文含義：the Festival of Roses（玫瑰節）。玫瑰節時，請風神把玫瑰的祝福吹給 Heap 全家：友誼地久天長！

　　送人玫瑰之手，歷久猶有餘香。

羅莎莉引用《聖經》給佳馨回信：

她比紅寶石寶貴。你一切所喜愛的，都不足比較。

她右手有長壽。左手有富貴。

她的道是安樂，她的路全是平安。

她與持守他的作生命樹。持定她的俱各有福。

勉　勵

畢業前夕。

佳馨向系主任話別。

系主任感慨：「君子坦蕩蕩，小人常戚戚，我是個失敗者……桃花源中人。」

「古人曰：夫欲免為形者，莫如棄世。棄世則無累，無累則正平，正平則與彼更生，更生則幾矣！」佳馨安慰。系主任名更生。

佳馨風聞系主任論才幹應任院長，卻遭排擠，同情地說：「心誠實，行為就坦蕩。我也是個失敗者……」

「不，你不同。佳馨，妳正年輕，認準一條路，就要堅持走下去，今後的路長遠著呢！你是我最有潛力的學生。記住：不要丟掉自己的專業。馬克思說：外語是人生戰鬥的武器。佳馨，你集萬般寵愛於一身，一定要善待他人！」系主任語重心長地教導，在佳馨的畢業紀念冊上題寫：慎終如始。

佳馨恭恭敬敬地給系主任鞠了一躬。

佳馨慶倖自己和系主任之間的

距　離

我們並沒有　沒有
深談過一句
也不曾觸及
任何承諾和盟約
總保持一段若有若無
彼此相望的距離

月有陰晴圓缺是時空的距離
人有悲歡離合是心靈的距離

距離是永恆的兩岸
不會因衝動超越默契
不會因眼淚融化含蓄
不會因濃烈壓縮得體

快樂時　對岸有真摯的祝福
憂傷時　對岸有溫馨的慰藉
春風裏柳枝為我們即興舞蹈
月光下蟋蟀為我們彈琴奏曲

寧靜甜美
心有靈犀
那麼遙遠又那麼親密

我們擁有坦然的回憶

因為
我們珍惜距離

畢業了。

夜幕中，華燈初上，檸檬般黃。

佳馨佇立月臺。眼前是伸向遠方的鋼軌，一列南下的列車將載著她奔赴家鄉。

彤星焦灼地朝佳馨走來，彷彿窮途末路的賭徒，緊盯著佳馨，好像她是他孤注一擲的骰子，輸贏在此一舉。

佳馨像見到魔鬼，她回過神，奔上列車。

「好一匹野馬！」旅客喊道。

車窗外，傳來彤星寥曠的歌聲

難捨難分

忘不了你眼中那閃爍的淚光，
好像知道我說謊。
我茫然走錯了地方，
卻已不敢回頭望。
捨不得杏花春雨中的你，
盈盈的笑語；
雨打風飄年華流走，
惘然睡夢中。

說起來人生的僕僕風塵，

不能夠留一點回憶，
難捨又難分已無可追尋
煙消雲散的往昔。

走過了一生有多少珍重時光，
與你愛的人分享；
我總是選錯了方向，
傷心卻又不能忘。
放不開魂牽夢縈愛的你，
無處說淒涼；
回首燈火已闌珊處，
是否還有你？

說起來愛情的悲歡離合，
有個你我永遠不提。
相偎又相依要留在心底，
陪我一路到天涯。

　　佳馨緊閉雙眼，克制自己，止不住梨花帶雨，手指摸著
膝上一張紙巾，不知是哪位好心人放的。

牛仔服青年

　　「嗚 ── 」汽笛長鳴，火車啟動。
　　一個穿牛仔服的男青年走至佳馨旁邊坐下。他瘦而黑，
平頭。佳馨知道男子平頭是有攻擊力的象徵，憑添戒心。

　　男青年幫佳馨打開車窗，伸出手指撥動佳馨腕上的綠檀木佛珠：「怎麼回事？信佛的人要誠實。」

　　他注視佳馨的眼睛。

　　佳馨移開手臂，目視窗口外。

　　男青年收斂地沉思。

　　一位抱孩子的農村婦女從小站上車，走來，沒有空座。

　　「大嬸，請坐。」佳馨起立。

　　「謝啦，閨女。」婦女感激。

　　佳馨站了一會兒。

　　「坐這裏。」牛仔服青年向佳馨拍拍膝蓋。

　　佳馨鄙夷地離開。

　　出站口。

　　牛仔服青年衝佳馨唱道：「假如你給我一個笑臉，世界會沒有黑夜，只有白天。」

　　「假如世界沒有黑夜，只有白天，我會給你一個笑臉。」佳馨一哂。

　　「愛人的心是玻璃做的……」男青年若無其事地唱。

　　「我的心是鑽石做的。」佳馨回擊。

　　男青年驀地臉色一陰，像極了彤星在車站的表情。

　　佳馨不忍再看，匆匆而去。

　　佳馨有一股興致勃勃時時刻刻整裝待發的勁頭，仿佛前面有極其美好的事情在等待著她：一次豪華的聚會、一場豐盛的宴席、一本經典的著作、一條心儀的裙子……

妹妹感慨萬千：「瞧，姐姐天真的神情！」

媽媽了然：「她有一顆童心。」

妹妹歎息：「姐姐什麼時候才能長大呢？」

這似乎不是個問題。

因為，佳馨的父親早就下過結論：「佳馨永遠長不大。」

來　函

佳馨收到三張明信片。

一張明信片上畫著露出地面的粗壯的根，附一首詩

　　沒有夜來香迷人的香氣

　　沒有野玫瑰戳心的刺

　　你無需裝扮自己

　　裸露就是一首多情的詩

佳馨：

痛苦使你憔悴，但它終將過去。這裏有一股愛的噴泉送給你 —— 但願你擺脫過去，歡笑的生命充滿朝氣……

音訊不斷，思念永存！

　　　　　　　　　　　　　波微岩琳

「裸露的根是最容易被砍斫的。」佳馨想起一則警告：

「我是周公的後代，周公類樸斫之才，原來是有淵源的。最壞的打算，我就做一棵白木香，歷經刀砍斧斫的痛創，結育出玉潤金堅，鏤古銘今的沉香！天有天理，祖有祖訓，國有國法，家有家規，我家祖訓，世代相傳：天行健，君子以自強不息；地勢坤，君子以厚德載物！」佳馨義無反顧：周公在天之靈一定會保佑我的！

佳馨：

生活中有很多美麗：比如你，比如我們；生活中也有很多遺憾：比如我們的過去 —— 我和彤星交往，本來是想幫你的……但一切的一切，都是成長的經歷，都是留給未來的回憶……也許在以後的日子裏，再沒有機會遇到像你這樣心清如水，至真至純的女孩子了：如雨後的晴空永遠潔淨，如湖中的天鵝永遠詩意，如山中的小溪永遠清冽，如浴日的杜鵑永遠熱情……

永遠記得第一次見面，你輕拍我的面頰時的那份溫馨；好想重溫那最初的時光，還記得初相識你說我像未長大的小花骨朵嗎？若你記得，你會原諒我的不懂事嗎？

好花開在好人世，好女孩會有個好歸宿。今生，來生，我都為你祝福……

誠祝你的天空晴朗無雲！

　　　　　　　　　　　　　　媞　容

媞容前倨而後恭的「不虞之譽」令曾經「求全之毀」的佳馨唏噓不已：難道不是自己親手把彤星推走？媞容何辜？我愛你，媞容，你天生就該是我的好朋友，是你的刺激使我引以為戒，做心目中最好的自己，你是我的畏友；你把我說得這樣好，是因為你就這樣好！日蓮上人說：**自燈明，法燈明**。我衷心祝福你 —— 永遠美麗！以前，你因美麗而可愛；如今，你因可愛而更加美麗！一位哲學家說：你第一眼見到就喜歡的人，就是你真正喜歡的人。媞容，你就是我真正喜歡的人。

　　每當佳馨看到藍天如洗，她就在心裏說：心誠則靈，親愛的媞容，是你在祝福我嗎？謝謝！

　　我誠祝你一生幸福！

　　佳馨想，白雲飄飄也好，天馬行空，逸興遄飛……

William 祝佳馨小姐

萬事如意：

　　如果要留戀，就讓我們留戀我們共同度過的時光；

　　如果要品味，就讓我們品味我們共同探討過的話題；

　　如果我們哭，讓我們哭我們自己，因為只有自己才使自己掉淚；

　　如果我們笑，就也笑我們自己，因為只有自己才知道笑的內蘊。

　　笑起來，我們新擁有了快樂的天地！

　　祝

　　前程似錦　生活幸福

　　勿忘我們！

　　　　　　　　　　　　　　　　　　　威　治

附贈一枚臺灣火花和一幀蓬巴杜夫人肖像畫

春暖花開，佳馨胸臆一爽，神清氣朗，文定吉祥，

詠桃李

桃李花映沂水清，白練如熾燃羞紅。

丹唇皓齒溢神彩，低首回眸桑梓情。

黃昏沐浴絲絲雨，凌晨伴舞嫋嫋風。

從此成蹊入夢鄉，醉人常在不言中。

田園風光

芳香濃鬱的夏季。

佳馨正值摽梅，梳著長長的馬尾，繫白蝴蝶結，著一件粉紅紗衣配寶藍裙子，漫步在田野上。

棉桃開放肥碩的花朵，沾滿水珠；芝麻花開節節高；小溪裏青蝦活蹦亂跳，透明得逼人眼；玉米嗖嗖嗖地拔節……

剛下過雨，處處是薄荷的清香。佳馨踩著濕漉漉的草地，呼吸著潮氣……

佳馨佇立高崗：天空的霞油畫一樣豐饒，番茄紅、甜瓜黃、葡萄紫……農舍裏飄出嫋嫋青煙，水墨畫一樣恬淡……

啊！田園綿綿不絕的優美物華，珍饈美味般滋養佳馨的心房。此刻，夕陽鮮嫩圓潤，金光瀝灑風月亭，飛簷斗拱，文采輝煌；鐵道遊擊隊健兒紀念碑披滿霞光；台兒莊古城閃耀抗日大捷的民族自豪榮光……

人們絡繹收工回家，心中愜意流淌：抱犢崮甘泉清潭般濡濡浸香釉；微山湖水莩翠帶般柔柔溢溫情；石榴園紅玉水晶般釀釀滋甜蜜……月光下，品「十裏泉」，聽蟈蟈唱曲兒……

更美

古薛秋照

丹桂香飄喜鵲鳴，芙蓉粉妝甘露瑩。

金風玉露邀丹陽，石榴仙姑留倩影。

夫妻簷下剝花生，眉目含情手頻仍。
笑語飛上火燒雲，翁童打棗瓔珞傾。

蓮藕脆甜錦鱗騰，羲皇上世現小城。
奚仲欣慰通高鐵，一日千里紫氣升。

揚州行

佳馨南下旅遊。

途中，夕陽下的蘆葦蕩撫慰她的創傷。她隨身攜帶葉芝的《葦間風》。

「天下明月三分半，二分無賴在揚州。」佳馨去個園，賞瓊花，留

揚州剪影

一枝娉婷的翠竹
眉梢眼角
顰著情殤的姑娘
斜倚垂楊柳
欲語還休的模樣

為什麼瘦西湖的流水
送不去你悠悠的惆悵
為什麼涵碧樓的清風

吹不掉你淡淡的憂傷

唐詩一般的紅唇
宋詞一般的俏臉
元曲一般的長黛
幽韻逸致無邊
二十四橋明月遙照
一波三折的輕歎
小紅簫聲縈轉

最是那黑白靈動的明眸
珠輝傳神　星子汲水
把煙花三月的揚州
覷個玲瓏剔透

佳馨於何園一睹

怡如小像

尖尖小小瓜子臉
兩泓秋水映琅玕
黑晶晶眼眸貞靜幽嫻
鬢髮綰一個如意鬟
桃紅夾襖鑲青緞
瓊花羞爛漫　梨花慚清顏

百年寂寞深宅庭院

　蒼苔依舊綠　紅粉落誰邊
　回你一瞥靜定的笑
　相隔天涯遠　相契思悄然

怡如擅丹青，尤喜畫山水。

登清涼山

佳馨在南京清涼山的竹林閒逛。

一座大院前，兩株玉蘭開得正盛。上海市花是玉蘭；玉蘭花季，大熊貓談戀愛。

佳馨站在樹下，品鑒

月下玉蘭
　清光濕瓊粉雪肌釀花香
　浸濡月色瓣瓣精雕細刻
　楚楚綻玉珂
　脈脈此情無緒
　眼波寂寂深深處
　有你幽闌篩月影
　綃紗點點斑斑
　壓鬢低　玉蕊
　凝眸思蘊藉

玉蘭花語：報恩。

清涼山書畫展，三幅對聯令佳馨過目不忘：

　傳家有道唯存厚　處世無奇但率真

（佳馨注：「夷猶於性真，覺吾生之可樂。」）

　黃金非寶書為寶　萬事皆空善不空

　讀天下無字之書　交世間有肝膽人

雞鳴寺。

　八仙桌上，佳馨專心吃素麵，清淨如窗外玄武湖，波瀾不興⋯⋯

遊莫愁湖

　「莫愁湖泛舟，秋夜月當頭。花兒含羞笑，碧水也溫柔；莫愁湖前留個影，江山錦繡人風流。啊！莫愁！啊!莫愁！勸君莫憂愁。」佳馨邊唱邊暢遊莫愁湖，古人雲：「風流何罪，無榮無辱無咎。」佳馨暢遊莫愁湖，一親芳澤，詩性油然而生

莫　愁

波光嵐影幽雅明淨
洛陽莫愁遠嫁金陵

春光明媚早晨
清風吹拂著你鬢旁的白蘭花
你無憂無慮微笑著生活
如湖中的綠荷

秋雨如盤暗夜
燭光映照著你眼角的淚光
你心潮起伏痛苦地思索
如湖中的碧波

苦難像是接踵而至的噩夢
黎明它畢竟幡然悟醒
幸福像是難得一見的彩虹
雨後它畢竟橫貫天空

如今你參透人間是非恩怨
亭亭玉立於湖中
向仰慕你的人
露出莫愁的笑容

雨花石

佳馨上雨花臺，紫氣東來……
佳馨購

雨花石

　　雲光說法，天降雨花，金陵為之久熺燁；玲瓏剔透，瑩潤璀璨；圓溜細滑，清新沁液，紋理綺靡浮激灩；澄如秋江凝碧輝，燦如雪野霽煙霞，淨雅高士隱翠微。

　　一道彩虹淋漓灑，露滴斑斕瑤池葩，蕊媚瓣嫣綻羞妊；

玉璣明澈曜晨旭，神筆暈染月籠紗，霓裳翩躚舞妍婷。織女纖手弄銀梭，千絲萬縷巧勾勒，錦緞初泛洞庭波；蛟龍凌空鱗光爍，奮起乘風一馳騖，直上青雲沖霄漢。

　　率真坦蕩，幽闃安然；恬適自如，靜觀世態，百無禁忌任恣睢。氤氳馺蕩祥瑞生，異彩紛呈紫氣騰；微風撥動漣漪曲，雨花石，譜出神韻泠泠之童話……

美人靠

佳馨斜倚夫子廟裏的美人靠，悠然發冥想

美人靠

輕紗雲綃　霧籠江南
水榭軒館　屏門格扇
古宅天井　畫舫雕欄
彎彎美人靠
精緻鏤空　幽雅寂靜
深沈圓融楠木本性
滌清蕩俗　紋理流暢
厚實凝重　雋藏
深苑女子含煙泣露
渴盼自由悵望遠帆

四水歸堂　美人靠上
削肩蜂腰　青絲飄垂
素手如酥輕拂

無數嫵媚的肌膚親澤
多少滑膩的綢緞綾羅
遊移撫慰眷戀觸摸
月光照亮明眸纏綿柔波
激灩閃爍領略
柳如是燕婉如春的嬌羞脈脈

菰雨生涼軒
美人靠
雕花綴朵　錦繡年華
古色生香　靜美歲月
撐托起昨天落寞
　　　今日怡悅

秦淮河

　　佳馨重溫被稱為六朝金粉銷金鍋的秦淮河，泛豔陽胭脂色，可是佳麗玉指拈落妝盒？

憶香君

　　河水回溯，白蘋紅蓼順勢漂泊；香君，青蓮一朵，迥出倫輩，天性高潔。

　　桃花扇血淚飛濺，沖淡媚香樓妖冶；興發遊客歎惋，歷經劫難，撒手道觀。

　　國破家亡，也許，放開才是一切。

　　啊！

　　浪漫秦淮，秦淮浪漫，槳聲欸乃荷花紅，流水激蕩，燈

影滉月光。香君已遠逝，尚餘桃花香……

　　佳馨收到威治、波微發來的短信，威治和羅莎莉訂婚。波微和「雄鷹巡迴演唱隊」的帥哥秦川成親，他們在蘇州大學教書。

　　佳馨詢問波微，波微回信：「威治和羅莎莉可以互補。我很愛秦川，他待我極好。」

　　佳馨不禁感慨：姻緣前定。

　　他們借趙師秀之詩

約　客

黃梅時節家家雨，青草池塘處處蛙。

有約不來過夜半，閒敲棋子落燈花。

佳馨欣然前往「東方威尼斯」

蘇　州

　　百年修得同船渡。佳馨與波微夫婦、威治和羅莎莉結伴遊湖。

　　船娘藍衣草帽，導遊娓娓敍談；佳馨對蘇州親臨其境，耳濡目染，濃縮成一支

蘇州情

楓橋夜泊漁火橫笛述說千秋衰盛

靈岩試劍俠骨柔腸宕蕩苦辣酸甜

閶門路上一片丹心驅散雄州迷霧
望海樓裏滿腔熱淚迸發姑蘇讚歎
中華文化寧謐的後花園

曲欄幽榭　瑤臺絳闕
青蛾畫舸　紅粉朱閣
拙政園雅思悠悠
留駐人世間天堂絕色
滄浪亭濤聲汩汩
詠韓世忠抗金英烈
春鶯鳴柳　夏荽香荷
桂子凝芳　梅朵綴雪
大好河山豈容奸佞褻瀆
五位壯士抗逆魏忠賢
虎丘山下安享星斗闌幹＋

金聖歎痛哭社稷魂飛血濺
志士群彥曲園扼腕

菰米蓴絲紅菱嫩　鱖跳蝦歡紫筍鮮
白藕脆甜楊梅酸　清泉噀齒柑橘釀
晨起踏烏鵲橋　玉足沾露
暮歸聞寒山寺鐘敲月圓
穿雲過霧採茶忙　養蠶浣紗勤插秧
嬌姿倩影品醇醪
贊梁紅玉巾幗颯爽擂鼓助陣威

花發嫣然映燭焰
歎陸龜蒙皮裏春秋巧撰野廟碑

人事代謝　江山嬗變
姑蘇城含辛茹苦二千五百餘年精髓
超邁滄桑　綻放玉貌童顏
嫋嫋婷婷　鬢髮如漆墨
船娘亭勻腰肢輕盈擺櫓
搖搖搖　搖到外婆橋
搖到館娃宮　香溪殘脂餘粉飄送
七拐八葖皁橋撐出水的青石弄堂

咿咿呀　評彈糯米粽般粘甜
化不開唐伯虎點秋香的豔
簾內新婦垂眸　忍不住三聲媚笑
溜出個醉人眼波　映互古月色
時光縈過十二欄杆
深情期瑞麟　巧手繡祥鸞

　　東風夜放花千樹，佳馨一行遊蘇州夜市。唐朝杜荀鶴詩雲：「君到姑蘇見，人家盡枕河。古宮閒地少，水港小橋多。夜市買菱藕，春船載酒多。」蘇州，早在唐代夜市就那麼紅火。

　　這裏是色彩斑斕的人文長卷，古老又年輕的歷史畫廊。

　　佳馨去耦園，堂內對聯

東園載酒西園醉
南陌尋花北陌歸

陸遊有句:「載酒園林,尋花巷陌,當日何成輕負春?」

威治為佳馨送行,感慨:「佳馨,你還是那樣與世無爭!」

「因為,沒有什麼值得我去爭。」佳馨回答:「我只是
為而不爭。」

「你還是那樣於世無求!」威治嘆息。

「好像也沒有什麼好去求的。」佳馨淡泊:「該是你的
就是你的,你不該得的,求也求不來。」

「人到無求品自高。」威治點頭。

「只求個心安理得。」佳馨說。

佳馨向威治道

珍　重

古江村午夜
交枝徑飄紅
你深情地
凝望著我的眼睛

我是那麼留戀
我是那麼怔忡
我是那麼羞澀地
把一朵玫瑰撫弄

纏綿的思緒

飄蕩在晚風
照亮夜色中
你明亮的笑容

關注的叮嚀
像玫瑰的花瓣
柔膩地滑動
憂傷的離別
像玫瑰的刺
縈得我心痛

俯首向你道一聲珍重
從此千帆過盡
何處是歸程

靈隱緣

佳馨朝拜杭州靈隱寺。

古木參天，石塔經幢，香煙繚繞。佛號聲聲，觀音大士
執柳枝、淨瓶。彌陀笑視有情眾生……

佳馨巧遇異國慈顏：他年過半百，雙眼滋潤流露熱情，
注目佳馨：萱草花鑲滾黑邊短衫，兩條長辮繫綠蝴蝶結，乳
白百褶裙，手執一柄團扇。

老人目光清虛執著，如月色，衝佳馨微笑，靈明相通，
佳馨羞澀，欲語還休，婉轉千迴……

老人默默笑看佳馨，佳馨只覺面善。

導遊提議：「和他交談交談，他對妳感興趣，存好意……」
佳馨低頭，走過。
一位遊客說：「這老人是耶魯大學的知名教授。」

大雄寶殿。
佳馨合什跪禱：有緣千里來相會。

扁舟忽過望湖亭，孤山倩影碧澄，水色波光綠得凝重，似琉璃清透，綢緞鑒瑩；湖畔青苔柔嫩潔淨，綠液般滲入岩層……
紫雲洞新篁綠得幽，像深閨少女一襲翠霓裳，含情凝睇；飛來峰叢巒綠得野，像二八村姑一身綠衫褲，嬉笑無邪；九曲十八澗綠得閒，像逍遙隱士一款青蔥袍，悠揮羽扇。

佳馨花港觀魚，錦鱗紅鯉，碧草依依，相映成趣……

南下貴州

佳馨直奔貴州，賞黃果樹瀑布；穿紮染藍花布衣，佩紅蝴蝶結，聽

瑤寨夜笛
夜涼如寐　油菜花醉
芭蕉桂樹野味
村寨木樓瑤家
笛聲如春風拂水

浸沁阿妹心扉

阿妹在梳妝
穿繡花衣裳
烏油濃髮插一把木梳
豐腴手腕戴一串銀鐲
山窩裏藏著金鳳凰
飛到阿哥身旁

月亮笑了　動情得
像喝了苞穀酒
更圓潤更靦腆更金黃

青島行

佳馨北上青島看望求學的妹妹

登嶗山

海上起仙山　峰翠晴嵐
太清宮香煙繚繞　梵音悠揚
超脫紅塵喧囂
層巒疊嶂　峭壁巉岩
鬼斧神工　造化無限
捫石探險明霞洞
悟諳玄機妙理
颯颯竹風　慰竹庵小憩

海山蒼茫的極頂
融於碧穹
直俯人寰　煙波浩渺
聽天籟　心曠神怡
逐海鷗　思緒翩翩
極目龍潭瀑　飛湍瀉玉
珍珠滑　濯漣漪
長流青崖深溪

嶗山道士　乘風登月
把酒邀天　興致陶然
嶗山黃海的一顆翡翠
海天之間的跳板

旁邊一老者說：「一勞永逸。答一中國名山。」
「嶗山。」佳馨微笑答道。
老人捋著花白鬍鬚，呵呵笑：「何逸何從？」
「逸凡從勝！」佳馨畢恭畢敬地回答。

　　傍晚。李村公園。走過噴泉，佳馨來到一條草坪間小徑，此時，正巧播放《鐵道遊擊隊之歌》：「西邊的太陽就要落山了，微山湖上靜悄悄……」思鄉念舊之情令佳馨流下

春之淚
淚　噴泉

照射真心
潤澤稚嫩的綠茵

淚　溪流
一路歡歌
注入乾渴的荒漠

淚　古井
泛起波瀾
滋養新生的桃源

清風凝淚
兩滴露珠耳環
輕盈地搖晃
春神的耳邊
她傾聽我憂傷的苦戀

陽光映淚
一串水晶項鏈
珍重地閃爍
春神的胸前
她祈禱我七彩的明天

佳馨去石老人園

登渡仙坊

佇立雲霞　手擎青天
登峰造極　清風淅瀝
振翅欲騰　斗拱飛簷
放眼俯瞰蓊鬱儼然

王母娘娘蟠桃盛宴
殘雲風捲　惟餘群峰點點
如玉女螺髻眉鈿
太白金星　列位仙班
苦心積慮攜劉郎升仙
竟捨芸芸閻裏

碧海蒼穹一線
逸興逐輕舟悠遠
胸襟滌蕩浩氣盎然
豪情隨松濤澎湃
快哉
果能渡眾成仙
只恐難填欲海

耳聆湛山寺鐘磬齊鳴
斷續安配紅塵夢
目睹渡仙坊雲籠汪洋
靄浮青岫伴慈航

　　湛山寺依山面海，景色秀麗，由當代名僧倓虛法師主持興建，於 1934 年秋「西方三聖殿」落成，為中國最年輕之名剎。

　　佳馨拜謁湛山寺，遇一女香客

驚鴻一瞥

晶雪為神　芝蘭為氣
冰肌玉骨　妙目瓊鼻
雲鬟曉瑩　靈澈皎然
一件黑袍襯出正大端嚴

深山幽谷中修煉青春
寶剎寺廟裏棲居華年
高蹈俗世　一塵不染
佛性菩提　仙風灑脫
飄飄乎　如麻姑獻壽
施施然　似姹女還丹
皇冠寶座　黃金錦緞
清心蕙思　視若草菅

阿彌陀佛　感恩善緣
你即《心經》《壇經》
你是《華嚴》《楞嚴》
南無觀世音人間顯現

　　佳馨白衣綠裙，覺得自己像一隻銜著橄欖枝的和平鴿。

　　觀音堂裏佳馨祈禱：「國泰民安，風調雨順。」出來時，走到門口，一隻白鴿飛到她腳邊，粉紅邊黑圓眼睛骨碌碌地望著她⋯⋯

　　佳馨大驚：菩薩顯靈，要把我變成鴿子和它為伴了！

　　她忽然害怕：怎麼辦？我還是想做人啊！

　　佳馨回拜觀音，連連伏地叩求：菩薩開恩，還是讓我做人吧！

　　驀地，佳馨豁然開朗：如果世界永遠和平，菩薩現在就把我變成一隻鴿子，我也心甘情願！

　　佳馨作一偈：

> 凡念了卻道念生，
> 善緣未斷孽緣空。
> 踏遍嶗山覓仙跡，
> 丹心染透楓葉紅。

謁泰山

佳馨攀岱嶽，觀日出，思凌霄

泰山日觀峰
雲翻錦動　霞開雀屏
神娥舞袂飄飄
捧出一輪旭日

如繡球渾圓顫抖
拋入你懷中
你凝重飽飫
番茄汁紅彤彤
葡萄漿醇釅釅
楓露茶甜濃濃
柑橘液黃橙橙
蘭花精紫瑩瑩

你肅立　身披
黃金縷銀絲線
織女勾繹的霓裳衣
雲雷紋　胭脂錦
麻姑新編的七彩裘
你的剪影威武深沉
青銅雕塑般歸然
心靈的駿駒駕馭仙艖
向著光明　升騰馳騁
投入天地間　雄偉壯麗
永恆

　　「登泰山，保平安。」佳馨為凌霄祈禱平安。
　　山上一位老詩人贈佳馨兩字：青秀。取「齊魯青未了」，
「造化鐘神秀」之意。

奇　遇

　　佳馨返家途中，火車上認識一個俄羅斯青年，金髮碧眼，站在火車門口，邊聽耳機邊抽煙，遞給佳馨一張名片。他叫 MAX BURMISTROV，一家跨國公司的總裁。

　　噴雲吐霧中，他要佳馨的 E-mail，然後，禮貌地掐滅香煙，遞給佳馨一隻耳機塞，是「胡桃夾子」。

　　佳馨熱切：「我喜愛俄羅斯藝術家。」

　　MAX 解釋：「藝術家，衍生于古俄語『神奇』，含義是：奇異、魔法和引誘力。你讀過《安娜・卡列尼娜》嗎？」

　　佳馨答：「我同情她的

黑天鵝絨愛情
—— 致安娜・卡列尼娜

為愛情　你拋棄身外一切
可愛的謝遼莎　繈褓中的女嬰
最終　你也為愛情犧牲
像一朵玫瑰花　臥在鐵軌上
香消玉殞　花瓣凋零

愛情像你在舞會上穿的黑天鵝絨
溫柔的輕吻撫摸
你飄飄然　顫慄　陶醉
飛上情感的巔峰

上流社會的鄙視
沃倫斯基的遺棄
你掙紮在黑色漩渦
哀怨絕望　痛不欲生

警告像你的高跟鞋踏響舞步的回聲
宛如列車鳴鳴的轟鳴
女兒性　妻性　母性三位一體
缺少一樣　都是女子的不幸

脫掉黑天鵝絨
不名譽愛情的陰影
像一朵烏雲籠罩著悲劇的暴風雨
披上潔白婚紗　最神聖愛情的保證
像一個精靈護衛著幸福人生
做一位名正言順的新娘
陽光下　綻放晴朗明媚的笑容」

　　MAX 讓佳馨感覺涅瓦河畔的新奇，克裏姆林宮的莊嚴，瞻仰托爾斯泰、普希金、阿赫瑪托娃、茨維塔耶娃的肖像，池塘小河邊，紅莓花兒開……

　　MAX 朝佳馨默默微笑，眼裏波光蕩漾，好比「春來江水綠如藍」，親切、神秘，陌生又熟悉，佳馨想做一棵小白樺，倩影印在他心底……

但她終於未和他聯繫。

「相見不如懷念……就算你不瞭解我，我只能對你說聲再見。」

佳馨珍視對 MAX 的

觀　感

像一塊璞
未遇卞和
鑒定　你美玉的成色

像一顆蚌
緊密閉合
猜想　你珍珠的光澤

像一個禪
高深莫測
參悟　真心的虔恪

金烏龜

女列車員走過來推銷紀念品 —— 小金烏龜。

一位中年男士買了一對，送給佳馨：「給妳一隻，要不要？」

「不要。」佳馨回答。

中年男士奇怪而驚訝，半天闔不攏嘴。

李商隱詩曰：「無端嫁得金龜婿，辜負香衾事早朝。」佳馨想，你又不是我的金龜婿。

男人附帶物質的青睞玷污了她。

佳馨：「心不動於微利之誘，目不炫於五色之惑」，無欲則剛。

幽　居

佳馨已長成一個端麗的女子，青年男性見到她，不敢逼視：低頭合掌，收心正念。

佳馨安貧樂道，識己識人；書香盈室，花鳥相親……

午後。

佳馨在母親房中聽笛：生意盎然的《幽蘭逢春》音色柔美，寬厚圓潤，婉轉動聽，耐人尋味……

媽媽驚呼：「佳馨，窗外有成千上萬只白蝴蝶，像雪花飄舞！」

母親讚美不已。

許久。

佳馨未見蝴蝶，悵悵。一日晨起，佳馨帶著一朵新開的茉莉花去臨山公園，拜謁抗日英雄鐵道遊擊隊大隊長劉金山

之墓。

　　路上，佳馨耳邊響起《鐵道遊擊隊之歌》：爬上飛快的火車　像騎上奔馳的駿馬　車站和鐵道線上　是我們殺敵的好戰場　我們爬飛車　搞機槍　闖火車　炸橋樑　就像鋼刀插在敵胸膛　打得鬼子魂飛膽喪！

　　陽光下，蒼松翠柏之中，「劉金山之墓」五個大字金光閃閃。墓東西兩旁的草叢花間，各有一隻蝴蝶飛舞，一模一樣，生著白底紅花紋的翅膀，素雅優美，佳馨心中喜悅：成雙成對豈不更好？

　　果然，兩只蝴蝶相聚在一起，妙舞翩翩，一起向東飛去……

　　英靈長在，高風永存！

　　佳馨寂寞甘之如飴，孤獨安之若素，她喜交素心人，但相交滿天下，知己有幾人？

　　佳馨有和自己心靈懇談的秘密花園，處之坦然，安之若素，自己做自己的朋友。偶爾，有陌生遊客來此，看見佳馨，驚歎：「人傑地靈，不虛此行！」

　　佳馨把一個名叫「lovely lace」（可愛花邊）的玩具熊當做寵物，天天睡覺時陪在枕邊。她太愛這個小熊，因為佳馨稱自己的詩為「精緻花邊」。黃帝又名「有熊氏」。

　　後來，她讀契科夫的名言：「應該多來點花邊、白芷香、丁香花，多一點管弦樂、響亮的話語。」

　　妹妹笑她：「姐，你虛度光陰。」她暗指佳馨未結絲蘿。

　　佳馨笑得唇角彎彎：「從未活過最好。」

佳馨自得其樂，換個蝴蝶結也興奮欣喜：

愛情的力

我很久沒有感受過愛情
綠色的枝葉催放花朵的力
幾度春風秋雨
仿佛相隔一個世紀
我的伴侶只有親人 書 音樂和筆
美麗富饒的齊魯大地
我在她們那裏尋求溫暖和慰藉

愛情是青春小鳥的窩巢
激昂的心在裏面歌唱棲息
結果使戀人變成了月桂
阿波羅拼命追逐達芙妮
潘神也向希壬克斯緊追
得到的是排簫不是仙女
皮克馬利翁打動阿弗羅的忒
美女雕像拉忒亞化為愛侶
情人們在人世間的舞臺
同樣上演著一幕幕悲喜劇
每當我看到英俊魁梧的少年
熱戀著娟秀活潑的少女
心底陡然生起一股愜意
我真誠地祝福你們 少男少女
深深相愛 好好珍惜

盡情享樂　莫錯良機
在愛的伊甸園　狂歡的福地

我的靈魂純淨靜謐
像香格里拉一朵雪蓮花
聆聽上天教諭
伴同冰泉細語
回到芳心中將內在的甘蜜尋覓
任何財富　名望和榮譽
比不上美神　詩神惹人親昵

品味甜美的幽獨
憑著愛　希望　信仰
我懷著聖母瑪利亞般的童真
自由自在　無憂無慮

佳馨過著自己的

日　子

《少女的祈禱》迎來晨曦
心聲編結進柔順的髮縷
山中扶正雨打的竹籬
聞一聞野百合乍開的香氣
漫步街頭　輕鬆愜意
駐足觀賞看板上的美女
慎重打開書店架子上正襟危坐的古籍

眷戀精品屋鑲嵌翡翠的金步搖
也曾想過把長髮盤起
十字路口向不期而遇的知己
投一個嫣然欲笑的驚喜
當璧月被星星鑽石飾繞
燈下獨自翻閱發黃的日記
一邊聽著歡快的《採茶舞曲》
一邊想像和他相聚在花季

偶爾，佳馨也

自　戀

孤芳自賞　幽閨自憐
清晨澆灌露臺上吊蘭
對著一面哥特式鏡子
挽髮成辮　夜深
和星星聊天

她知道
美不是曇花一現
維納斯裙帶
鑲著長青藤花邊

週　末

早上，佳馨去公園

觀太極劍舞

寶劍出鞘　雄壯英豪
劍光如虹　劍氣如霰
騰似龜龍浮滄海
躍似麟鳳入九天
猿臂緩伸　弓步慢蹲
攏懷抱嬰撒手播種
飛上碧空繞明月
落進花海舞從容

菊花盛開　烈焰似銀
鋒芒畢露　璀璨似星
立如松濤凝　依傍懸崖生
動如鵬振翅　勇抗颶風逞
旋如扁舟浮　浪尖波峰湧
精銳挺拔　勢如蒼鷹
宇宙任逍遙　共與天地生

尖一點　情描圓月朗朗
刃一揮　韻奏鐵骨錚錚
紅纓甩　舞世態紛紜炎涼
劍柄收　聚兒女俠膽柔情
儀態跌宕　釋放彩雲飛
身姿矯健　噴薄朝陽升

善哉！美哉！
叱吒淩厲　劍舞馳騁
不為沙場秋點兵
只願和諧幸福
　太極永恆

　　佳馨和媽媽去趕集，一邊走在靜悄悄的山間崎嶇小徑，一邊聽媽媽唱小時學的民歌：「小黃鸝鳥兒呀，你可曾記得他？馬鞍上繡著那龍頭鳳尾花……」

　　媽媽從小和自己的奶奶生活在一起，老奶奶是大戶人家的小姐，父親主持修建過隴海鐵路。
　　佳馨外祖母的父親，率軍堅守城池，抗擊日寇進攻，壯烈殉國。

　　佳馨這才知道，她生長在一個特殊的家庭，看一切都是唯美的：融美於心，化美於行……

　　娘倆走到

集　市

熙熙攘攘　沸沸騰騰
和風駘蕩　拂面輕盈
揭開小城金字招牌耀眼明
棲霞蘋果　萊陽梨
樂陵小棗甜如蜜

肥城大桃味鮮美
嶧城石榴咧嘴笑嘻嘻
車把式憨厚吆喝賽銅鐘
運來捆捆白長葉綠章丘大蔥

慈悲的老太太挑一枝絨花戴
賢慧的小媳婦扯幾尺一色青
山裏的辣妹子花枝俏
杏核眼睛水靈靈
瓣梢飛上辣椒紅

陽光胭脂染得姑娘臉龐紅彤彤
黃酒醇香醉得老漢心裏暖烘烘
篾條筐滿　馬蹄兒輕
一路歌聲一路鈴
載不動
鄉下人純樸濃厚戀家情

買菜時佳馨和媽媽低頭挑芸豆。
兩位賣菜的老大爺正為佳馨的長辮子爭論不休。
一個打賭說：「能賣五百塊錢！」
另一個搖搖頭：「不止，起碼賣六百塊錢！」
佳馨一笑。

佳馨回家，工筆劃了一幅南無觀世音像，媽媽供起來，
天天跪拜，多年的膝蓋痛也不治而愈。

佳馨問媽媽：「為什麼你拜觀音時手心向上，我手心向下呢？」

媽媽答：「手心向下是助人，手心向上是求人；你是助菩薩，我是求菩薩啊！」

佳馨天真地嚮往：「我要是觀世音菩薩該多好！」

爸爸一直沉默，此時笑了：「就你？人家說什麼你信什麼，小心泥菩薩過江，自身難保。」

媽媽說：「佳馨，你只要能好好保護自己，我就知足了。」

佳馨在大自然的懷抱裏散步。

她懷正見時，一隻蝴蝶飛出；偏見時，一隻小蛾飛出……

佳馨走過花壇，見一隻小蛾，心一沉；走過一叢矮松，一隻小蛾飛著，佳馨不悅，蹙眉疾首……走著走著，她一抬頭，一隻白蝴蝶在空中飛呀飛呀，像飄渺的白花瓣飄飄揚揚，緊接著，飛來一隻綠鳳蝶，佳馨頓感驚喜，眼睛一直追隨著它，蝴蝶一直飛進佳馨家所在的西苑社區……啊！美麗的天使，可愛的慰藉！

從此以後，佳馨每當絕望之際，心目中就飛舞著這兩只蝴蝶，她擦幹淚水，勇往直前：滿腔熱血報鴻恩，蝴蝶知曉我的心，烏雲遮不住太陽，光明就在前方……

「自然是我師，真誠的知己！」佳馨愉悅。

媽媽責怪佳馨：「佳馨心裏太乾淨，一點灰不能沾。」

「一塵不染四季安！」爸爸說。

「爸爸是兩袖清風天地寬！」佳馨回敬。

買　書

　　臨山腳下，有一對小夫妻開了一個小書店，名叫「老地方」。

　　以前，倆人擺書攤為生。

　　佳馨有時買書後又去換書，自覺深深難堪。女孩含而不露，感而不怒，自有傲骨。

　　佳馨讚賞

擺書攤的女孩

寒冬　靈靈巧巧　嬝嬝婷婷
像一枝水仙花綻放在書攤旁
清雅潔淨　睜一雙水汪汪的眼睛
愛惜地關注癡迷的書蟲　暖流交融
融化雪花霏霏的冰冷

炎夏　像涼爽的茉莉
一襲白裙沁襲紫藤深處
濃濃綠蔭下　甜蜜書卷氣

你無需搽精油
油墨是最昂貴的芳香
你不必塗脂粉
腹有詩書人自靚

　　謝謝你　擺書攤的姑娘
　　贈我豐裕的精神食糧
　　頭腦不再饑荒
　　謝謝你　擺書攤的姑娘
　　贈我溫暖的美德聖火
　　將靈魂燃亮

　　我懷抱你珍貴的祝福
　　昂首挺胸前行
　　儼然億萬富翁

　有人誇女孩長得好，男孩不般配，佳馨強烈反對：「男孩也挺好。」

　她真心實意認為他倆是天生的一對兒，祝他們生意興隆。

　佳馨贈送一聯

　　「山光清眼界

　　　書味潤心田」

　懷舊的愛，一如既往……

求職記

　佳馨等待分配工作。

　辦公樓高大的樓舍，寬闊潔淨。

　正面敞開的窗戶，色彩淡雅的窗簾，陽臺上豔麗的盆花，綠茵茵的草坪，青蔥的樹木和天空中咕咕叫的鴿子，令佳馨神往……

　　佳馨閒居在家，讀書自娛，最美好的時間還是黃昏。

　　佳馨走出來，在草地間的小道上散步，微風拂人，心情也十分溫靜。佳馨熱愛鄉村，感受到自己的安寧和適意。

　　一個念頭在腦海中浮出：要是碰見一位騎士該多好啊！他站在面前微笑，贊許地望著佳馨，像高中那天傍晚，宗嶺俯身注視身穿白裙的佳馨的那種表情⋯⋯

　　此時此刻，就像沃克的詩：

> 夜裏太甜蜜，白天卻又太莊重，
> 來時可別在光裏，可別在暗中；
> 但要選不明不暗的朦朧暮色
> 那時光線昏沉，幽暗也柔和。

　　佳馨抬頭遠望，小路的轉彎處，於總經理出現：逼人的氣場，奪人的魄力⋯⋯

　　佳馨的心房咚咚咚跳得失去節拍，旁邊月季盛開濃鬱的芳香像她的期待，他足音跫響，叩醒她朦朧的夢。他會不會聽她的申請？答應？

　　他向她走來，佳馨深感

奇　怪

> 為什麼　你會同我
> 一個站在曠野的女孩子

講話？
望著你高大的身軀
我是多麼驚訝
為了我的微笑？
可是你知道嗎？
即使我們從不交談
我也會向你
我暗暗傾慕的人
獻出我的笑容
用眼睛說：「Hi，你好！」
直到你走開　把我忘掉

「相逢自有風流態，何必扶搖天地間。」佳馨鼓足勇氣，迎上前去，敘說自己的渴盼，不聽話的淚珠在眼圈打轉……

於總神情嚴肅地聽著：「我會考慮。」

佳馨吸一口長氣，望著於總的背影

遐　想

你是搭救我的恩人
你是保護我的屏障
也許我太癡迷
也許我太惆悵
相見惝恍　你走了
我獨自　注視
你遠去的方向

把崇拜
化成你
重現的幻想

一周後，佳馨有了工作。

初入社會

　　佳馨當上一名機關職員，失去學生的清高，換來每月三千元錢

上　班

佳馨讀過彌爾頓的《失樂園》，
巴爾紮克的《幽谷百合》；
理想情調和浪漫，
如今淡漠而遙遠；
佳馨像鐘擺，
走著千篇一律的路線。
隨著越來越多的冗員裁減，
人人頭上懸著一柄達摩利斯劍。
佳馨做夢　怕做下崗青年，
醒來，日子仍是一個個晴朗的天。

追星族

　　佳馨最喜歡看電影《小花》，瓊瑤電視連續劇《婉君》；佳馨滿腔癡情迷戀林青霞

青峰霞彩

漆黑長髮　紗衣纖盈
柳葉眉宜淡宜濃　籠霧含煙

杏核眼秀澤清瑩　如夢如幻
櫻唇榴齒　一笑
熹照燦爛　百花爭豔　天香薰酣

你的舞姿那樣美
矯若遊龍　翩若驚鴻
你的身手那樣輕
花飛露凝　雪落無聲

把你比做茉莉
茉莉缺乏你的俏麗
把你比作雪蓮
你沒有雪蓮的冰冷

孔雀石刻不出你的嬌豔
雪花石難塑成你的嫻靜
一剪寒梅傲雪挺立
即使被逼上峻嶒
你是夏日裏一枝剪秋蘿
含苞護衛自己的堅貞

沒有諂媚　沒有爭寵
一顰一笑　自然
牽動世界神經
純真得一如透明的春雨
令人動容　讓人心疼

海棠初醒　嫩鎖春寒
芍藥綽約　風流盡佔
嫋晴絲　通靈纏綿　嬌柔婉娩
菩薩蠻　玉潤蘊藉　璧合珠聯
你比情詩斐然　彈詞細膩　崑曲冶艷

38821號小行星
以你的芳名
璀璨浩瀚太空
明媚芳華　定軌運行

傍晚　黎明
你含羞的一瞬
山河為之沉醉
似七彩霞霓　繽紛
妝點蒼翠青峰　峭拔峻挺
紅日熠曜　你絢麗霞影
舉世無雙　幽映紫冥
阿波羅心旌搖顫　愛慕油生
青春女神赫柏
出世碧空！

最美林青霞，佳馨最偏愛的卻是章子怡。

紅英姐

　　佳馨每天按時去紅英姐那裏領取報紙。

　　紅英姐相貌出眾，快人快語，一雙眼睛溢彩流光，佳馨立即喜歡上她。

　　每次去收發室，佳馨都忐忑，如趕考一般，紅英姐評論佳馨：「我看你，就好像看《上海灘》的馮程程。」

　　佳馨從紅英姐姐的眼光裏明白自己和其他女子的不同：佳馨的臉上沒有風塵。有時，紅英姐會摸一摸佳馨的臉龐：「光滑得跟象牙似的。」

　　佳馨愛上

姐姐的眼睛
　　黢黑黢黑　姐姐清澈的眼睛
　　靈活深邃像滴溜溜的黑豆
　　在水裏嬉戲遊動

　　我從姐姐的眼睛裏
　　讀到真實　清清楚楚
　　白紙黑字　姐姐的眼睛童貞
　　驅散陰霾霧障　雲譎波詭
　　最有資格炳昭歷史

　　姐姐就那樣望著我
　　用一雙黑水晶一樣明亮的眼睛

　　直望進我的心窩　甜甜地流過
　　泉水淙淙　啊　姐姐
　　千真萬真
　　比不過姐姐的心真

　　姐姐　你多麼好
　　有一雙烏玉般的眼睛
　　像兩顆夜明珠晶瑩純淨
　　使人不拂逆點滴心意
　　更不忍使你流淚哭泣
　　再沒有比你的眼睛更好看的
　　我相信有著嬰兒般天真無邪的眼睛
　　姐姐是世界上最美麗的女性

　　望著姐姐黑葡萄般的眼睛
　　我忽然動了真情
　　願全人類都有著姐姐一樣的眼睛
　　凝聚成心同心的光明
　　人世間的銀河　綴滿生命的星星
　　閃爍至愛至誠

　佳馨常幫紅英姐做事。
　姐姐好奇地問她：「為什麼？」
　「我喜歡。」佳馨坦言。
　紅英姐含笑點頭：「佳馨天真純潔，心眼好，誰也別和
她勾心鬥角。」

　　同事金姐喜愛金子，愛笑。對佳馨進言：「一個人什麼心都可以沒有，就是不能沒有野心。」

　　「同失去愛心相比，我寧願沒有野心。」佳馨一愣。

　　佳馨隨口問：「金姐最喜歡《紅樓夢》裏哪一個人物？」

　　「平兒。」金姐想了想。

　　佳馨疑惑：平兒乃一清秀良善之人，處事周全妥帖，寶玉也敬憐之。金姐既有青雲之志，為什麼喜歡她呢？

　　佳馨戲謔：「我送姐姐一聯：**國色多嬌不為妾　天香難覓緣性良**」

　　金姐一笑：「佳馨國色天香，稟自天真殊常。」

　　佳馨也笑：「原來姐姐是說著玩兒的，可別屈才呦！」

　　佳馨喜歡金姐的

笑　容

　　我珍惜你的笑容
　　活潑歡快輕鬆
　　如迎春花金帶
　　串著陣陣春風

　　世上人那麼多
　　像沙礫　似卵石
　　你清淨做一枚扇貝
　　微笑面對　潮打風吹

世上人那麼美
像水仙　似紅梅
你爛漫成一株蒲葵
酷暑送來涼爽青翠

我珍藏你的笑容
愉悅心境

佳馨問金姐：「你天天都有高興事嗎？這麼愛笑？」

金姐笑：「一人向隅，舉座為之不歡。笑也是為了別人。」

佳馨憬然：「古人雲：塵世難逢開口笑。金姐的心比黃金寶貴。」

自然教佳馨：「天地不可一日無和氣」，否則有天災；

金姐教佳馨：「人心不可一日無喜神」，否則有疾病。

一個女孩子可以不傾國傾城，但一定要綻放如花般甜美芳香的笑容！

金姐真像天天綻開粉紅小臉的三角梅，令人一見，如三伏天，品嘗雪梨般幹爽脆甜……

說壞話

紅英姐小聲密語：「佳馨，有人說你壞話。」

佳馨急問：「是工作沒幹好嗎？」

紅英姐搖頭：「不是。」

「那就別告訴我。我想讓心清净。」佳馨釋然。

「**心清孝父，心淨孝母。**」紅英姐鼓勵。

「妹妹謹記奉行。」佳馨感恩。

古人雲：「來說是非者，便是是非人。」紅英姐不是。她是為佳馨好。

佳馨的茶杯上題詞：「知足常樂，能忍自安。」

佳馨不用看《太上感應篇》，她天性隱忍。

如沐春風

午後。佳馨在辦公室獨坐。

她身著花夾襖，朵朵芍藥金蕊翠葉，姹紫嫣紅，罩一層薄薄的影紗，陽光下，瑰麗縹緲，葡萄酒般閃耀，柔映雙頰。

佳馨泡一杯普洱茶，兩手捧著，對著臉，呵茶水潮濕的香氛……杯子畫著《蓮香撲蝶》詩意：「拂綠穿紅麗日長，一生心事住春光。最嫌神女來行雨，愛伴楚蓮同采香。」

佳馨回唐朝，和李白品茗，賞窗玻璃上凝結的

霜

銀光閃閃

透射自遙遠夢幻

比銀刀寒冽的針

刺繡原始叢林

瓊屑積奇花異卉

冰指寫生岩畫

神秘象形文字

霜　漫過原野車轍

鴛鴦青瓦　浸山嵐岫煙
青松翠柏
蒼涼清越

陽光　把蒼白淚滴
從冬的圖騰拭落

佳馨陷入

冬之戀

我愛在白霧茫茫的早晨
軫念著在水一方的伊人
霧裏梅花是她隱約的笑靨
沉沉霧色是她柔軟的紗巾

我愛在陽光淡淡的午後
飲一杯濃香馥鬱的葡萄酒
回味著秋天的甘美醇厚
回想起春夏的紅桃綠柳

我愛在暮色蒼蒼的黃昏
窗前整理散亂的書本
呵一呵凍得冰冷的手
浪漫詩歌是永久的溫馨

我愛在風雪霏霏的深夜

　　　圍坐著燒得灼灼的爐火
　　　聽著劈劈啪啪的柴聲
　　　心中燃燒著火熱激情

　　不知何時，於總踱進辦公室，佳馨站起相迎，握手致意。於總輕拍佳馨的面頰，笑笑，坐在佳馨對面，溫和地看著她，和佳馨談心。

　　他敲敲桌子：「這是什麼木料？」

　　「橡木。」佳馨答。

　　於總寫詩《追肥》：「誰扯白綢舞翩躚？咱隊來的新社員。大地絲巾雙手繡，戰歌飛揚滿天間。」

　　於總講經論佛，單道一「悟」字，教佳馨領會：「悟即是佛，故名佛性。」

　　佳馨問：「于總，為何信佛？」

　　「淡化名利心。」於總答。

　　佳馨想「選官不如選佛，此言甚是。」於是贈於總譚處端詩

遊懷川

　　為官清政同修道，
　　忠孝仁慈勝出家，
　　行盡這般功德路，
　　定將歸去步雲霞。

並附送

絕　句
—— 與總經理共勉

清如秋菊何妨瘦，
廉如梅花不畏寒。
風清氣正一帆順，
廉潔勤懇得民心。

　　於總笑納，有李白「桃花逐水心自閑，別有洞天非人間」之風度，他早已「悟」。

　　於總告辭。

　　佳馨送出門，後悔站在於總右邊，她頭上的紫蝴蝶結繫在右邊。她想讓於總看見最美的自己。

　　她

多麼想

讓你看見自己
娟秀的容儀
像一棵蘋果樹
在開花的春季

天真的眼睛　花樣嬌媚
嫺靜的面容　苗條身體
蘋果花似的氣色
如拉斐爾筆下的聖女

如今　風雨消瘦了纖腰
紅顏悄悄退去
啊！願意付出青春
為這瞬間的美麗

　　從此，招呼匿於勇氣，覷睚從小路悄悄躲過，佳馨決心
離於總

遠
見到你
我總是心搖神顫
你眾星拱月一般
真想上前說句話
讓你看看我新梳的髮髻
插一枝碧玉簪

平白無故又不敢
我們之間隔一道深淵
我不該多情把你眷戀
下決心離你遠遠遠

　　多麼可親可敬的人，遠遠瞥見他，佳馨要避開他，用身
體的距離 ── 萬水千山；佳馨要靠近他，用心靈的默契 ── 靈
犀一點⋯⋯

　　她執著她的純潔；

他浪漫他的原則。
面對他，她是百合聖女：Cool;
離開他，她是玫瑰知己：Hot.

佳馨悄悄

許　願

做一棵紫羅蘭
躲在你濃濃的樹蔭下
蜀葵像政客
炫耀張揚自說自話
我獨自靜靜地生長芬芳
開著讚美熱愛你的朵朵小花
做你護心鏡裏的美俠

總經理抄贈佳馨一首

寫給遲到的愛

別用你燃燒的眼睛
敲碎沈重的寂靜
別用你熾熱的心靈
追尋荒原的回聲

讓我凝望
凝望你無望而去的背影
讓我聆聽

聆聽你時時扯動的風鈴

我若是雲願承載你的春風
我若是葉願承接你的光明
我若是溪流願滋長你的荇菱
我若是月願籠罩你的笑聲

我卻是雨淚一樣地飄零
我卻是枯葉殘落在萎黃的草叢
我卻是涸澤沒有流動的生命
我卻是霧夜沒有跳閃的星星

凝望從黃昏到深夜
聆聽從暮春到殘冬

別敲碎別敲碎早已凝固的寂靜
別追尋別追尋荒原深處的迴聲

佳馨報答以

不渝的愛

別用你凝結的寒冰
冷卻燃燒的眼睛
別用你深刻的沉默
壓抑心靈的共鳴

讓我凝望
凝望你翩然而至的身影
讓我聆聽
聆聽你醍醐灌頂的憬醒

你若是涸澤我是圍繞你的孤鴻
你若是枯葉我是你滋養的蔥蘢
你若是霧我是你懷抱的山峰
你若是雨夜我是你呼喚的黎明

你卻是露珠滋潤我的花紅
你卻是綠葉笑迎我的春風
你卻是陽光遙對我的彩虹
你卻是明星點綴我的夢境

凝望從草枯到花榮
聆聽從暮鼓到晨鐘

別冷卻別冷卻情焰熾熱的眼睛
別壓抑別壓抑詩韻抃舞的心聲

佳馨把詩寫在日記裏，誰也不給看。
她明知自己

錯　愛
愛上一個不該愛的人

奉獻一顆不安寧的心
默默地流淚　苦苦地低吟
也許應該早日抽身

是朝霞眷戀紅日的輝煌
是春花欲結秋果的圓潤
欲語還休　欲罷不能
縱然會得到幻滅的教訓

啊！理智驚醒癡迷的夢境
就當他是一件昂貴的藝術品
只可遠觀　嚴禁靠近

香　皂

正月十五單位猜燈謎，佳馨猜中的最多。
佳馨幾乎包攬了一大半獎品。
懷抱一大摞獎品，她見於總和幾個人站在花壇高臺。
佳馨拿出一塊香皂：「給，於總！」

於總擺擺手，不要。
佳馨轉身就走。

一位領導叫住她：「佳馨，你太實在！」
他接了佳馨一塊香皂，遞給於總。
於總隨手裝進衣袋。

佳馨比中了頭獎還快樂，於總會用香皂洗手，洗臉，還會 —— 洗澡，佳馨不敢想下去，為自己害臊。

總經理誇自己清純，更要淨化自己的心。

曖 昧

一位男同事警告佳馨，於總和有的女性曖昧。

佳馨不相信。

佳馨上小學三年級，從《一雙繡花鞋》劇情簡介中看到，姨太太和一個男副官關係曖昧。

佳馨看成暖味，問同桌石傳金：「暖味是什麼意思？」

哪知道小男生大聲嚷嚷得全班都聽得見：「佳馨思想骯髒。」

佳馨嚇壞了，那時，小學生都要做又紅又專的共產主義接班人。

她偷偷找出《新華字典》來查：「曖昧：模糊，不明白。」

佳馨於是更不明白。

聽，女歌手在唱：

曖昧讓人受盡委屈，找不到相愛的證據，何時該前進，何時該放棄，連擁抱都沒有勇氣，曖昧讓人變得歎息，無奈這樣的感情寫不出結局。

佳馨不知所云，只知曖昧絕對不是愛情。

有人說：「玩曖昧好像是在冰箱裏儲存過冬的食物，以防不時之需。」和佳馨幼時念的「暖味」同是取暖，有暖暖的味道。

溫暖不一定曖昧，曖昧一定溫暖。

佳馨不願曖昧，「願得一心人，白首不相離。」

她幽幽自歎：「誰會愛我？」

頓時，天降大雨。

佳馨明白：「珍惜我的，有天。」

天轉晴。

佳馨走至園中，唱起《歡樂頌》，飛來一隻金裳鳳蝶，白蝴蝶，碧鳳蝶，整個世界和她一起歡唱……

但佳馨仍有一顆

滴血的心

心頭的苦還未嚐夠

眉頭又壓上新的憂愁

眼角的淚還未拭去

青絲又隨風飄拂幾許

不要在我面前

輕佻或狂蕩

我是一個穩重的姑娘

有著悲天憫人的古道熱腸

規規矩矩　篳路藍縷

懷揣著一個個萬花筒的夢想

破碎後的希望

像絕望一樣無望的希望

玻璃片紮得心鮮血直淌

只能

每　天
每天每天
走到梳粧檯前
精心梳理髮辮
明眸燦爛　燦爛

每天每天
俯身伏向枕畔
向菩薩表心願
夢中孤單　孤單

照　相

陽光童年照相館。
佳馨穿著紫色薄紗連衣裙，照相。
攝影師連呼：「驚豔！」
相片出奇的美。

一張佳馨斜攀樹枝，姿態優雅，攝影師配給相片一首詩

Our Reliance
If hard times

bring me down ,
You are the only one
that I want around .
I gotta see you
sweet
sweet smile every
day .
And if I am all strung
out ,
you are the only one
who can straighten
me up .
I gotta see you
sweet
sweet smile everyday

　　「花影」照相館的薛恬和佳馨一見如故，說：「找到感
覺了。」為她拍下許多精彩瞬間，佳馨贈一聯
　　　「風神傳一拍
　　　　花影寫雙成」
　　佳馨視照相為自己和自己約會。

　　以後，佳馨去照相，薛恬都免費為她加洗一張。
　　佳馨覺得不好意思，就再也不去了。

檢查衛生

單位衛生大檢查。於總經理莅臨佳馨辦公室。
佳馨感動

你

昔日的關照呵護
化作冬天上午
威嚴尊貴　山一樣直矗
陽光像織錦斜斜
入門戶　籠一層金色光線
你還是你　我已不是自己
你伸手摸摸暖氣管
（見我穿得單）

你什麼都沒說
淚在我眼裏打轉
我心裏念聲
阿彌陀佛

超　脫

佳馨業餘時間投稿。編輯說她的字「清秀，像美女。」
編輯叫夢晨，像羅丹的雕塑「思想者」，給佳馨發表許
多稿件。

　　靜靜地，心提到嗓子眼，佳馨走到政文部。

　　夢晨正在讀小說，佳馨有點不高興：小說那麼好看，我進去你都不覺得？

　　夢晨終於抬頭，看一眼佳馨，又低頭。

　　佳馨的心下沉：莫非在你眼裏，我還不如一本小說？

　　佳馨和他談心，他疏忽。

　　佳馨以後約他，他冰冷地一句：「沒有必要。」

　　儘管人要爭氣，不要賭氣，佳馨還是沉不住氣，為「沒有必要先生」寫

超　脫

微側著頭
神色遊雲般超脫
虛無縹緲　難以捉摸
溺水的感覺
不　不要這樣

真情流露的迫切
像風雨閃雷裏一瞬瞬電波
也仰慕必將虹貫天廓

心有靈犀的默契
像螢火黑暗中一星星光明
閃爍終究彙聚銀河

　　　交融共鳴的喜悅
　　　像春風料峭內一絲絲溫柔
　　　熨帖永遠暖透心窩

　　　怕　總是這樣超脫
　　　彷彿什麼都不存在
　　　僅是幾朵無奈的花瓣
　　　陪伴小河冷淡憂傷的嗚咽

　　　不　不要這樣超脫
　　　人生多麼的寂寞
　　　寂寞最怕面對
　　　超脫得一切無所謂

　　父親看了，問佳馨：「值得嗎？」

　　佳馨說：「不見面，不交談，只在心裏默默地喜歡，也不可以嗎？」

　　「不可以！」父親斬釘截鐵：「沒有必要。」

　　他竟然和夢晨同樣回答。

　　　是誰在唱歌？溫暖了寂寞
　　　不要在我寂寞的時候說愛我
　　　除非你真的能給予我快樂
　　　那過去的傷總在隨時提醒我
　　　別再被那愛情折磨

夏風顏說得好：「愛，不是因為寂寞；寂寞，是因為愛。」

佳馨問那支歌：「寂寞時的愛，到底該不該？……是寂寞在作怪，幻想還有未來；是寂寞在撒的謊，我明白……」

千帆過盡，佳馨也明白：「愛不因為你寂寞才存在。」
聖嚴法師說：「好人不寂寞。」
佳馨捫心自問：「難道我是壞人？」
不！缺少了寂寞，就不可能有真正的幸福。
反省：心量要放大，多接納，多包容。
可是，法師會理解孤獨嗎？那是愛因斯坦的境界：不沉淪，而是無比的奮發。

靜坐在寫字臺前，佳馨捫心自問：天知我心？
桌上花瓶裏的百合花忽然動了……
「百合心。」佳馨釋然。

詩發表，佳馨猶豫：是否給夢晨看？
她給他了。

夢晨看詩後不久，出一組照片專欄，右上角最顯眼的是一位女工笑容滿面地摘紅蘋果。她也在採摘精神上的果實：愛、快樂、和平、善良、耐心、虔誠、勇氣以及自控。
佳馨為夢晨高興：她看出他的心情。

絕 交

佳馨描述

白領麗人

淡掃蛾眉巧妝輕抹

Chanel No.5 暗香襲人

沖鏡子綻開一朵笑容

自信

麥片加牛奶

營養著纖柔的身段

襯出聖羅蘭新款

駕一輛寶馬

叱吒都市風雲

清雅的工作室

是平靜的海洋

像會說話的魚兒

優遊自如嫻熟

吐出串串英文

週末寂寞婀娜的倩影

亮麗美容院誘惑酒吧間

漫不經心地揮灑美麗

像揮霍金錢

將心情的調色板
搭配得濃淡相宜
卻總使人感覺
多幾許單身貴族冷豔的矜持
少幾分花樣年華爛漫的天真

白領麗人　獨立的樹
不論多麼高昂向上
枝枝葉葉　隱隱約約
想像著開花結果

夢晨猜測：「你羨慕她們？」
佳馨回應：「錯。調侃妹妹而已。」
佳馨從未

羨　慕

誰善感　品味山嵐的清新
誰多情　細數螺鈿的花紋
生命是造化的一個個功痕
留下的　閃爍汗青光輪
消逝的　飄入西天雲

牡丹綻牡丹的雍容華貴
玫瑰吐玫瑰的嬌豔芳菲

只有精力完善自身
哪有空閒羨慕旁人

見賢思齊　自強不息
君子是孜孜矻矻的農民
定一定神　拭一拭汗
再去厚德載物的心田上
苦苦耕耘

佳馨的《羨慕》發表，去找夢晨。房間裏還坐著兩位男賓。

夢晨正眼也不瞧：「誰讓你天天來影響我的工作？」

佳馨莫名其妙：我天天來？你撒謊！

佳馨寒心低頭，離去。

一日，十字路口。倆人邂逅。佳馨冷冷徑直走下去。夢晨偶一回眸。

佳馨僵硬的心柔濕：「人生若只如初見，何事秋風悲畫扇？」

「無情卻有意，亦可一生惜。」

以後，每當佳馨想幹一番驚世駭俗的事，家中總有一隻小蛾在眼前飛舞，告誡她不要輕舉妄動。

一次，佳馨忽見小蛾落水，連忙用手從水中救起，作

詠　蛾

蹈火已壯烈，赴湯意何濃？
水火本無情，善自多珍重。

愛到飛蛾入水，迷失沉醉；
愛到飛蛾撲火，徒留傷悲。

買　衣

佳馨在床上唉聲歎氣：「怎麼辦？我可怎麼辦？」
媽媽問：「又想買衣服？」
爸爸嗤之以鼻：「胡說！」
佳馨大吃一驚：「真不敢相信媽媽比爸爸聰明。」
爸爸批評：「守真志滿，逐物意移。」

佳馨有句名言：讀書是為了心靈美，買衣是為了外表美。
佳馨穿上新衣服，看見路上一隻狗，也想和牠打招呼。

「沉默的人，衣服就是語言。」佳馨不喜言談，故必須
多買衣服。
張恨水說得好：「衣是精神，錢是膽。」佳馨羨慕公務
員的金飯碗。
在外企工作的妹妹說：「姐姐捧的是瓷飯碗。」
佳馨不服：「那也是青花瓷。」

佳馨當家教，小女生「愛師及英語」，考上國際航班的

空姐，家人送來謝金；佳馨為公司翻譯了一百多萬字的英文科技資料，報酬不菲；又值徵文獲獎，好事成三，佳馨直奔「淑女十八坊」。

女店員一見佳馨，笑臉相迎：「你是我們公司總部請來拍廣告的模特吧？」

佳馨一頭霧水：「我是來買衣服的。」

佳馨試衣時，年輕老闆朝門外瞅兩眼，佳馨料他必有動作。果然，他主動給佳馨攔腰繫腰帶。佳馨正色說：「我自己繫。」老闆眼睛濕濕的，對佳馨情有獨鍾，佳馨也情有獨鍾，對

花裙子

靛藍桃紅鵝黃粉紫
印花鏤空花繡花織錦花
花蝴蝶乘習習清風
採擷花香　俯瞰倩影

花仙子　輕捷親昵芳草地
苗條強健的軀體
洗去時光痕跡
花裙子　浪漫神奇旖旎
伴隨心跳
Flora 揚起花瓣所向披靡

佳馨試穿一件海藍裙子，胸首碼兩條白花邊，答錄機裏唱：「我和你是兩條平行線，永遠沒有交點……」佳馨不喜，

換下。

漂亮與美

佳馨煥然一新，和男友仲選花前月下，柔情蜜意。

「你真美。」仲選沉醉。他的側影像米開朗基羅的雕塑「大衛」。經金姐介紹，和佳馨認識不久。

臨別。

「你很漂亮。」仲選字斟句酌。

佳馨明白：她冷淡。

仲選很不一般，洞察力如哲學家：「熟睡和淺睡如同深刻顯現的思想和表面喧鬧的思想，二者之間存在著非常大的差異。漂亮和美是不同的。」── 維特根斯坦

佳馨懂得 pretty 和 beautiful 的區別，關鍵是性之火是否燃燒。

牡　丹

仲選的單位組織去菏澤賞牡丹。

仲選邀佳馨：「和我一起去吧。」

「不，你們單位人多，我不想去。」佳馨害羞。

仲選回來，給佳馨看照片，可惜，牡丹花期快過。

佳馨口占一絕戲謔

賞牡丹

要攜美人未肯來，
欲賞牡丹花已敗。
若問君恨恨幾許，
恰如春深深似海。

「好哇！膽敢嘲笑我！」仲選餓狼擒羊：「罰你寫一首牡丹盛開的詩，我就饒你。」

佳馨全神貫注，詠

牡丹鄉行

牡丹鄉裏賞牡丹，一夜東風花千萬。
擁掩名姝春潮急，廣陵花占物華慚；
猩唇潤紅粉欲洗，甘露曉滋新妝豔。
牡丹仙子競窈窕，蜜蜂蛺蝶頻頻繞。
穠姿嫩質播芬芳，霓裳雲綃紫彩曜。
姹女丹砂應羞赧，珊瑚綴火熾欲燃；
熏香駘蕩秀色酣，粲然巧笑乍驚豔。
富貴不淫自峨然，惱怒成恨武則天。
爭奇鬥豔入仙譜，花醉卻要倩人扶；
真妃舞罷扶玉欄，半嬌半睏顏鮮妍。
酒酣衣染鮮傾城，謫仙賦就沈香夢。
桃忮櫻妒羨魏紫，李妝蘭抹慕姚黃；
二喬紅粉殢東君，玉版瑩澤泛崇光。

春深如潭春日晏，韶華正好青春伴；
春風吹綻姑娘面，人比牡丹更豐滿。
唏噓嘻！
菊隱荷腋梅孤高，國色天香數洛曹；
芳華竟體呈天真，雲蒸霞蔚更妖嬈。
我欲勤植牡丹叢，生為護花一秋公；
手把鋤犁園中居，何必瑤臺問歸期！

牡丹花語：羞澀富貴。
佳馨吟罷，被仲選一把按倒在床。
佳馨忙起身，掠掠鬢髮，問：「你這是做什麼？」
仲選目光如炬：「我太激動！」
「咱倆看戲去吧！」佳馨提議：「《詩美緣》。」

　　仲選競選中學校長，請佳馨看他的競選演講，佳馨由衷
地讚歎：「你的演說辭比情書寫得好多了！」

合 巹

仲選給佳馨一封情書。
妹妹搶先看，驚羨：「姐，是血書！」
佳馨驕傲，感動。

　　他倆領取

結婚證

小小一片紅葉
鐫刻婚姻的承諾
不隨秋風漂泊

凝視它
愛情在激情中燃燒
環繞著承諾

捧著它
愛河注入港灣
不再自由傾瀉

結婚證
承載愛的歷程
戀愛學院的畢業文憑

五一國際勞動節。

婚禮舉行，天降大雨。伴娘為佳馨撐傘。

暴雨如瀑，暗無天日。佳馨身著粉色婚紗，懷抱玫瑰和百合，蛾首輕低，豔光照人……

新婚之夜，佳馨效鳳凰於飛

佳　期

喜酒香飄春酒綠，
榴火豔映焰火紅。

連理枝纏交杯盞，
並蒂蓮娬繡芙蓉。
玉堂風熏嬌鶯舞，
金閨簫和彩鳳鳴。
月滿槐廳春意濃，
鴛鴦彌酣圓好夢。

夢中，如真似幻，佳馨

燕婉之歡

你是運筆如神的畫師
潑墨渲染淋漓盡致
我就是你筆下的丹青
溫存繾綣醇香蘊良辰

你是含苞欲放的蓓蕾
百花中的精英
我就是供奉你的花瓶
花中有玉心玉中有花情

你是光華幽幽的蠟燭
馨柔朦朧如歌如夢
我就是你搖紅的燭影
形神不離相伴一生

你是深廣蔚藍的大海

我就是你升起的圓月
胸懷裏的澄瑩
天水一線呈現光明

顯　現

未經淘瀝的金沙
深埋海底的琥珀
窖藏醞釀的醇酒
昆岡久隱的寶瑟

久久的等待　長長的期盼
濃濃的渴望　深深的寂寞
不就為了顯現
人間　美妙良宵的
卓越

　　晨起。佳馨對鏡梳妝，仲選親手為她髮間簪上一朵玉簪花，佳馨輕歎，作

蘭　心

拂露憐露零，
簪花惜花痛。
從今罷膏沐，
不與花爭容。

　　佳馨仲選合填一闋

菩薩蠻

荷花慾語微風起　清香縷縷鴛鴦戲

相悅愛憑欄　目擊天水邊

幽情耽綠浦　逸興化白鷺

波淡水淩淩　綺霞勝綉屏

主　婦

佳馨初為人妻，一卉能熏一室香，像一株

家養的茉莉

不歆羡懸崖上花枝招展的野菊

不渴望蒲公英恣意放縱的遊戲

不是深宮庭院富麗的玉蘭

我是一株家養的茉莉

靜靜地潔白純淨　清清地吐露芬芳

開著本分的朵朵小花　不卑不亢

迎來遠客奉茶香

晶瑩的明眸撫愛著高堂夫婿

勤快的手指摩挲著書床案幾

古香古色的日本藝伎泥偶

Kitty 貓　憨厚的小熊維尼

愜意地呼吸居家氣息
人間煙火烘暖風霜雪雨
熱騰騰的餃子　甜絲絲的大米粥
剛切的藕片孔孔洞簫似的詠歎
新摘的芹菜棵棵瑩潤般的水綠
紅火火的辣椒　白嫩嫩的豆腐
粉茸茸的鮮筍蔥薑蒜辛辣
芫荽清新　洋蔥刺鼻
咂口家釀的米酒
甜在口中　醉在心裏

洗衣洗去心靈塵埃　拖地拖出行行詩句
摘菜摘掉世俗雜質　揉面揉造雕塑工藝
廚房是我的舞臺　油鹽醬醋
煎炒燴燉活色生香贏來滿堂彩
流水是我的樂器　鍋碗瓢盆
叮噹齊鳴　伴奏我一首交響曲
針線是我的指揮棒鉤織編繡
時尚花樣親人扮靚的笑顏
人生最美的慰藉

我愛我家　心懷天下
我是一株家養的茉莉
陽臺上　稟賦天地靈氣
向太陽膜拜　朝月亮致禮　對星星好奇
願每個家庭幸福的花兒開

　　水仙　臘梅　薔薇　月季

茉莉花的花語：純潔和永恆的愛情。

家裏還有一位女客，芳名

米　蘭
玉屑金粒　翠葉綠釉
沐浴陽光 SPA
播灑濃濃馥鬱

米蘭米蘭
米的寶貴　米的裨益
黃燦燦　開放簇簇驚喜
永恆珍惜
像珍惜豐收的每一粒粟米

米蘭米蘭
蘭的甜美　蘭的氣息
熱騰騰　泡出杯杯清茶
招待嘉賓
像招待每一個蜜蜂兒采蜜

米蘭米蘭　我愛你
粟米一粒粒　清茶一滴滴
人間小水米　香醇大社稷

苦肉計

夜晚。

小夫妻逛公園。佳馨繫花蝴蝶結，穿一條花裙，花瓣鮮靈得彷彿才在水中淋濕。

佳馨情意綿綿，重提血書。

仲選得意：「苦肉計。」

佳馨憤恨，摔手而去。

愛情不可以被陰謀詭計褻瀆。

佳馨看電視劇《激情燃燒的歲月》，石光榮激動地對女友說：「假如你是一塊陣地，我願把滿腔熱血灑在上面。」這才是真正的愛情。

為悼念南京大屠殺遇難的同胞，佳馨咬破食指，用鮮血在白紙上書寫一個觸目驚心的大大的：祭。

為仕途，仲選夜深歸宿，常喝得半醉。

佳馨獨坐書房，看《甄嬛傳》，賞

秋月春陽

果郡王一襲白衫 吹一支玉笛

秋月皎潔 冰魂雪魄

清朗灑脫 優曇一現

甄嬛心比天高　貌賽嫦娥
露滋綠萼　淚濕紅麝
星橋架成連喜鵲

溫太醫紅頂官袍　提一個藥箱
春陽和煦　把脈配藥
憐香惜玉　噓寒問暖
眉莊態凝霞袖　心動搖簪
琪花馥鬱　情濃夢酣
願做鴛鴦不羨仙

春宵一刻勝千金
一帳春曉血淚分

　　佳馨最喜歡的女子是玉嬈，不屑為了一個花心皇帝，去深宮中與姐妹們明搶暗鬥，爭風吃醋，而是大膽去追求自己的幸福！

　　佳馨只能

等　待
總是翹首遙望窗外
總是按捺著性子忍耐
千年的鐵樹花也要開
世上沒有無邊無際的等待

太久的隔閡讓人感覺陌生
太遠的疏離讓人無心跨邁
太濃的思念總是融化不開
太多的深情只會令人傷懷

不想乞求　因為我自尊自愛
不願訴說　因為我心中明白
即使化成了永遠的雕像
望夫石依然癡心不改

中秋月圓人不圓，倆人離異。

「舉案齊眉　相敬如賓」的祝福已成空。

　　佳馨只惦記以前的婆婆，婆婆把她當親生女兒看待：「願你過的比仲選好。」

　　佳馨離異後，青澀依舊，她紮著兩條長長辮子，額角密密生滿毛茸茸的細髮，佳馨的身材怎麼看都像少女，她卻喜穿袍子，如野鶴閑雲；清爽明快，灑脫自在，更有姑娘像，見到的人都以為她未婚。

宗教觀

　　佳馨喜歡

給花兒讀聖經

清晨　我給花兒誦讀《聖經》

牡丹茉莉百合雛菊
水仙仙客來臘梅倒掛金鐘
花兒們洗耳恭聽心領神會
臉上的露珠激動得直眨眼睛
芳香喜悅得更純更濃
花兒和上帝喃喃細語
清風替她們傳送

含苞羞澀　甜蜜含蓄的靜靜永恆
嫣然綻放　豐盈情洽的脈脈永恆
只知盛開　不問萎落
時時刻刻仰望上帝
上帝活在她純潔的心靈
花兒明白　春去春會來
花謝花會再開　她安心等待
主的慈光賜粲然新妝

我喜歡給花兒念誦《聖經》
因為她和上帝心意相通
美不美　就看看花兒
問自己是不是像她一樣懂得感恩
問自己是不是像她一樣懂得永恆

　　佳馨被情傷害的心田，開出思想的繁花：她終於悟出天下宗教的一致性：舍惡歸善、 棄邪歸正。

　　佳馨涉獵經史子集，收集宗教思想共同點細節，兼收並

蓄，融會貫通，以自勵勵人、各取所好之意，總結摘錄如下：

我非生而知之者，好古敏以求之者也。（孔子）
吾非聖人，學而得之。（老子）

禮者，世俗之所為也；真者，所以受於天也，自然不可易也。故聖人法天貴真，不拘與俗。（《莊子》）
一真一切真，心量大事，不行小道。（《壇經》）

信者，吾信之；不信者，吾亦信之；德信。（《道德經》）
信為道源功德母，信能長養諸善根，信能超出眾魔路，信能得入三摩地，信能成就佛菩提。（《華嚴經》）
你們禱告祈求的，無論是甚麼，只要信是得著的，就必得著。（《聖經》）

若保赤子，為民其康义。（《尚書》）
含德之厚，比於赤子。（《道德經》）

天降大任於斯人也，必先苦其心志，勞其筋骨，餓其體膚，空乏其身，行拂亂其所為，所以動心忍性，增益其所不能。（《孟子》）

　　舊年寒苦梅，得雨一時開。
　　竦影月移去，暗香風送來。
　　昨是埋雪樹，今複帶花枝。
　　吃困寒多少，可是百花魁。（白隱禪師）
心痛的試煉，損毀的苦難，使人得到完美的頌贊；驚恐

壓力和災難比愉悅的日子更有益。（《荒漠甘泉》）

應生清淨心。（釋迦牟尼）
靜以修身，儉以養德。（諸葛亮）
清靜無為。（老子）
我要安靜，在我的居所觀看。（《聖經》）

不在其位，不謀其政。（孔子）
雲在青山花在瓶。（禪偈）

無善無惡者理之靜，有善有惡者氣之動。不動於氣，即無善無惡，是至善。（王陽明）
與其事事而非非，善善而惡惡，不如兩忘而化其道。（莊子）
兀兀不修善，騰騰不造惡。
寂寂斷見聞，蕩蕩心無著。（《壇經》）

既以與人己愈多。（老子）
入海換沙徒費力，區區未免走埃塵。
爭如運出家中寶，枯木生花別是春。（川禪師）
施比受有福。（《聖經》）

盡其心者，知其性也；知其性者，則知天矣。（《孟子》）
我命在我不在天。（《樸抱子》）
順天門外古招堤，爛漫春光照錦溪。
物物更無心外法，個中能有幾人知。（慈受禪師）

　　你要保守你心，勝過保守一切，因為一生的效果，是由心發出。（《聖經》）

　　奢則不遜，儉則固。（《論語》）
　　我有三寶，我持而保之。一曰慈，二曰儉，三曰不敢為天下先。慈故能勇，儉故能廣，不敢為天下先，故能成器長。（《道德經》）
　　節儉放下，最為入道捷徑。（《禪林寶訓》）

　　曲則全，枉則直，窪則盈，敝則新，少則得，多則惑。是以聖人抱一為天下式。（《道德經》）
　　好花看到半開時，最為親切有味。（邵康節）
　　我也將萬事當作有損的，因我以認識我主基督為寶。（《聖經》）

　　捨生取義。（《孟子》）
　　私行不義，謂人不知，傲然無愧，將日淪於禽獸而不知矣。（《了凡四訓》）
　　凡管教的事，當時不覺得快樂，反覺得愁苦，後來卻為那經練過的人結出平安的果子，就是義。（《聖經》）

　　自勝者強。（《老子》）
　　子曰：「剛、毅、木、訥，近仁。」（《論語》）
　　要做大丈夫，要剛強。（《聖經》）

　　恬淡為上。（《老子》）

非淡泊無以明志，非寧靜無以致遠。（《誡子書》）

世情淡一分，佛法自有一分得力。娑婆活計輕一分，生西方便有一分穩當。（蕅益大師）

重為輕根，靜為躁君。（《道德經》）

修行須是默中言，養氣無勞靜裏喧。

占得長春真境界，百花香裏給孤園。（《重陽全真集》）

身心寂不動，為求無上道。（《法華經》）

禍莫大於不知足；

咎莫大於欲得。

故知足之足，常足矣。（《老子》）

吉莫吉於知足。（《素書》）

百種多知，不如無求最第一也。（黃蘗大師）

能知足者天不能貧，能無求者天不能賤。（魏征）

養心莫善於寡欲。（《孟子》）

見素抱樸，少私寡欲。（《老子》）

事向無心得。頌曰：寶滿三千及十千，福願應不離人天。若知福德元無性，買得風光不用錢。（川禪師）

行少欲者，心則坦然，無所憂畏，觸事有餘，常無不足。（《佛遺教經》）

樊遲問仁。子曰：「愛人。」問知，子曰：「知人。」（《論語》）

知人者智，自知者明。（《老子》）

如人飲水，冷暖自知。（玄奘大師）

無名人曰：「汝遊心於淡，合氣於漠，順物自然而無容私焉，而天下治矣。」（《莊子》）

應代一切眾生受加毀辱。惡事向自己，好事與他人。（《梵網經》）

愛是⋯⋯不求自己的益處。（《聖經》）

小不忍，必亂大謀。（《論語》）

小忍成仁，大忍成佛。（佛教）

忍者身之寶，慎勿與人爭。（《太上虛皇天尊四十九章經》）

紅塵白浪兩茫茫，忍辱柔和是妙方。（憨山大師《醒世歌》）

愛是恒久忍耐。（《聖經》）

此之謂葆光。（莊子）

我有明珠一顆，久被塵勞關鎖。

而今塵盡光生，照破山河萬朵。（柴陵郡禪師）

子夏曰：「《詩》云：如切如磋，如琢如磨，其斯之謂歟？」（《論語》）

以自己為島嶼，為舟航，為明燈。（釋迦牟尼）

義人的光明亮，惡人的燈要熄滅。（《聖經》）

志士仁人，無求生以害仁，有殺身以成仁。（《論語》）

願盡未來，普代法界一切眾生，備受大苦；
誓捨身命，宏護南山四分律教，九住神州。（弘一法師）

莫見乎德，莫隱乎微，故君子慎其獨也。（《禮記》）
善哉問乎！戒之，慎之，正汝身也哉！（《莊子》）
內不欺己，外不欺人，上不欺天，君子所以慎獨。（弘一法師）

善所當為，羞談福報。（《瓊琚佩語》）
天道無親，常與善人。（《道德經》）
有益於人是善，有益於己是惡。（中峰和尚）

過猶不及。（《論語》）
是以聖人去甚，去奢，去泰。（《道德經》）
你得了蜜嗎？只可吃夠而已，恐怕你過飽就嘔吐出來。（《聖經》）

予欲無言。（《論語》
汝信心頗深，但好張羅好遊、好結交，實為修行一大障。祈沉潛杜默，則其益無量。戒之！(印光大師)
天地有大美而不言，四時有明法而不議，萬物有成理而不說。（莊子）

多聞闕疑，慎言其餘，則寡尤；多見闕始，慎行其餘，則寡悔。言寡尤，行寡悔，祿在其中矣！（《論語》）
多言數窮，不如守中。（《老子》）

多言害道。（《鬼穀子》

寡言少語，愚亦成智。應忍受想要說話的衝動。（佛教）

多言多語難免有過，禁止嘴唇是有智慧。（《聖經》）

舉一隅，不以三隅反，則不復也。（《論語》）

隔山見煙，便知是火。隔牆見角，便知是牛。舉一明三，目機銖兩。（圓悟法師）

蒙以養正。（《易經》）

你或向左或向右，你必聽見後邊有聲音說，這是正路，要行在其間。（《聖經》）

若欲見真道，行正即是道。（《壇經》）

滌除玄覽。致虛靜，守靜篤。（老子）

是以聖人虛其心而實其照，終日知而未嘗知也。故能默耀蹈光，虛心玄鑒，閉智塞聰，而獨覺冥冥者矣。（僧肇）

天下之至柔，馳騁天下之至堅。（《道德經》）

我為基督的緣故，就以軟弱、凌辱、逼迫、困苦為可喜樂的，因我什麼時候軟弱，什麼時候就剛強了。（《聖經》）

聖人無親。（《南華真經》）

兼愛非攻。（墨子）

不俗即仙骨，多情乃佛心。（《金剛經》）

聞人有善而不疑，聞人有惡而莫信。（道教）

若真修道人，不見世間過，
若見世間非，自非卻是左。（《壇經》）

司馬牛問君子。
子曰：「君子不憂不懼。」
曰：「不憂不懼，斯謂之君子乎？」
子曰：「內省不疚，夫何憂何懼？」（《論語》）
無怛化。（《莊子》）
心不負人，面無慚色。頌曰：舊竹生新筍，新花長舊枝。
雨催行客到，風送片帆歸。竹密不妨流水過，山高豈礙白雲
飛。（川禪師）
心中喜悅，面帶笑容；
心裏憂愁，靈被損傷。（《聖經》）

君子之道，辟如行遠必自邇，辟如登高必自卑。（《中
庸》）
不畏浮雲遮望眼，只緣身在最高層。（王安石）
凡人心險於山川，難於知天。（《莊子》）

上善若水。
水善利萬物而不爭，
從眾人之所惡，
故幾於道。（老子）
人莫鑒於流水，而鑒於止水。唯止能止眾止。（莊子）
靜若止水之心境，脫俗超凡矣。（佛曰）

青山清我目，流水靜我耳。（王陽明）

智者樂山，仁者樂水。智者動，仁者靜。智者樂，仁者
壽。（孔子）

獨與天地精神往來。（道家）

絕學（老子）
無學（佛祖）

即今休去便休去，若覓了時無了時。（雲峰禪師）

不要為明天憂慮，因為明天自有明天的憂慮。一天的難
處一天當就夠了。（《聖經》）

天人合一（儒教）
與道同體（道教）
心即是佛（佛教）

且君子之交淡若水，小人之交甘若醴，君子淡以親，小
人甘以絕。（莊周）

益者三友，損者三友：友直，友諒，友多聞，益矣；友
便僻，友善柔，友便佞，損矣。（孔子）

友有四品，不可不知：有友如花，有友如秤，有友如山，
有友如地。（《佛說孛經》）

世人崢嶸，植物中荊棘而已。（石天外）

我的佳偶在女子中，好像百合花在荊棘內。（《聖經》）

善者吾善之，不善者吾亦善之。（《道德真經》）
怨親平等。（佛教）
愛你的仇敵。（基督教）
以善迎惡，以愛化怒，愛能克恨，恨只能生恨。（印度
教）

人皆知防患，莫如使患無生。（《老子》）
有備無患。（《左傳》）

美言可以市，尊行可以加人。（《道德經》）
金石良言。（《白雪遺音》）
多聞工藝精，嚴持諸禁戒，
言談悅人心，是為最吉祥。（《吉祥經》）
一句話說得合宜，就如金蘋果在銀碗裏。（《聖經》）

故忿設無由，巧言偏辭。（《莊子》）
巧言亂德。（《論語》）

不自伐，必有功。（《老子》）
好談己長只是淺。（《西岩贅語》）
不自矜誇。（印光大師）
愛是不自誇。（《聖經》）

不忮不求，何用不臧？（《詩經》）
離貪嫉者，能淨心中貪欲雲翳。猶如夜月，眾星圍繞。
（《理趣六波羅蜜多經》）

　　愛是不嫉妒。（《聖經》）

　　千錐紮地，不如鈍鍬一捺。頌曰：麒麟鸞鳳不成群，尺壁寸珠那入市。逐風之馬不並馳，倚天長劍人難比。乾坤不覆載，劫火不能壞，凜凜微光混太虛，天上人間總不如。噫！（川禪師）

　　仁者愛人。（《論語》）

　　滿腔子是惻隱之心。（《明道學案》）

　　佛陀講慈悲，是以愛心體德為體，以誠正和睦為用。（《靜思語》）

　　愛，能遮掩一切過錯。（《聖經》）

　　予獨愛蓮之出淤泥而不染，濯清漣而不妖；中通外直，不蔓不枝；香遠益清，亭亭淨植，可遠觀而不可褻玩焉。（周敦頤《愛蓮說》）

　　自淨其意，是諸佛教。（《阿含經》）

　　根據《聖經》創世紀篇章的記載，人是由靈、魂、體組成的，而且在最初的時候，人是可以和神輕鬆交流的。但是由於魔鬼撒旦的引誘，人犯下了罪過，愛著人們的上帝，為了讓人們可以贖罪，便讓耶穌承擔了世人的罪，這樣人們與上帝才能再次恢復親密的關係。

　　只要遵循了《聖經》的原則，那麼醫治的能力就會再次彰顯，許多人的疾病因此得到改善甚至是痊癒，這就是《聖經》的健康觀。（《多敬拜，少生病——談聖經的健康觀》）

　　業障重，貪嗔盛，體弱，心怯，但能一心念佛，久之自

可諸疾鹹愈。（印光大師）

　　佛教的生命不僅是指有生命的動植物，也指無生命沒有感情色彩的大千世界，一山一水，一石一木，都是眾生，皆有佛性，萬物即我，我即萬物。「慈悲一切眾生，憐憫一切眾生。」（聖嚴法師）

　　在《聖經》記載了遠古時期的文明、各種歷史事件、別樣的歷史人物、諸多上帝降下的神跡和無數的警世恒言，而除此之外許多的動物和植物都被寫入了《聖經》這部偉大的著作中。上帝在創造世界的時候，就創造了多種多樣的動植物，他們與人類一樣受到上帝的恩賜，我們人類應該愛護它們，與它們和諧地生活在地球上，它們是我們最好的鄰居。（《聖經動植物意義》）

　　你若疏遠了自然，也就疏遠了人類。你若跟自然斷了關係，就會變成屠殺者。為了得利、為了「運動」、為了獲取事物或知識，你屠殺海豹的幼崽，屠殺鯨魚、海豚和人類。於是，自然怕了你，收回了它的美。也許你長時間在林中散步，或在風景怡人的地方露營，但你是屠殺者，你已失去了它們的友情。可能你已失去了跟所有事物的聯繫，失去了跟你的妻子，你的丈夫的聯繫。（《克裏希那穆提日記》

　　攝心專注而念，還要再聽，全副的精神來聽，全副的精神來念，全副的精神再攝耳聽，這一念彌陀，就是我們的自性。這個自性的範圍，在空間是無量光明，在時間是無量壽命。（印光大師）

　　只有在你傾注了自己的頭腦，傾注了自己的身體、感官，

你的雙眼、雙耳 —— 一切，你才能有所了知，出於這份瞭解，就會產生全然的行動。（克裏希那穆提）

羞惡之心，義之端也。（《孟子》）

語人之短不曰直，語人之惡不曰義。（《清三韓梁瀛侯日省錄選》）

作有義事，是惺悟心；作無義事，是狂亂心。狂亂隨情念，臨終被業牽。惺悟不由情，臨終能轉業。（《圭峰宗密禪師語錄》）

愛是不喜歡不義。（《聖經》）

人人可以做堯舜。（儒教）

一切眾生（包括一闡提）皆可成佛。以佛性等故，是眾生無有差別。（《大般涅槃經》）

在上帝所創造的天國裏，沒有什麼大人物、小人物之分，沒有什麼富貴、貧窮之分，每個人都是上帝的孩子。（《上帝的恩典》）

成事不說，遂事不諫，既往不咎。（《論語》）

風來疏竹，風過而竹不留聲；雁渡寒潭，雁去而潭不留影。故君子事來而心始現，事去而心隨空。（《菜根譚》）

借婆衫子拜婆門，禮教周旋已十分。

竹影掃階塵不動，月輪穿海水無痕。（川禪師）

我欲載之空言，不如見之於行事之深切著明也。（孔子）

迷者口說，悟者力行。（雲門大師）

學而不能行，謂之病。（《莊子》）
知行合一。（王陽明）

路遙知馬力，日久見人心。（《爭報恩》）
無端知妙諦，有識是塵心。
欲洗塵心淨，尋山莫問深。（佛教）

籬菊數莖隨上下，無心整理任他黃。
後先不與時花競，自吐霜中一段香。（誦帚禪師）
以其不爭故天下莫能與之爭。（《道德經》）

手把青秧插滿田，低頭便見水中天；
身心清淨方為道，退步原來是向前。（佛教）
進退存亡之機。（孔子）
退一步海闊天空。（《痛別離》）

葉公問孔子於子路，子路不對。子曰：「汝何不曰：其為人也，發憤忘食，樂以忘憂，不知老之將至雲爾。」（《論語》）

何必為衣裳憂慮呢？你想：野地裏的百合花怎麼長起來；它不勞苦，也不紡線；然而我告訴你們，就是所羅門極榮華的時候，他所穿戴的還不如這一朵花呢！（《聖經》）

境緣無好醜，好醜起於心。（《靈峰宗論》）
道與之貌，天與之形，無以好惡內傷其身。（《莊子》）
如來所得法，此法無實無虛。（《金剛經》）

南臺靜坐一爐香，終日凝然萬慮亡。
不是息心除妄想，都緣無事可商量。（守安禪師）
世上本無事，庸人自擾之。（《新唐書》）

天行健，君子以自強不息；
地勢坤，君子以厚德載物。（《易經》）
人法地，地法天，天法道，道法自然。（《道德經》）
欲識平常道，天地任自然。（圓悟法師）

正心之始，當以己心為嚴師。（《瓊琚佩語》）
無論何事，你們願意人怎樣待你們，你們也要怎樣待人。
因為這就是律法和先知的道理。（耶穌）

存心養性（儒曰）
修身煉性（道曰）
明心見性（佛曰）

禮之用，和為貴。（孔子）
在家而伺奉父母，使深愛婉容，柔聲下氣，習以成性，
便是格天和氣之本。（《了凡四訓》）
知和曰常，知常曰明。（《老子》）

人心本無事，有事心不樂，
有事行無事，多事亦不錯。（王心齋）
任性逍遙，隨緣放曠，但盡凡心，無別勝解。（道悟）

應當一無掛慮，只要凡事借著禱告，祈求和感謝，將你們所要的告訴神。神所賜出人意外的平安，必在基督耶穌裏保守你們的心懷意念。（《聖經》）

主忠信，毋友不如己者，過則勿憚改。（《論語》）
放下屠刀，立地成佛。（佛教）

放下一切外物，覺得心閑省事。（《明薛文清公讀書錄選》）
持而盈之，不如其已；揣而銳之，不可長保。金玉滿堂，莫之能守；富貴而驕，自遺其咎。功遂身退，天之道也。（《道德經》）
做人要當提起時提起，當放下時放下。（星雲大師）

吾未見好德如好色者也。（孔子）
五色令人目盲，五音令人耳聾，五味令人口爽；馳騁畋獵，令人心發狂；難得之貨，令人行妨。是以聖人為腹不為目，故去彼取此。（老子）
世間色聲香味觸，常能誑惑一切凡夫，今生愛著。（智者大師）

執中貫一（儒曰）
抱元守一（道曰）
萬法歸一（佛曰）

民為貴，社稷次之，君為輕。（孟子）

聖人無常心，以百姓心為心。（老子）

知止不殆。（《道德經》）
你喜我不喜，君悲我不悲。
雁思飛塞北，無憶舊巢歸。
秋月春花無限意，個中只許自己知。（川禪師）
知止而後有定，定而後能靜，靜而後能安，安而後能慮，
慮而後能得。（《大學》）

無謂。（道教）
虛空境界豈思量，大道清幽理更長。
但得五湖風月在，春來依舊百花香。（川禪師）
凡事都是虛空。（《聖經》）

然後列子自以為未始學而歸，三年不出，為其妻爨，食
豕如食人。（《莊子》）
從今以後，願遁世不見知而不悔，作一齋公齋婆，向廚
房灶下安穩度日，從今不敢複作度人妄想。（彭二林）

當屏人獨處，自辦道業，以設像為師，經論為侶。（袁
宏道居士）
我們必須像經文中的寡婦那樣，與世隔絕，內心只與神
親近，這樣就會看到神跡了。（《荒漠甘泉》）

苦惱眾生一心稱名，菩薩即時觀其音聲，皆得解脫，以

是名觀世音，曰悲言也。（《法華經》）

　　到那時候，凡求告耶和華名的就必得救。（《聖經》）

　　盡其心者，知其性也；知其性者，則知天矣。（《孟子》）

哀莫大於心死。（《莊子》）

耶穌設一個比喻，是要人常常禱告，不可灰心。（《聖經》）

　　夫子溫、良、恭、儉、讓以得之。（《論語》）

主的僕人只要溫溫和和地待眾人。（《聖經》）

　　仲弓問仁。子曰：「出門如見大賓，使民如承大祭。己所不欲，勿施於人。在邦無怨，在家無怨。」仲弓曰：「雍雖不敏，請事斯語矣。」（《論語》）

　　溫公謂：誠自不妄語始。信哉斯言也。（《明薛文清公讀書選錄》）

　　誠與恭敬，實為超凡入聖，了生脫死之極秘訣。（《晚晴集》）

　　不學禮，無以立。（《論語》）

禮敬諸佛。（佛教）

　　生於憂患，死於安樂。（《孟子》）

直須大死一回，絕後再生。（《古德》）

　　耳中常聞逆耳之言，心中常有拂心之事，才是進德修業的砥石。若言言悅耳，事事快心，便把此身埋在鴆毒中矣。

（弘一法師）

我受苦是與我有益。（《聖經》）

與奪不汩其神者，至粹者也；利害不染其和著，極醇者也。（《樸抱子》）

不以物喜，不以己悲。（範仲淹）

知之為知之，不知為不知，是知也。（《論語》）

知不知，尚矣；

不知知，病也。（《道德經》）

是就說是，不是就說不是；否則你們將被審判。（《聖經》）

小人之過也必文。（《論語》）

不文己過。（印光大師）

平常心是道。謂平常心無造作，無是非，無取捨，無斷常，無凡無聖。（《傳燈錄》）

細推物理須行樂，何為浮名絆此身。（杜甫）

至人無己，神人無功，聖人無名。（莊子）

天道虧盈而益謙，地道變盈而流謙，鬼神害盈而福謙，人道惡盈而好謙。是故謙之一卦，六爻皆吉。（《易經》）

滿招損，謙受益。（《尚書》）

人的高傲，必使他卑下；心裏謙虛的，必得尊榮。（《聖經》）

　　汝等比丘，當自摩頭，已捨飾好，著壞色衣，執持應器，以乞自活。自見如是。若起驕慢，當疾滅之。增長驕慢，尚非世俗白衣所宜，何況出家入道之人，為解脫故，自降其身而乞耶。（佛經）

　　朝聞道，夕死可矣。（孔子）
　　雖複壽百年，懈怠不精進。
　　不如一日中，精進不怯弱。（《出曜經》）
　　若人壽百歲，邪偽無有智，
　　不如生一日，一心受正智。
　　若人壽百歲，不知大道義，
　　不如生一日，學唯佛法要。（《法句經》）

　　子曰：「人而無信，不知其可也。大車無輗，小車無軏，其何以行之哉！」（《論語》）
　　一真一切真，心量大事，不行小道。（《壇經》）

　　青青翠竹野山間，含雪堆身嫩筍生。
　　豈非不知時未至，唯愛賢良孝心端。（虛雲老和尚）
　　是以夫事其親者，不擇地而安之，孝之至也。（莊子）
　　夫孝，德之本也，教之所由生也。（孔子）
　　上帝創造了我們的形體，而父母給予了我們養育之恩，他們無時無刻都在教育著我們，關心著我們，呵護著我們。作為一個人，要首先懂得去愛自己的父母，這樣才能學會感恩，這樣才能在今後的日子學會去愛世人。（《父母的愛和基督的愛》）

窮且益堅，不墜青雲之志。（《滕王閣序》）

富貴學道難。（佛家）

富人進天堂，比駱駝穿針眼還難。（《聖經》）

致虛極，守靜篤。

萬物並作，吾以觀複。

夫物芸芸，各複歸其根。

歸根曰靜，靜曰複命。

複命曰常，知常曰明。

不知常，妄作凶。知常容，容乃公，公乃全，全乃天，天乃道，道乃久，沒身不殆。（《道德經》）

如果有人迫使自己立定不動，坐失良機，一味地等待神的引導，這樣的結果註定會失敗嗎？不，勝利是在立定中、靜候中得到的，這要比每天忙於奔波艱難千倍。這需要更大的勇氣去立定、等候、不灰心、不絕望，去絕對服從神的旨意，將工作和榮譽讓給他人，當別人快快樂樂、忙忙碌碌地工作時，自己卻能安安靜靜、信心十足和快快樂樂。這才是最偉大的生活。──「成就一切，還能站立得處。（《以弗所書》──密勒）

滴水之恩，當湧泉相報。（《朱子家訓》）

常懷感恩心，心中自安然。（佛教）

感恩是對神或者人所施予的恩惠、幫助或者是慈愛，從內心、言語或者行動上所表達出來的感激、感謝。比如父母的養育之恩，耶穌對世人的救贖之恩，親戚朋友之間的關懷

之恩等等。感恩是有很深啟發性的，因為它是發自於內心的。只要我們有一顆智慧的心那麼我們便會常常感恩。（《聖經中的智慧》）

士為知己者死，女為悅己者容。（《戰國策》）

人為朋友捨命，人的愛心沒有比這個更大的了。（《聖經》）

積善之家，必有餘慶；積不善之家，必有餘殃。（《周易》）

莫為危時便愴神，前程往往有期因。

須知海嶽歸明主，未必乾坤陷吉人。

道德幾時曾去世，舟車何處不通津。

但教方寸無諸惡，狼虎叢中也立身。（馮道）

心懷慈悲，度人也度己。

諸惡莫做，眾善奉行。（《阿含經》）

福在積善，禍在積惡。（《素書》）

勿以善小而不為，勿以惡小而為之。（劉備）

惡要厭惡，善要親近。（《聖經》）

嗔恚之害，則破諸善法，壞好名聞，今世後世，人不喜見。（《佛遺教經》）

君子坦蕩蕩，小人長戚戚，（《論語》）

生氣是一種情緒，我們現在要說的不是生氣的對或者錯，而是通過生氣所衍生出來的其他情感，比如怨恨、敵意等等，這都是很危險的情緒，而《聖經》讓我們提防的就是

這類情感。（《基督徒協談技巧》）

兩鳥在林，不如一鳥在手。（蘇格拉底）

夫道不欲雜，雜則多，多則擾，擾則憂，憂而不救。（《莊子》）

如有周公之才之美，使驕且吝，其餘不足觀也已。（《論語》）

常存敬畏的，便為有福；心存剛硬，必陷在禍患裏。（《聖經》）

敬為入德之門，傲為聚惡之府。（《西岩贅語》）

有才不難，能善用其才則難。（老子）

尊賢使能，俊傑在位。（孟子）

且舉世而譽之而不加勸，舉世而非之而不加沮，定乎內外之分，辯乎榮辱之身。（《莊子》）

我必安然躺下睡覺，因為獨有你——耶和華使我安然居住。（《聖經》）

魚相造乎水，人相造乎道。相造乎水者，穿池而養給；相造乎道者，無事而生定。故曰：「魚相忘乎江湖，人相忘乎道術。」（《莊子》）

菩提本非樹，明鏡亦非臺。

本來無一物，何處惹塵埃？（六祖慧能）

世間莫若修行好，天下無如吃飯難。（北京白雲觀）

民以食為天。（《漢書》）

食色男女，人之大欲存焉。（孔子）

只看好樣子，不看壞樣子。（印光大師）

見賢思齊焉，見不賢而內自省也。（《論語》）

殃咎之來，未有不始於快心者。故君子得意而憂，逢喜而懼。（《格言別錄》）

志不可滿，樂不可極。（《禮記》）

夫物盛而衰，樂極則悲。（《淮南子》）

人在喜笑中，心也憂愁；快樂至極，就生愁苦。（《聖經》）

邪行須禁止，克己不飲酒，

美德堅不移，是為最吉祥。（《吉祥經》）

酒色氣財盡，憂愁思慮忘，

攀援愛念絕，五葉玉蓮芳。（《水雲集》）

酒極則亂，樂極生悲，萬事盡然。（《史記》）

酒能使人褻慢，濃酒使人喧嚷，凡因酒錯誤的，就無智慧。（《聖經》）

子曰：「自行束修以上，吾未嘗無誨焉！」（《論語》）

當主敬存誠，於二六時中，不使有一念虛浮怠忽之相。及與世人酬酢，唯以忠恕為懷。則一切時一切處，惡念自無從而起。（印光大師）

知者不言，言者不知。

塞其兌，閉其門，

挫其銳，解其紛，

和其光，同其塵，

是謂玄同。

故不可得而親，不可得而疏；

不可得而利，不可得而害；

不可得而貴，不可得而賤。

故為天下貴。（《道德經》）

身語意業不造惡，不惱世間諸有情。正念觀知欲境空，無益之苦當遠離。（《有部律經》）

　凡夫學道法，唯可心自知，造次向他道，他即反生誹。

　諦觀少言說，人重德能成，遠眾近靜處，端坐正思維。

　但自觀身行，口勿說他短，結舌少論量，默然心柔軟。

　無知若聾盲，內智懷寶寶，頭陀樂閒靜，對修離懈惰。

　（道宣律師）

從眾處獨，宜韜宜晦。若啞若聾，如癡如醉。埋光埋名，養智養慧。隨動隨靜，忘內忘外。（翠岩禪師）

遠親不如近鄰。（《東堂老曲》）

相近的鄰居，強如遠方的弟兄。（《聖經》）

不厚其棟，不能任重。（《國語》）

大器晚成。（老子）

是故君子有諸己，而後求諸人。無諸己，而後非諸人。所藏乎身不恕而能喻諸人者，未之有也。故治國在齊其家。（《大學》）

子長問明。

子曰：「浸潤之譖，膚受之愬，不行焉，可謂明也已矣。浸潤之譖，膚受之愬，不行焉，可謂遠也已矣。」（孔子）

古之至人，先存諸己而後存諸人。所存於己者未定，何暇至於暴人之所行！《莊子》）

真認自己錯，莫論他人非；

他非即我非，同體各大悲。（宣化上人）

通乎晝夜之道而知。（孔子）

古之真人，不知說生，不知惡死，其出不訢，其入不距；翛然而往，翛然而來而已矣。（《莊子》）

獨坐翛然一室空，更無南北與西東。

雖然不借陽和力，爭奈桃花一樣紅。（川禪師）

色斯舉矣，翔而後集。曰：「山梁雌雉，時哉！時哉！」子路共之，三嗅而作。（《論語》）

雖有智慧，不如趁勢；雖有鎡基，不如待時。（孟子）

我該怎樣做呢？我希望活在這個世界上，但機會只有一次。所以，只要能為生靈做任何有益的工作、善行或服務，現在就讓我做吧。讓我不再忽視，不再遷延推遲，因為以後我再也沒有機會到這個世界了。（《貴格會格言》）

夫大人者，與天地合其德，與日月合其明，與四時和其序，與鬼神和其吉凶。先天而天弗違，後天而奉天時，天且弗違，而況於人乎！況於鬼神乎！（《易經》）

古之真人若然者，其心志，其容寂，其顙頯，淒然似秋，煖然似春，喜怒通四時，與物有宜而莫知其極。（《莊子》）

太神奇了，太神奇了，一切眾生，各個都有如來的智慧德相，只是因為妄想執著，未能證得，若是打掉妄想，則得無師智，自然智，一切顯現。（佛陀）

謀定而後戰，能以少覆眾。（《唐書》）
計謀都憑籌算立定，打仗要憑智謀。（《聖經》）

言者，風波也；行者，實喪也。（《莊子》）
小人不可與盡言。（《明薛文清公讀書錄選》）

有說皆為謗，無言亦不容。
為君通一線，日出嶺東紅。（川禪師）
何以息謗？曰無辯。何以止怒？曰不爭。（《格言連璧》）
遠離紛爭，是人的尊榮。愚妄人都愛爭鬧。（《聖經》）

鳧脛雖短，續之則憂；鶴脛雖長，斷脛則悲。（《莊子》）
火不待日而熱，風不待月而涼。鶴脛自長，鳧脛自短。松直棘曲，鵠白鳥玄。頭頭露現，苦委悉得，隨處做主，遇緣即宗。竿木隨身，逢場作戲，有麼？有麼？（《佛國語錄》）

知榮知辱牢緘口，誰是誰非暗點頭。（《陽春曲》）

看破世事難睜眼，閱盡人情暗點頭。（五臺山金閣寺）

洛陽親友如相問，一片冰心在玉壺。（王昌齡）
神同野鶴與塵遠，詩似冰壺見底清。（韋應物）
微笑拈花，佛說兩般世界；
撥觀照影，我懷一片冰心。（五臺山殊像寺）

福音來自心靈的最深處，只有心靈純潔的人通過不斷地靜心思考和自我反省才能觸摸到；福音會帶給我們無盡的智慧和勇氣，也會帶給我們無盡的勸導和鼓勵。所有的救贖都是自我的，別人不能幫助你什麼，一切都取決於自己的心靈。（《我的聖經》）

精義入神。（《易經》）
精誠所至，金石為開。（《莊子》）

子在川上曰：「逝者如斯夫，不舍晝夜。」（《論語》）
今之隱機者，非昔之隱機者也。（《莊子》）
剎那無常。（佛法）

以冰雪之操自勵，則品日清高；以穹窿之量容人，擇德日廣大；以切磋之誼取友，則學問日精；以慎重之行利生，則道風日遠。（蕅益大師）
故德有所長，而形有所忘，人不忘其所忘，而忘其所不忘，此謂誠忘。（《莊子》）
你在祭壇上獻禮物的時候，若想起你的親友向你懷恨，那麼就把禮物留在壇前，先去和親友和好，再來獻禮物。你

們站著祈禱的時候，如果想起有人得罪過你們，那麼就應當饒恕他，好讓你們在天上的父也饒恕你們的過犯。（《聖經》）

　　愛的極致是寬容。（諺語）

　　人能淡漠恬愉，不染不移，養其心以無欲，頤其神以粹素，掃滌誘慕，收之以正，除難求之思，遣害真之累，薄喜怒之邪，滅愛惡之端，則不請福而福來，不禳禍而禍去矣。（《樸抱子》）

　　養心莫善於寡欲。（孟子）

　　若於一切處而不住相，於彼相中不生憎愛，亦無取捨，不念利益成壞等事，安閒恬靜，虛融淡泊，此個一相一昧，若於一切處，行住坐臥，純一直心，不動道場，真成淨土，次個一行三昧。（《壇經》）

　　人命關天。(民諺)

　　一切寶中，人命第一。（《大智度論》）

　　誠無不動者，修身則身正。（《二程粹言》）

　　全真之道，一言可以盡之，曰：「誠」而已（《清平子趙先生道行碑》）

　　誠與恭敬，實為超凡入聖，了生脫死之極妙秘訣。（印光大師）

　　若有一個臣，斷斷兮，無他技，其心休休焉，其如有容焉。人之有技，若己有之；人之彥聖，其心好之，不啻若自其口出。實能容之，以能保我子孫黎民，尚亦有利哉（《尚

書》）

覽諸道戒，無不雲欲求長生者，必欲積善立功，慈心於物，恕己及人，仁逮昆蟲，樂人之吉，湣人之苦，賙人之急，救人之窮，手不傷生，口不勸禍，見人之得如己得，見人之失如己之失，不自貴，不自譽，不嫉妒勝己，不佞諂陰賊，如此乃為有德，受福於天，所作必成，求仙可冀也。（《樸抱子》）

十方一切諸眾生，所有功德皆隨喜。（《普賢行願品》）

悔前莫如慎始，悔後莫如改圖，圖悔無益也。《（呻吟語》）

上帝一直在千方百計地教導人們掌握各種美德，要仁慈、要寬恕、要善良、要學會懺悔等，也許你的仁慈善良都會讓魔鬼有機可乘，但是只要我們能經常懺悔，上帝聽到了就能時時教導我們，那麼我們便不會被魔鬼所左右。（《上帝的話》）

若失本心，即當懺悔之法，是為清涼。（《金剛三昧法》）

到處相逢原不識，有時不識卻相逢。（《人天眼目》）
同是天涯淪落人，相逢何必曾相識。（《琵琶行》）

一蓑煙雨任平生，也無風雨也無晴。（蘇軾）
到此即空還即色，遍時宜雨亦宜晴。（五臺山廣仁寺）

回願得明王聖主輔相之，敷其五教，導之以禮樂，使民城郭不修，內池不越，鑄劍戟以為農器，放牛馬於原藪。室家無離曠之思，千歲無戰鬥之患。（《孔子家語》）

皇風振於九域，兇器戢乎府庫。是以禮制則君安，樂作而型厝也。（《樸抱子》）

真正的快樂在所有宗教的傳統歷史上都被提及為一種狀態：

無因喜悅（佛教）

內在的天堂（基督教）

神聖的快樂和安寧（伊斯蘭教）

純粹的福祉（印度教）

佳馨雖未拜讀《古蘭經》，幸運的是，她卻與一位穆斯林女友有緣，女友芳名曉莉，仗義執言、仁愛寬宏的她，在佳馨心目中，本身就是一部《古蘭經》。

阿育王「法」的訊息：「大家聽好啊，以和為貴，不要爭吵。願人人都願意去聆聽別人的教義。」

「儒釋無二道，生佛無兩心。」印光大師《儒佛璧合篇》。

「三教原來是一家，饑則吃飯困則眠。」張三豐《打坐歌》

王鳳儀善人呼籲：「各教的形式雖然不同，可是精神是一樣的，若是分門別派，就不對啦！」

佳馨考取曲阜師範大學的研究生，主修西方藝術。

佳馨首先拜謁

杏　壇

寬袍大袖　孔子拾級而上
臧文仲誓盟之壇

人為核心　禮為規範
學而不厭　誨人不倦
聖門四科
德行　言語　政事　文學
弟子三千
造就七十二位先賢
琴音杳杳　悟文王操
詩聲朗朗　興觀群怨
倫理道義　美善一體
杏花飄香
映襯鶴髮童顏
清風含情
名播千古《論語》
敘《書》刪《詩》
正《樂》贊《易》
耿耿此心　光昭日月
諄諄教誨　舉世永繼

杏壇　萬世立教第一聖地
流芳溢彩　天經地義
沐浴華夏
復興中國夢的晨曦

佳馨朝聖周公廟，年久失修。身為周公後代，歎歎。

兩翻譯

夏日傍晚。

佳馨穿著黑白格長裙，繫同色蝴蝶結，和好友明芝在校閒遊。

班裏正開舞會。

英語系門口。兩位穿軍裝的男生和她們打招呼，問好。

他們遞上名片：「我們是北京外國語學院的畢業生，來此地軍訓。」

一個姓高，名松，在中日友好協會工作；一個姓胡，名坤，任外交部翻譯。

佳馨好心邀請：「你們倆去樓上跳舞吧，恕不奉陪。」

「我們想找外教練口語。」他倆異口同聲。

佳馨指示外賓樓：「就在那兒，你們自己去吧。」

「你得給我們引薦引薦呀！」胡坤請求。

佳馨和明芝帶他們去外賓樓，介紹給外賓理查，然後，告辭。

高松瘦高，舉止瀟灑，跟出。

江南女子

高松問佳馨：「附近有沒有咖啡廳？」

佳馨遺憾：「沒有。」

高松輕聲問佳馨：「你的家在哪裏？」

「山東 —— 孔孟之鄉，禮儀之邦。」佳馨自豪。

高松說：「我還以為你是南方人。」

佳馨抿嘴一笑：「我喜歡南方：楊柳楊梅青澀酸甜，絲綢絲竹夢中開花，影中迴響；蠶歌桑林霧一樣，漫過水郭村莊。賣花姑娘恬靜的笑，青石弄堂平仄抑揚。」

高松驚歎：「錦心繡口，出口成章！」

佳馨不好意思：「你為什麼說我像南方人？」

「容貌氣質都像。」高松回答。

「怎麼個像法？」佳馨追問，她不知為什麼，對高松有好感：他就像京劇裏的俊小生，自己就像京劇裏的俏花旦。兩人上演一出《鳳還巢》。

高松答：「像一根南方的翠竹。」

佳馨直言：「見笑。我見

江南女子

月畫煙描水剪雙眸

淡若平湖秋

霜雪般白膩的手

撐起悠悠蘭舟

洗濯太湖菱藕

採擷相思紅豆

柔柔軟軟的吳音

縈繞水樣的清愁

輕輕碰落沈醉的甜橙

簪一朵白蘭花

香透吹徹玉笙寒的小樓

江南女子
一朵祥雲出岫

蕙風蘭思
梅雨般朦朧暈開
洇成夢裏淙淙水流
延伸絲竹小巷
長長更漏
搖曳三兩盞初星
一彎新月如鉤」

「太美！」高松擊節歎賞：「我家在錦州。到我們宿舍
去玩吧！」

「我老家在雅安。」胡坤走出，也約邀。

「好地名!」佳馨婉言:「天色已晚，不去了。」

佳馨把分手當做再見.

她回想起今晚，想弄清自己的籍貫。佳馨從小就有江南
情意結。父親只知道，佳馨老家的人是用一根扁擔挑倆小孩
遷徙至棲霞。

佳馨知道自己是南人，因為，每逢「喜鵲叫，貴人到。」
《容齋筆記》上講是南人的說法。

喜鵲飛到佳馨窗前的電線杆上，佳馨聽到手機響起彩鈴
聲，忐忑著喜悅的心結：莫非是他？

父親說：「不許接騷擾電話！」

　　喜鵲落在地上，走來走去，依依不捨地飛走了，沒有叫喳喳……

　　生物學家認為，喜鵲叫與天氣變化有些關聯。清晨，如果喜鵲邊跳邊發出婉轉叫聲，自由自在，就是晴天的預兆；如果在樹上落落飛飛，亂叫亂吵，叫聲參差不齊，就預示陰雨天即將到來。

　　孰是孰非，喜鵲定奪。

　　子曰：「寬柔以教，不報無道，南方之強也，君子居之。」正合佳馨。

　　佳馨是把喜鵲叫時見到的人，都認作君子。

求　愛

　　星期天中午。

　　高松和胡坤拜訪佳馨：「請你一起去日本留學生宿舍玩。」他倆買了水果。

　　佳馨剛洗了長髮，挽白蝴蝶結，穿綠 T 袖，綠花裙子。

　　佳馨推辭：「我日語生疏，不想去。」

　　高松力邀：「日本留學生會中文，一起去吧！」

　　盛情難卻，佳馨奉陪。

　　「我去拿學生証。」佳馨其實是想回宿舍換條最好看的粉紅連衣裙。

　　「不必，我們有工作證，走吧。」

　　他們一進屋，一個短髮日本女孩看見佳馨，就垂下頭，

默默退出。

日本留學生害羞地招待他們，個個低頭坐在地板上。
高松一口流利的日語，和他們談笑風生。
佳馨悄悄欣賞牆上貼的伊東深水的名畫

吹 雪

絳紫和服包裹著青春胴體
粉白的臉 莓唇一點
頂風冒雪 撐一把
天藍紙傘

烏雲高聳 插一枝黃木簪
紅綢輕挽 簇擁靦腆嬌顏
姿態端莊 情趣幽遠
袖口微露 筍指
牽惹祥和人間

塵寰盛宴 繁華沉甸甸
如虞美人
花蕾低垂
輕撫眼瞼心間

日本留學生山田問：「這幅日本畫和中國畫有什麼不
同？」
佳馨輕聲細語：「同是古畫，中國畫講究傳神、逸品、

疏異。這幅日本浮世繪，伊東深水用噴霧法使畫面秀雅工整、清新潔淨，表現出東方女性的文靜莊重。」

山田露出會意的笑容。

高松建議：「請山田君出個節目。」

山田回應：「好，就送給大家一首中國歌吧。」

他深情地唱道：

「不知道你過得好不好？是不是也一樣沒煩惱？像個孩子似的神情，忘不掉，你的笑對我一生很重要……只要你過得比我好，過得比我好，什麼事都難不倒，一直到老……」

佳馨想起威治曾經在她本子上寫道：「只要你過得比我好！」

日本人是不喜歡綠色的，佳馨後來才知道。佳馨回想那天，她穿一件綠 T 恤，綠花長裙子。

高松、胡坤都穿著綠軍裝。

佳馨不由啼笑皆非。

胡坤抓緊時機和佳馨交談，總搶話，惹起公憤。

高松說起一次他們包機回國。

胡坤問：「包機，日語怎麼說？」

高松和日本留學生忍無可忍，聯合排斥胡坤，怒目而視：「問你的膝蓋骨去吧！」

佳馨請他們吃西瓜，切成一塊一塊遞給諸位，緩和唇槍舌劍的局勢，然後，微笑著向他們告辭。

高松、胡坤一臉的不捨。

　　胡坤約佳馨去午餐，帶來一大包女生愛吃的零食：蟹黃葵花仁、魚皮花生、開心果。

　　胡坤無意中說：「高松很推崇你，佳馨，那天晚上，他對你讚不絕口。」

　　佳馨聽了，內心一動。

　　她沒做聲。

　　飯後，胡坤送佳馨許多禮物，佳馨不肯要，兩人推來搡去。售貨員小姐看著他倆直發笑。

　　英語係主任辦公室。

　　胡坤在電話中對佳馨直言不諱：「I love you.（我愛你）」

　　佳馨嚇了一跳。

　　她心裏一陣激蕩，她想對高松說一聲

我愛你

　　我愛你如同清風俯吻著海洋
　　捲起層層白花的波浪
　　像依偎碧水的睡蓮
　　迷戀著幽雅寧靜的池塘
　　我愛你如同露珠眷顧著草葉
　　我愛你如同蜜蜂纏綣於花朵
　　為愛情而浪漫　因崇拜而陶醉
　　我愛你如同紅蜻蜓在水面流連
　　我愛你　至愛如同美麗的伊甸園
　　比白雲純　比甘露潔

比彩霞　彩虹更絢爛

北　上

胡坤懇求佳馨去北京玩。

佳馨正巧想上王府井書店買參考書，一口答應。

路途中，佳馨望著車窗外綿延的華北平原，熱淚盈眶。她流了一路的淚，深深地感受到對祖國這片土地的愛，無可替代。

胡坤的宿舍。

佳馨和胡坤「共眠一室聽秋雨，小簟輕衾各自寒。」

胡坤失望，痛哭。

佳馨好言相勸；「我們是朋友。」

佳馨款款

抒　懷

千里迢迢飛京城，青鳥赤心鑒蒼穹。

陽臺神女不入夢，書田文圃覓仙蹤。

胡坤掂起佳馨右手：「你戴的什麼戒指？」

「石榴石。爸爸給的。可養顏，保旅途平安。」佳馨縮回右手。

「今年冬天，我會去你家，給你一枚訂婚鑽戒。」

「不要。我不想結婚。」佳馨找到唯一不傷胡坤自尊的藉口。因為，此時，她沒有「執子之手，與子偕老」的感受。

她在逃避，逃避胡坤的眼光：像兒童，傷心得不堪一擊。

胡坤給佳馨買來一條 Prada 真絲綠裙子，佳馨婉拒：「留著給你姐姐穿吧。」
「你是個人精，佳馨。」胡坤斷定。

書　信

佳馨返校。
胡坤寄來大捆《Times》（《時代》），克林頓就職演說磁帶和一首詩

梔子花
　像一朵澹澹的梔子花
　白若凝脂　清若冰雪
　慧根生紅塵　幽香飄雲闕
　典雅素屬　星眸貞潔
　瓊肌玉骨　怡然自悅
　一番高風亮節

　佳人溫馨
　工筆仕女圖中
　向我恬靜笑吟吟
　飛入新天地　純樸天真

佳馨也很喜歡梔子花。劉禹錫詩曰：「**色疑瓊樹倚，香**

似玉京來。」

　　莊子說：「樸素，就是不含雜質；純真，說的是不損害精神。能夠體會純真和樸素的人，叫做真人。」

　　佳馨是真人。

　　栀子花的花語「純真的友愛」是佳馨對胡坤情感的定位；

　　栀子花的寓意「謹慎」是佳馨對胡坤情感的回應。

　　佳馨覺得自己不像栀子花。

　　自己細高挑，栀子花豐腴飽滿。

　　古代文人把王熙鳳比作栀子花：「花之色香俱妙者為上，有色無香有香無色次之。花中惟栀子一種，其色白而不潤，其香烈而不和，非大觀園中之熙鳳乎？」

　　佳馨不以為然。

　　栀子花與世無爭，淡泊自甘的婉娩與鳳辣子大相徑庭。

　　鳳姐像尖俏火紅的石榴花：「一朵佳人玉釵上，只疑燒卻翠雲鬟。」

　　佳馨覺得胡坤寫的《栀子花》像自己的好友靜新姐。靜新姐和佳馨評詩論詞，玉台金管，妙意曼哦，望之如姑射仙人，林下風範，就把這首《栀子花》鄭重轉贈給她。

　　靜新姐對佳馨說：「小時候，一位老太太給我姐妹們算命，勸我出家為尼，與佛結緣，功德非凡。我母親捨不得。」

　　佳馨笑：「姐姐人緣佛緣皆好，我也捨不得姐姐出家呢！」

梔子花為花中禪客，因梔子花種子來自天竺。佳馨和靜新姐有佛緣。

靜新姐贈佳馨絕句一首

致文君
子建八鬥添文采，
毫端蘊秀敘情懷。
德言容功皆俗事，
不及文君詠絮才。

「你寫的詩，像清水似的。佳馨，你永遠是我心目中最純潔的人。」靜新姐評論。

佳馨答：「姐姐，有些感情是詩也不能表達出來的，只有淚水才是最真實的表達寫照。」

「有時明知有益，也不屑為之。」靜新姐用素手掠一掠鬢邊漆黑柔亮的短髮。

「姐姐是高潔之人。」佳馨點頭：「人家得意，妹妹淡然，情願和姐姐甘苦與共，永以為好。」

倆人的手握在了一起。

胡坤來電：「只想看看妳。」

佳馨堅拒。

她是鏡中花的花，水中月的月，白日夢的夢，可遠觀而不可近瀆；

如今遠觀亦不可得……

胡坤自歎不走桃花運，在給佳馨的信中寫道：

　　分離的歲月是一本相冊
　　相聚的日子是一串珍珠
　　願用珍珠串一本相冊
　　珍藏起喜喜悲悲的離合

佳馨看了難過，卻無法安慰。
日子久了，也就只有淡漠和感激的疏離。

胡坤約佳馨在煙臺山公園相見，佳馨

赴　約
你在園裏等我
站成一棵紅豆
一根苦竹
一樹櫻花的落寞

我在園外看你
望出一朵彩雲
一片風箏
一縷春韻的琴瑟

你站著　思念我

　　我望著　辭別你
　　你留下一首長青的戀歌
　　我放飛一隻潔白的仙鶴

　　明芝接到胡坤的電話，託她轉告佳馨：現在他在中國駐泰國大使館工作，他依然愛她；如佳馨願意，畢業後，胡坤可推薦她到外交部當翻譯。

　　佳馨在日記中寫下：「愛情不是世界上最重要的事情。愛情是自私的。」

　　寫作外教理查在佳馨的日記上批語：「愛情從對方身上觀照自我，倆人互相包容，共建對雙方有利的願景，祝福幫助彼此。這並非自私，而是愛情的實質。」

什麼最重要

　　理查是個英俊機智的美國青年。

　　全體女生傾慕他。

　　明芝苛刻地評論：「他的頭髮不好看。」

　　理查有自知之明，公然在班裏笑：「我知道我的頭髮不好看。」

　　作文題目佳馨似曾相識《世界上什麼事情最重要》

　　佳馨的作文主題是「純潔」。

　　她得了「Good」（好）。

　　香蘋和佳馨是老鄉，一個熱情爽朗的姑娘。

她的評語全班第一：「Excellent（優異）」。

香蘋想考博，但為家人貧困的農村生計著想，決定畢業後去深圳打工。

理查寫到：「我仰慕你為家庭的奉獻精神。」

佳馨讀罷，和香蘋的無私相比，自己簡直是個幼稚的自我中心的小孩子。

兩人結伴去測血型。路上，佳馨說：「香蘋，你是 B 型，我是 AB 型。」

一測，果然。

回來的路上，佳馨猜；「香蘋，你是天蠍座吧？」

「是呀，你怎麼知道？」

「憑感覺。」佳馨道。

香蘋問：「佳馨，你是人是仙？」

佳馨靈機一動，眨眨眼：「瞧，前面有一個老太太，她手上提了一個袋子，袋子上寫的是什麼，我就是什麼。」

兩人走至老太太身旁，定睛一看：袋子上寫了一個字：玉。

「原來如此，」香蘋拍手：「真神了！」

佳馨應邀去香蘋家玩。

香蘋媽媽坐在桌前，用棒槌熟練地織著花邊，佳馨在一旁看得眼花繚亂。

香蘋媽媽邊織邊勸：「閨女，咱可不能一棵樹上吊死。」

精明的大嬸一眼看出佳馨的「癡」。

　　香蘋愛護有加：「有時，我真擔心佳馨鑽牛角尖兒出不來。」

　　香蘋和佳馨摘

山　楂

紅彤彤的山楂
仿佛鮮血凝成
泛著健康的光暈
血氣方剛　山楂的血性

甜如蜜糖
酸似柑橙
酸甜生涎　滿口餘津
熱烈綿長　山楂的品味

堅硬頑強的內核
深藏不露
形似元寶　籽粒團圓
實而彌堅　山楂的骨氣

秋風細雨
吹洗赤子之心
山楂像繫根鄉土
志士仁人

　　佳馨終於知道人世間善良仁愛之心最重要。民諺:「善
為至寶,一生用之不盡。」

失　戀

　　佳馨對高松動了真情,情書每週一封,附自己最得意的
照片。
　　情場上戀愛談得風生水起的佳馨「慘遭滑鐵盧」。
　　高松吝惜得一字千金,寥寥數語:
小妹妹:
　　你是一個出色的女孩,我喜歡你。
　　等我,我會珍藏你的照片。
　　聽話。

　　佳馨回想高松親切的

垂　青

流星閃爍銀漢
顧盼
我快快把頭低下
相識突兀遽然

東風吹綻花瓣
眷戀
我輕輕含羞嬌笑
相知香味蜜甜

秋葉飄掠湖面
流連
我靜靜凝神冥思
相契姿態婉轉

春夢驚醒冬眠
纏綿
我悄悄情竇暗開
相戀珠淚潸然

佳馨

問

你真的喜歡我嗎
我抬眼仰望藍天白雲
蒼穹晴朗明亮
陰濕的是我的愛心

你真的傾慕我嗎
我低頭俯問芳草森林
玫瑰嫣然含笑
哭泣的是我的癡心

你真的思念我嗎
我側耳聆聽牧笛鳥音

布穀歌聲悠揚
忐忑的是我的童心

你真的眷戀我嗎
我跪下拜謁月下老人
紅線系在哪里
飛翔的是我的誠心

你真的珍惜我嗎
我輕手叩敲你的心門
如有一句「請進」
無怨的是我的真心

佳馨記下

相　遇

六月乳色的黃昏
你謎一般的情意
輕叩我寂寥的心門

默默的凝視
種下甜蜜　悲淒
在天真的一瞬

於是海浪的喧嘩
突然間變成音符

為這短暫的相遇
匆匆的離分

留下一個孤獨的女孩
品嘗
淡淡的苦澀
細數
滴雨的光陰

明芝開導佳馨：「茱麗葉只為羅密歐殉情。」
一語點醒夢中人。
佳馨寫信索還情書。
高松不回信。

佳馨打長途電話。
高松回電話：「我把你的信和我父母的信一起撕了。」
佳馨大惑，中斷來往。
胡坤曾無意中說，高松奉命去東京大學進修兩年。
兩年後，佳馨給高松寄去一封信：
青春是多麼留連，那時，我們並肩走在一起，我多麼希
望賓館的樓梯長到天邊，永遠都走不完……
青春是多麼美好，就像那天午後，陽光透過白楊樹葉，
斑斑駁駁，灑在我的綠花裙子上，我們笑著對視，相互說：
「再見！」。然而，我們卻再也沒有相見。
高松回信：
青春是一本打開就再也合不上的書……初識，天心月

圓，華枝香滿；分離，有情爭似無情；再見，白雲飄飄……
　　佳馨

有　感
　　燕山深處霧重重，濛昧千絲萬縷情。
　　飛雲冉冉來復去，鳳凰臺上難相逢。

高松已身居要職。
　　佳馨打開電視，高松正做客香港鳳凰衛視，接受魯豫採
訪……
　　人生就是緣！惜緣……
　　佳馨

品　味
　　青眛　飄落我眼底
　　甜吻般柔膩的蜂蜜
　　融化纏綿的芳醴
　　紅唇彎翹花瓣的顫慄

　　細語　印記我心裏
　　彩雲遊蕩明澈的柳堤
　　柔情漣漪般泛起
　　躍出一對潑剌的紅鯉

　　思念　繾綣我夢囈
　　月亮賜予星光的嘉禮

溫暖愴寒的孤寂
臉底洋溢銀蓮花的笑意

哦　愛的序曲
情的奧義
聽
小提琴婉轉地低泣
幸福的淚滴

香　蘋

佳馨如此喜愛香蘋，化成一首

青蘋果

姑娘　青蘋果一樣的姑娘
渾圓脆生　秀拔出眾
咬一咬　酸溜溜
個性強鬢眉不讓
品一品　甜津津
賽蜜糖兒女情長
澀澀英姿逼人
弓箭般矯健
脖後紮著辮子
散發綠葉般的冗爽

天地是你的舞臺

背景是曙光
明媚的笑把早晨
映照得亮亮堂堂

真是俊俏的姑娘
像剛從枝頭摘下的青蘋果
沾滿露珠的清涼
讓人一見直想啃一口
牙齒發癢

明芝看後，密語：「香蘋心眼多，整天樂呵呵。」

佳馨激賞：「長快活是真功夫。」

「惺惺惜惺惺。」明芝笑諷。

「香蘋喜歡新奇，刺激。我偏愛心體通脫無礙。」佳馨說：「我是曉來紅濕處，花重錦官城。她是昨夜西風凋碧樹，獨上高樓，望盡天涯路。」

「香蘋是：刪繁就簡三秋樹，佳馨，你是：領異標新二月花！」明芝恍然大悟。

「聰明！如靈芝通透。」佳馨會意。

她的心注滿淚水，那是心疼爸爸的苦水，自己辛勤耕耘的汗水，如今生長出清淨的蓮花，大慈大悲，只有愛：她看見菩薩立於蓮花座，執淨瓶，柳枝，向她走來……她預知自己的人生，只有釋懷……

佳馨從小在自由自在的思想空氣裏長大……馬克思·韋伯認為，一個人希望得到救贖，能夠被救贖有賴於一個人的世界想像。佳馨正是具有如此想像力的人，她生活於自己的

想像中，脫離肉體軀殼的禁錮，精神上升到純美的理想境界……

　　明芝撅嘴：「咱倆這麼好，也不見你給我寫首詩。」

　　佳馨被逗笑：「這有何難？明芝，你就像一棵

美人蕉

　　玉立在月光下
　　香樟樹般亭亭
　　性情幽蘭般靜
　　品格梅花般清

　　兩道眉春山長畫
　　一雙眼秋水低橫
　　不施脂粉自多姿
　　更有銷魂嬌屬紅

　　山間清泉一樣純潔
　　林中小鳥一樣輕盈
　　湖邊水仙一樣優雅
　　教堂聖女一樣端正

　　全個人兒都純淨
　　恰似明珠靈芝
　　自然的天賦榮耀
　　為美化人間而生

明芝問：「我真有這麼美？」

「自然。你是人見人愛，花見花開。」佳馨擔保。

「你，佳馨，溫潤如玉，愈來愈像一幅水彩，淡泊寧靜，」明芝由衷：「蜜蜜柔柔，濡得出水。」

好　人

晚自習後。

理查走進教室，坐在香蘋旁邊，朗讀法語課文。

他發音純正，令全班同學為之動容。

佳馨想靜一靜，闔上書本，走出教室。

香蘋回到宿舍，問佳馨：「你怎麼走了？理查很不安，問我是不是他讀書妨礙了你學習。」

佳馨不置可否。

香蘋熱忱：「理查是好人，你不要錯待他。」

「他又不是你哥。」明芝嘲弄香蘋。

「非親非故，能生愛癡，清淨的大愛。」佳馨制止明芝。

「兩人同高一尺一，什麼字？」明芝問。

「待。」佳馨不假思索。

「對。也就你如此看待。」明芝笑。

美　腿

香蘋在宿舍讚歎：「理查的腿真美！」

明芝戲謔：「我怎麼沒看出來？你怎麼知道的？」

「壞丫頭！」香蘋啐道。

佳馨直覺香蘋在隱隱誇耀自己的長腿，因為理查的腿一般。

「你是想誇自己的腿美吧？」佳馨洞察。

香蘋紅了臉，想說什麼，又沒有說。

姑娘啊！有時候多麼愛慕虛榮。

書　屋

佳馨梳兩條長辮，紮雪青蝴蝶結，蠟染靛藍頭巾，穿一件藍花盤扣上衣，繫一條石榴裙，腳下黑平絨方口布鞋，走進一家新開的「席殊書屋」。

書架用綠蘿裝飾，青綠養眼。

佳馨見架上擺著

古　陶

朴質全真　神秘古奧
安居情感中心
摸索著粲然笑痕

蟠龍彩鸞　赭色魚紋
裝飾時光　靈氣氤氳
淨如鮮活處子
微綻著羞澀桃暈

古而彌新　大巧若拙

　　純樸敦厚　意趣天然
　　歷史沉湮為靜謐
　　乳白月光流溢的空間
　　斑駁　那個時代的輝煌
　　充盈　那個時代的隱私

　　一件遠古的陶罐
　　大地泥土永生的自傳

　　佳馨默默流覽。

　　老闆是一位二十歲左右的青年，目光相遇，佳馨躲閃，靜靜地捧讀《幽夢影》。

　　第二次，佳馨去書屋看書。

　　老闆招呼道：「Hi！我以為你是茶樓小姐，一連幾天去『凡德』找你。你模樣打扮古典。家住哪裏？」

　　佳馨未搭理。

　　「你在哪兒上學？」

　　佳馨保密。

　　年輕老闆的熱情沒讓佳馨動心，像書架上北島的《失敗之作》。

　　佳馨覺得老闆像一枚書籤，插書隨便；對一個陌生女子品頭論足，像廉價書評，輕薄膚淺。

　　佳馨離開書屋，不知怎的，忘不了他劍眉星眸，書卷氣的臉像暢銷書海報般搶眼。

佳馨不敢再去那家書屋。

馬路上驚鴻一瞥，青年老闆正從屋內向她注目，目光沉靜……

佳馨一怔一慌，快步走過，眼前滿街是他明眸閃爍。

青年老闆和書屋喬遷。

別了！席殊書屋！

佳馨如釋重負，心有遺憾：書屋的書，高品位，不俗。

人性論

理查讓學生們讀一段短文，歸納段落大意：

我們如此衷心祝賀自己的這個「進步」帶來了更密切的檢驗。在人性的開端，我們的祖先幾乎和聰明的類人猿相差無幾。他們過著不舒適、不安定的生活，向鄰人們開戰，通常死於暴力、疾病或營養不良。懷疑和自私統治著當時。但是，當然，他們沒受益於宗教和哲學、高等學問或科技。相反，我們生存在盛行人與人之間寬容和互相理解的時代是多麼幸運，允許我們在一個科學的奇跡給人類帶來和平、富裕和健康的世界撫養我們的孩子們。

同學們展開討論。

全班同學各抒己見，竟無一人答對。

理查公佈答案：人類並未真正進步，因為他們的基本人性未變。

佳馨舉手發言：「中國古語曰：『人之初，性本善。』」

孟子曰：『人性之善也，如水之就下也。』王陽明再次提醒我們：『至善者性也，性元無一毫之惡，故曰至善。』顧城『黑夜給了我黑色的眼睛』是赤子之心的視窗，而不是陰暗邪惡的魔窟。美國科學家研究發現，新生嬰兒對他人的痛苦表現出同情的感受和相助的舉動。可見，人性本善。我們新人類怎能逆性而行，學浮士德把靈魂抵押給靡菲斯特，以致黃鐘毀棄，瓦釜雷鳴？同學們，堅定地相信，理想主義最終必將戰勝物質主義。相信年輕，熱愛生命 ── 人類的理智不應藐視人性。人性是『由無數世代苦心積累的神聖不可侵犯的廟堂珍寶。』尼采如是說。」

全班同學報以熱烈的掌聲。

理查冷靜：「荀子有『性惡說』。人之善如受到不公平對待，則如水，孟子曰：『搏而躍之，可使過顙；激而行之，可使在山。』人性會變惡。」

「人性是動盪不安定的。『當我凝視著黑暗，我就會在黑暗裏。當我凝視著光明，我就會在光明裏。』」佳馨用圓性法師的詩句總結。

理查點頭稱許。

全班同學再一次爆發出掌聲。

羞　澀

理查脫下外衣：淺灰色西服襯衫繫一條深藍領帶，他站在講臺上，玉樹臨風。

全班學生的眼球都仰慕他，他看起來實在 decent（得體）。

理查接觸到佳馨的炯炯目光，低下頭，沈思。

佳馨提筆一首

羞　澀

不知道什麼緣由
你悄悄垂下眼簾
也悄悄垂下了頭

像剛剛彎出地面的青豆瓣兒
卸下了千斤重擔在眉頭
無端襲上一星甜蜜在心頭
期待著春陽下
一展身姿
生命的翠芽兒抖

綠葉呵護微綻的蕾
雲影輕遮圓月的綢繆
春風吹綻一池春水
蝴蝶攏翅在花心逗留

你腮上朦朧的桃暈
靦腆了整個冬季
哦
明媚的春天還沒走

理查在黑板上抄寫一首美國詩人龐德（Pond）的

抒情曲
── 我的愛人快樂而善良

我的愛人不容易找到
就像水底的火焰

風的手指
迎著她的手指
送來一個微弱的
快速的敬禮

我的愛人快樂
而且善良
但是不容易遇見
就像水底的火焰
不容易遇見

理查請同學們談感想。

佳馨舉手。

理查示意。

佳馨站起回答：「Pond 的名字在漢語中是池塘的意思。Pond 是意象派詩人的代表，他把愛人比作水裏的火焰是有寓意的，用愛情之火溫暖他的池水的冰冷。

中國古人常把水作為憂鬱的象徵，如：花紅易衰似郎意，

水流無限似儂愁。抽刀斷水水更流，舉杯澆愁愁更愁。問君能有幾多愁，恰似一江春水向東流。龐德的愛人是快樂的，安慰他池水的憂鬱。

龐德也許讀過中國《周易·既濟》象曰：水在火上，君子思患，而豫防之。」

理查稱讚：「佳馨有見地。」

他獎勵她一本《The Vicar of Wakefield》（《威客菲爾德牧師傳》）。

流行歌

佳馨的日記：

香蘋借給我幾盒流行明星錄製的磁帶，有 Carpenter 和 Jackson。她保證：「棒極了！」

音樂響起，朋友們激動、亢奮，他們眼光明亮，雙頰赤紅，伴隨音樂蹦迪。

我欣賞他們的快樂，但不太喜歡流行歌。我並非偽善。我學習英語，但我是傳統的中國女孩，喜歡中國民樂，也喜歡西方古典音樂。它們給我心靈享受，放飛我想像力的翅膀，陶冶情操情趣……

有的流行歌像棉花糖，柔柔的，軟軟的，舔一口，甜甜的，還未細細品嚐，就已化去，沒有回味餘地。

理查的評語

佳馨：

首先，我應該告訴你，我也喜歡西方古典音樂。

　　我帶來一些磁帶，也許你可能愛聽：Bach, Vivaldi, Chopin 和 Mendelssohn 等。

　　你像一個音樂家一樣激勵我。

　　你知道，藝術是我的最愛。

　　你應該一直用心追求這些美妙的事物。

Richard

古典音樂

　　理查給佳馨送來維瓦爾第的小提琴協奏曲「四季」和蕭邦的音樂磁帶，希望聽聽佳馨的感覺。

　　佳馨特意模仿理查的親筆簽名

Richard：

　　你的磁帶給我帶來了極大的樂趣，尤其是維瓦爾第的「春」把我領入一個美妙的仙境。

　　非常感謝你，你真是太好了！

　　「四季」聽起來是巴羅克風格，對嗎？

　　蕭邦的「瑪祖卡」確實是「藏在花叢中的一尊大炮」，不同凡響。

　　我向你推薦中國的二胡曲「二泉映月」，他抒發了中國人面對坎坷不平的遭遇頑強不屈，百折不撓的意志和情懷，催人淚下：每個人都會從曲中聽出自己的心聲，對美好未來的無限嚮往，令人心潮如映月泉水激蕩……堪稱中國的「命運交響曲」。

再一次向你致以真摯的謝意！

佳　馨

尷　尬

佳馨給理查送還磁帶。

她敲敲房間門。

「哪位？」理查問。

「是我。」佳馨直接走進。

理查神經緊繃繃，一反常態，不看佳馨，焦灼地垂首凝思，彷彿有重大事情要決定。

佳馨不好多坐，放下磁帶，轉身就走。

回去的路上，佳馨納悶：為何理查對自己不理不睬，木訥拘謹？

佳馨躺在床上，百無聊賴，找出一本《美國大學生手冊》隨便翻閱，看著，看著，嚇了一跳，差點從床上蹦起來：在美國，女大學生一個人去男生宿舍通常表明兩人關係親密特殊，甚至可以暗示為性。

佳馨羞得臉發燒，為自己的莽撞無知後悔不已：理查會怎麼想？太丟人！

以後，怎麼面對他？

夜色中丁香朵朵，如心事愁思千千結。於光影明滅間，佳馨踥踥躞躞，花香盈滿袖，淚浥蝴蝶結……

裸　奔

夜深。

衝動之下，佳馨擺脫一切羈絆，跑進女浴室，擦洗乾淨，赤身裸體奔出門外，只覺自己如希臘女神，青春的血液在體內奔湧，暢快……

校園裏，明芝、香蘋見狀，急忙攔住佳馨，找衣給她穿。

同學們把佳馨送往醫務室。

明芝以為佳馨中邪，解下自己的紅腰帶，要給佳馨繫上，那一年是兩人的本命年。

佳馨反對：「你也需要它，明芝。」

「現在你比我更需要！」明芝兩個眼睛哭得腫得像李子，執意給佳馨繫上紅腰帶。這條紅腰帶，此時此刻，在佳馨的心目中就是她的生命線！

佳馨安靜下來。

香蘋讓她一一叫出周圍同學的名字。

佳馨高舉左臂，提升。

「自由女神！」香蘋叫喊。

「美國的自由女神是高舉右臂的。」明芝糾正。

「其實，外國大學校園裏也有裸奔現象。」香蘋道。

誰也不忍心說佳馨瘋了，只在心裏感嘆：Madness is genius（瘋狂是一種天分）。

佳馨笑對明芝：「我恐怕好不了了。」

明芝堅定：「你好也得好，不好也得好。」

佳馨回家時，同學們都給她送行。
香蘋說：「咱們回去吧，亡羊補牢。」

求　醫

南京精神病院。
雪白的牆壁上寫著：
修復破碎心靈　重建美好人生
佳馨頓感有了希望。

佳馨的心理醫生是一位中年院長，個子瘦高，堅定，正氣凜然。一見佳馨候在門外，他疾步走，朝著她小跑起來。

落座後，他向佳馨專注審視自己的目光笑笑：佳馨慎重地看著院長，似乎她是心理學家。

院長整個人流露出由衷的關懷和體貼，自然得彷彿是佳馨的親人。
病中的佳馨是孤單的，柔弱的，依賴的；治病的院長是溫情的，權威的，體貼的。
號脈時，院長面容鎮靜，手指微顫，隨即寧靜，凜然正氣，義形於色……
佳馨

一　熱
崇拜你的深刻

胸懷暗藏千丘萬壑
感受你的靜默
西風搖不動碧梧柯
仰慕你的高潔
熹光映照著綺霞色

你低下頭
你不看我
手指的一顫
撼我心頭一熱

夜　思

窗外閃爍繁星
窗內燈火通明
夜睜開著我難眠的心情
哪兩顆星星
像你明亮深沉的眼睛
哪一盞電燈
伴你伏案攻讀醫書
研究病情　再塑靈魂
讓患者獲得新生
你的使命多麼神聖
你是我心目中永遠的神祇
與病魔較量
總是你贏

多麼想替你擦擦汗
給你盛一碗蓮子羹
伴你淺斟低唱
陪你共數流螢
可我只能一個人注視著
夜幕中的那盞燈

「愛情呀！你手裏拿著點亮了的痛苦之燈走來時，我能夠看見你的臉，而且以你為幸福。」泰戈爾如是說。

佳馨用理智在心中點燃一盞崇拜的燈。

佳馨藏起

愛

愛你　心係黃山
仁者樂山
黃山颺出一朵晴嵐

愛你　心戀長江
智者樂水
長江升起一縷霞暉

愛你　心在南方
山水坦蕩
南方洋溢一生詩香

主治醫師黃彥給佳馨開鹽酸氟西汀，院長讓她喝合歡。

合歡是佳馨喜歡的植物：高大的枝幹，夜晚閉合的羽狀葉片。翌晨，舒展開來，粉紅細細花蕊點綴星星金黃，像小女孩的芭蕾舞裙，散發甜香……

合歡花又名馬纓花、夜合花。

佳馨清晨採摘合歡花，沖泡代茶飲，理氣安神、解鬱。

《紅樓夢》裏寶玉令將那合歡花浸的酒燙一壺來給黛玉，可謂對症下藥，兼解酒。

「合歡」一名有綺思麗想：合歡扇、合歡席。

李頎

題合歡

開花復捲葉，豔眼又驚心。

蝶繞西枝露，風披東幹陰。

黃衫漂細蕊，時拂女郎砧。

佳馨惜花心切，悲見其凋零，但願如韓偓所言：「總得苔遮猶慰意」；至於女郎砧上，可否被她撿起，插入髮間，像賜好姻緣的精靈？

但願。佳馨以合歡遙寄媞容：如合歡初相逢。

出院時，院長贈佳馨一卷手書：

「素甘淡泊心常泰

　曾履憂危體愈堅」

佳馨為了紀念，買一把「譚木匠」黃楊木梳，因院長姓譚，主治醫師姓黃。

「譚木匠」店掛一幅古聯

　　篦去一頭煩惱金陵巧製成珍品密疏皆入妙

　　梳出全身輕鬆菱鏡新妝對俏容櫛沐總相宜

店內掛一匾：我善治木

店老闆誇讚佳馨：「斜插梳子薄施朱，梅韻標格世間獨。」

植樹節。佳馨栽了一棵松樹，愛其卓然古茂的風姿。

便　條

佳馨回校後的第一篇文章

笑

「在真正是屬於人的範圍以外無所謂滑稽。……我們可能笑一頂帽子，但我們所笑的決不是這片氈或者這些草帽辮，而是人們給帽子製成的形式，是人在設計這頂帽子式樣時的古怪念頭。這個事實是這樣重要，這樣簡單，卻沒有引起哲學家們足夠的注意，實在令人不解。」

　　　　　　　　　　　　　　　　　　—— 柏格森

我卻意識到此點。

明芝把她給我買的會叫的小狗向我表演，我大笑不止。

並非因為笑小狗，而是笑玩具商給狗做成的形式：穿著紅衣服，瞪著兩眼，尾巴直搖，為了討好買家，還會「汪汪汪」叫，人模狗樣，實在滑稽可笑。

柏格森的確理解可笑的內涵，不愧為直覺主義哲學家的

代表。

　　理查附言：
　　謝謝你讓我重溫柏格森。
　　佳馨發現本子裏夾著一張便條：
　　佳馨：
　　我很高興你回來。我想念你。你想什麼時候來我這裏
都可以。

理查

　　上課。
　　理查在黑板上抄下一首英文詩

MIDNIGHT SONG

　　I miss you at midnight
　　When stars are deep and clear
　　How painful I suffer from
　　My dear , and sing of your love .

　　I dream you at midnight
　　When the birds have gong to nest
　　How joyful you I meet
　　For you are the one I love best .

　　理查轉身對同學們說：「我的漢語老師讓我把這首詩英
譯漢，哪位同學肯幫忙，作為獎賞，他可以不參加期末考試。」

佳馨歡欣鼓舞，搶先譯道

午夜之歌
我想念你在午夜
群星深邃而清澈
我想念你多麼痛苦
親愛的，為你唱情歌。

我夢見你在午夜
鳥兒飛回巢中來
我遇見你多麼快樂
因為你是我最愛。

佳馨譯完，滿懷期待地看著理查。
理查一笑：「譯得不錯。不過，你還得參加考試。」
佳馨坐下，想起理查寫給自己的便條，有一種異樣的感覺。

買饅頭

明芝幫佳馨先買到饅頭。
理查還在排隊。
佳馨見狀，就送給理查一個饅頭。
理查接受了。

佳馨和明芝走出餐廳。
一個男生盯著佳馨的胸脯，叫：「賣饅頭！賣饅頭！」

佳馨不屑。

「下流！」明芝義憤填膺，轉過臉安撫佳馨：「別理他！此等人好比阿 Q。」

佳馨

自　題

心如瑩雪氣如檀，汙言穢語豈能玷！
玉兔相親桂花濃，嫦娥月宮不思凡。

理查送給佳馨一篇 Wiesel 的 Essay：

…what is a friend? Someone who the first time makes you aware of your loneliness and his, and helps you to escape so you can in turn help him. Thanks to him, you can hold your tongue, without shame and without risk. That's it.

（什麼是朋友？某個人第一次使你意識到你和他的孤獨，幫助他逃避，於是你能轉而幫助他。感謝他能使你閉嘴而沒有羞恥，沒有風險。那就是朋友。）

理查精確地把握了他和佳馨之間情意的敏感度。

佳馨思量，囘一段張潮之言：

「上元須酌豪友，端午須酌麗友，七夕須酌韻友，中秋須酌淡友，重九須酌逸友。」

理查用友情換取愛情，佳馨用友情拒絕愛情。

買冰棒

理查給全班同學合影留念。

天氣悶熱，陽光照射。

佳馨熱得皺眉。

理查看她一眼，馬上去冷飲部買了一大捧冰棒，每人一支。

冰棒涼在佳馨嘴裏，甜在佳馨心裏。

面對照相機鏡頭，佳馨戀戀的，笑得開心……

單獨會談

理查在課堂上宣佈：為使每個同學都瞭解自己作文的優點和缺點，他要在辦公室裏和每個同學單獨會談。名次已排好，佳馨排在最後。

晚自習。

佳馨提前在辦公室門口等候。

理查走來，嚴正得像個清教徒，眼觀鼻，鼻觀心。

「Hi，佳馨！」他招呼道。

兩人走進辦公室。

理查抱怨：「我感冒。」把醫生開的藥扔在桌上。

佳馨不懂醫學，不便開口，窘迫中連句應有的慰問也沒有說。

理查言歸正傳，開始講評佳馨的作文。

他批評佳馨用詞華麗堆砌，說明好文章是用最簡潔的語句寫成。

佳馨異議：「中國陸機認為，詩緣情而綺靡。因為我有

詩心。」

理查話題一轉：「我有個妹妹叫 June。」

佳馨隨口問道：「Was she born in June?」（她出生在六月嗎？）

「猜得好。」理查面無表情。「她取我姨媽的名字。」

理查給佳馨看 June 的照片。

佳馨客客氣氣地恭維，出於禮貌：「她非常美麗。」

理查並不領情：「不，她不美。」

「我也有一個妹妹，她是我們全家的驕傲。在朗訊工作，去過許多國家。」佳馨自豪地提起自己的家人：「爸爸是高級工程師，媽媽在檔案室工作，妹妹是開心果。」

理查饒有興致：「她是怎樣一個女孩？」

佳馨說：「她是天秤座。我用她的幸運花名給她寫過一首詩」

花　釋

幽闃精緻紫羅蘭
貴　溫潤如玉
神秘綻放心田
天真爛漫

嫣然嬌豔紅玫瑰
美　悟性如歌
熱情洋溢眉端

姿態萬千

靈活優雅延命菊
喜　和氣如荃
甜蜜凝聚唇邊
怡沁月圓

矜持柔婉歐鈴蘭
隱　至愛如禪
甘露滋蘊眼簾
遐思無限

「美妙！」理查好奇：「我想聽聽你們家的趣事。」
「我是幼稚園識字課本，媽媽是佛經，爸爸是電腦，妹妹自稱是操作電腦的高手。」
「哈哈！有意思！」理查笑。

佳馨深情款款，向理查描述自己的

父　親

青筋暴露的手臂
蜿蜒著一生的奔波勞劬
高昂的額頭頂一盞雪亮的礦燈
探索黑漆漆的巷道
睥睨險情　引來閃電機車轟鳴

清澈的眼神依然兒時的晶瑩
緊抿的嘴唇鏤刻慈悲的福音
啊 父親
綽有古意 樸茂南山
脂香沁人 滄桑蔥蘢

像遮風擋雨的門扉
庇護著全家安危
像築巢的知更鳥
為老小銜草加溫
你的每一個趔趄的腳步
都震顫著我心靈的回音
你的每一聲疲憊的歎息
都牽動著我敏感的神經
你的每一滴絕望的淚珠啊
都粘合著我紛亂的靈魂
不讓崩潰近身

啊 父親
像竹有節虛心
清風瑟瑟堪為情侶
毫無塵俗新筍鬱綠
啊 父親
像蘭幽情逸韻
相伴瑞霞素心可親
根深葉旺芽苗鮮嫩

滿身的煤黑
勝似聖徒的潔淨
矗立著青銅雕塑般的歲月崢嶸
喜樂的心靈
上天最好的饋贈
秉持著人間正道是滄桑的豪情
你付出的重於泰山
青春熱血透支汗水
你要求的輕於鴻毛找點空閒踏雪尋梅
啊　父親
像梅華士高格
碧空悠悠　暗香遠逸
瘦骨硬性花紅燁燁

啊　父親
你若是烈日下的跋涉者
我願是一片綠蔭　悄悄為你低垂
你若是夜幕裏的獨行俠
我願是一輪明月　靜靜將你伴陪
你若是天涯海角的羈旅客
我願是一襲披風　默默共你風雨兼程
可我只不過是你純真的羔羊
唯美是瞻　擇善而從

「可敬。」理查感歎。

　　「爸爸有一次對我們閉目歎息：『等我這棵千瘡百孔的老樹倒了，看你們這些人怎麼辦？！』」佳馨心裏一陣難受，強顏歡笑：「我就安慰他：沉舟側畔千帆過，病樹前頭萬木春。爸爸也笑了。」

　　「爸爸幽默。有人偷拍我，我告訴他，你猜，他怎麼說？」佳馨問。

　　「因為妳漂亮。」理查想當然。

　　「才不是哪！他說，人家把我當嫌疑犯！」佳馨撅嘴：「同學們說我是校花，他故意問：『是笑話吧？』」

　　「知道嗎？佳馨，你很純真。」理查看著佳馨。

　　「有一回，我的詩歌榮獲全國文學藝術大賽一等獎，華夏博學國際文化中心在北京釣魚臺頒獎。我深感光榮自豪。」佳馨直言不諱：「爸爸就打擊我：『釣魚臺，還釣魚島哪！』我就回敬他：『在釣魚島更好，說明釣魚島是中國的神聖領土！』」

　　「你爸爸不應該這樣說。」理查評論。

　　「爸爸說我是一碗清水，一眼見底。有時，我也被家人誤解，很傷心。」佳馨承認，她已把理查看做自己人。

　　「什麼時候？」理查關愛地問。

　　「嗯，有一次看電視，男主持人朱軍特敬業。我脫口而出：『我太喜歡他啦！』妹妹說：『真噁心！』她把我想歪了。我很難過，但不想解釋。」佳馨抱怨：「她是我的妹妹呀，把我看成什麼人啦？！」

　　理查給佳馨倒了一杯開水。

　　佳馨說：「謝謝。」

　　「你應該維護自己，向她解釋。」理查教導。

「孔子曰：人不知而不慍。」佳馨唱高調：「可我似乎習慣了仰望妹妹的榮光。」

「如果你活在別人的影子裏，不做最好的自己，把潛力發揮到極致，你的人生不會圓滿。」理查嚴厲地批評。

佳馨默認。

理查小聲地唱起一首英文流行歌

> 善待你的姐妹吧　人們還不太知曉
> 真正的姐妹之情有多深
> 親情恰如海洋中深藏水底的財寶
> 而水面上卻發出閃閃光鄰

佳馨道：「妹妹待我很好，她去國外出差，經常給我買適合我的裙子。」

理查說：「一碗清澈見底的水能映出人間真情，你更像一片冰心在玉壺。」

「我願我的靈魂是一個要生火的竈。」佳馨堅定地說：「燃燒掉所有靠近我的誘惑。」

「你不喜歡那些誘惑，是嗎？」理查問：「對於一個女孩子，也許是可以炫耀的資本。」

「我害怕。」佳馨坦承：「雖然，有時也喜歡。可是，我最喜歡的人還是

爸　爸
我不羨慕崇高的名望

也不奢求無上的榮光
我只想拿一個小凳
靜靜地坐在你的身旁

這樣的幸福令我滿足
這樣的溫馨暖透我心房
命中註定你是我的親人
把這裏喚作久別的家鄉

我只能用全部的執著
愛你到地老天荒
仿佛
童年時的蝴蝶結
還繫在辮子上」

「佳馨，你的天分、本性本已了然。永遠不要失去你的
純真：單純，是天地間的至福。」理查循循善誘。

倆人互致「晚安」。

不要說「愛」

中午，佳馨去餐廳吃飯，正巧和理查對桌。

倆人默默無言。

理查低頭喝湯，然後，由下而上，用探索的目光注視佳
馨的眼睛……

佳馨明白，這是美國人向異性示愛的表示，倆人之間親

密感迅速升溫加強。
　　佳馨回應

探　索
你用探索的眼神看我
中國花房沉沉的羞澀
苞欲嫣然　香欲噴放
重門已深鎖
攢眉千度
無意招蜂引蝶
只渴盼一縷清風
傳遞你我的契合

你充溢翠竹的英姿含蓄
我挺秀紅梅的孤芳豔澤
目光碰撞　憑空交織
化作情網　心中鐫結

　　良久，佳馨鼓足勇氣，靜靜地開口：「I love you.」
她直視理查。
　　「Do not say love！It is dangerous！（不要說愛！危險！）」
理查放下碗，神色嚴峻，迅速離開。
　　佳馨一個人坐著，發呆。不聲不響，她悄悄走出餐廳，
永遠離開曲師大。
　　她困惑，不懂理查的意思：it 是指愛情，還是指餐廳？
　　佳馨想起羅納爾德的忠告：「永遠不要用 IT!」

明芝寫信給佳馨，勸她與理查聯繫，他仍留校執教。

佳馨想：有什麼好聯繫的？理查，你是個膽小鬼！

她瞧不起他，無視他。

因為岩琳對佳馨說過：

「愛無恐懼，愛是至高的道德；

愛無懷疑，愛是全然的真理；

愛無束縛，愛是真正的自由。」

理查的含義是：勇敢的。

佳馨想：真是從有虛名。

悔 悟

明芝通知佳馨：「理查已提前回國。」

佳馨說起和理查中斷來往的原因。

明芝驚呼：「你把理查嚇跑啦！理查聽到表白選擇離開，意味著他不逢場作戲，對愛情慎重嚴謹，富有責任感。佳馨，我的傻妹妹，你錯過一位善良的有道德的好丈夫！」

佳馨疑惑：「他當時為什麼說危險？」

明芝感慨：「他太幸福，才會如此。幸福是陌生的感覺，人會很孤單，他更需要勇氣。佳馨，如果你再在學校堅持一下，和如今會兩個洞天。也許生活的禪機就在於此。」

鐘嗣成《淩波仙》：「當時事，仔細思，細思量，不是當時。」香蘋有知人之智，理查是個好男人。

佳馨掩面長歎：「莫非前世那一眼，只為今生見一面！」

　　和你的情是我今生素手難繫的鴛鴦結
　　對你的愛是我來世繡鞋踏進的洞房檻

午夜夢回：「而今才道當時錯，心緒低迷，紅淚偷垂。」

此時此刻，佳馨

　　　　願
　　願夜不要像霧色這樣迷茫
　　願心不要像晚風這樣惆悵
　　儘管此刻你遠在異鄉
　　願這一行行詩句
　　盛開著勿忘我
　　載著心兒飛到你的身旁
　　願這縱情歌唱
　　捎去祈禱　祝福
　　永遠愛你像含羞的月亮

　　今夜燈花璀璨
　　哪一朵才是愛情的睡蓮
　　你可曾望見雨夜我的徬徨
　　尋覓你窗前明亮溫暖的燭光

我像往常一樣安靜隨和
誰知道痛苦的波濤
在心中澎湃激烈翻騰
我像往常一樣露出笑容
誰知道冰冷的淚滴
楓葉上寒霜紅豔晶瑩

展翅的天鵝究竟要飛多遠
願不願棲息在我清澈的湖水邊
順勢漂流　萬水千川
青蔥的浮萍能不能靠一靠我的岸
靜靜的回憶　脈脈的期盼
能不能追上你足音跫然

意猶未盡，佳馨譜一支

小夜曲

枕著你的美夢入睡
鈴蘭花吐露芳菲
嘴角漾著新月的嫵媚
星星竊竊私語也陶醉

枕著你的美夢入睡
多少往事值得回味
回眸一笑的驚豔
一波三折的歎喟

精心梳理的髮辮
不為你為誰

時空的隔離
天真的誤會
兩個有情人　望穿秋水
枕著你的美夢入睡
夢做得又香又甜又美

相思難抑，佳馨

想

清晨想你
柔情如玫瑰初綻
親吻純淨風語

午間想你
熱戀陽光般燦爛
跳吧金色倫巴

夜裏想你
思緒月光中返潮
淋濕纏綿美夢

我們的童話劇真短
序曲就是尾聲

　　灰姑娘剛讀懂王子的眼眸
　　水晶鞋就被小鳥銜走
　　飛上一棵大樹
　　結著累累甘甜的梨

　　歷史書上曾出現：「美國文化的主要來源是古希臘羅馬文化和希伯來文化。希臘文化給人以整潔、客觀、對稱、強健之美。」── 如理查正直的高貴品質；「希伯來文化給人以浮麗、主觀、歪曲、誇飾之美。」── 如羅奈爾得放浪形骸的荒唐頹廢；卡爾兩者兼而有之。佳馨想：他們在周遊享受世界；而自己躲在象牙塔裏，舔世界留給自己的傷口。

閱覽室

　　佳馨拿著書記給的一串幾十把鑰匙，開閱覽室的門，他已忘記應該是哪把。
　　結果，一試成功。
　　書記笑了：「有緣。」

　　從此，佳馨當上圖書管理員。她感恩上級的安排，熱愛自己的職業，體會到作為一名圖書管理員的價值，張申府先生說：「價值是在適當的位置，價值是美之事。」

　　佳馨自得其樂，作

閱覽室銘

花不在多　有芳則靈
室不在大　有書則雅
塵世淨土　囂外仙境
琳瑯滿目　奧妙無窮

閱經如沐浴　心清氣靜
讀史如觀戲　拍案而起
吟詩如品茗　齒頰生香
覽畫如旅行　妙趣橫生

無口舌之聒噪
無是非之縈繞
溪水洗耳　鳥鳴潤肺
竹喧識梵音　花發悟禪心
玩味有墨香　悅目有盆景
琅嬛福地　雙修仙閣
可以增道德　益智慧　娛性情

陶潛桃花源　莫爾烏托邦
佳馨曰：「夫復何求？」

　　書記吩咐大家：「佳馨身子單薄，你們工作上多擔待些。
大家聚在一起是緣分，要互相愛護。」
　　說「愛護」時，書記的目光和佳馨相遇，佳馨眉間心上
溫暖，像玫瑰初綻，徐夤詩曰：「春藏錦繡風吹坼，天染瓊

瑤日照開……」

　　佳馨工作兢兢業業，一絲不苟：閱覽室窗明幾淨，一塵不染，佳馨題
　　　「雲閑花秀麗，風靜竹平安。
　　　　書林含馥鬱，藝海貯英華。」

　　佳馨心滿意足。
　　閱覽室被評為先進部室。

　　佳馨一日宴坐。
　　有上門求婚者，無聊搭訕者，均被她嚴詞拒絕。

　　一位大叔戲言：「佳馨，天庭飽滿，地閣方圓。上你屋看書的人不認字，認人。」
　　一位學者笑道：「佳馨，你坐在那裏，像一幅畫似的好看。我來看畫。」

　　佳馨有時也

孤　獨
　渴望一份不期而遇的默契
　期待一個意料不到的際遇
　親近純淨的微風
　心靈在高升　不知所縈
　親吻新鮮的玫瑰

情感在徘徊　不知所鍾

嚮往一次達觀的脫俗
追尋一份無上的高明
也許
只需要一個由衷的微笑
卻只有執著的安靜

隔壁同事李然說：「孤獨是自誤。」
他唱起搖滾樂：
「孤獨是可恥的，現在是戀愛的季節。」

佳馨讀過的 Thomas Middleton

脫口而出

愛情全都在火中，但總在結冰；
愛情多屢戰屢勝，更飽嘗苦痛；
愛情總是要犯病，卻從未喪生；
愛情始終是真理，卻始終在欺哄；
愛情在喜愛中昏憒，在厭恨中發瘋；
愛情確實是一切，也確實等於零。

　　李然當過兵，參加對越自衛反擊戰。在佳馨心目中，他自有與眾不同的軍威風采。

潑　水

佳馨端著一盆水，剛想潑，見李然站在面前。

「李然，看我潑你一身水！」佳馨開玩笑，心想：他必會躲開。

李然站在原地，直直地，一動未動，似笑非笑地看著佳馨：「潑吧。」

佳馨不好意思起來，第一次有異性用這種態度跟她說話，她紅了臉，低頭把水潑向花壇。

白丁香

閱覽室的樓上是衛生服務站。

佳馨時常上樓給護士姐姐們代送郵件。姐姐們都誇佳馨辮子粗，衣裙漂亮，熱情得令佳馨難為情。

其中一位姐姐，仙骨瘦玉，明眸善睞，芳名麗莎。她溫柔地撫摸著佳馨粗黑的大辮子，愛憐地說：「發質真好！」

佳馨送給她一個英文名：Elise，意為：上帝的誓約，和她結為至交。

一夜。兩人並行，一流氓跟蹤，佳馨正暗暗焦急，麗莎忽然停住腳步，猛回頭，大喝一聲：「誰？」

流氓灰溜溜地跑遠不見。

佳馨稱讚：「姐姐真乃光風霽月之人！」

女　俠

猜你生在北國
你有南方浣紗女的嬌嗲
猜你生在南方
你有北國花木蘭的叱吒
臉龐兒白裏透紅
勝過山茶花
言談裏鏗鏘剛勁
竹子冒筍芽

身懷絕技　飛簷走壁
除暴安良　風生水起
妖魔鬼怪　魑魅魍魎
抱頭鼠竄　魂飛魄散
百步穿楊　正中靶心
玉臂輕舒　收回飛鏢
渡盡劫波泯恩仇
相逢江湖千金笑

比武招親　騰挪劈打
一枝獨秀　含羞入畫

琴心劍膽　香濃意滿
龍盤鳳舞　相依相伴
像懸崖峭壁盛開一朵雪蓮
豺嚎狼嘯　虎視眈眈

你揚眉劍出鞘　寒光閃閃
冰川潺潺吟唱
你驚世駭俗的傳奇篇

　　她見護士姐姐們天天勤勤懇懇地工作，又愛慕，又崇敬，
「護士節」那天，送她們一枝

白丁香

一襲白衣聖潔美麗
明亮的黑眸
好看的雙眼皮

忙碌的身姿亭亭玉立
像丁香花搖曳嫋娜
洋溢著碘伏的氣息
風采優雅　輕盈伶俐
像白蝴蝶起舞翩躚
祛消病人苦痛像春風習習
戰勝病魔的殺手鐧
捏在你靈巧的手指裏
針頭那樣細
比不上你的溫情柔膩
藥水那樣清
比不上你心靈的純淨

真想攏攏你額前散髮

讓你歇歇腳　喝杯茶
卻見你聚精會神　一針見血
臉龐沁著密密汗滴
像丁香凝露
最揪心嬰兒啼哭
母親焦急

蘭心蕙思　伴隨良藥
注入患者的脈搏
使他們早日康復
儘快痊癒

啊　善良的你
金針度人
令弱苗茁壯　枯木逢春

護士姐姐不好意思：「你把我們寫得太好！」
佳馨真誠地發自肺腑：「你們做的比我寫的還要好！」
丁香為「情客」，象徵護士姐姐對病人的一往情深。

從此，護士姐姐醫務室後多了一叢

丁　香
雲朵浸泡　藍天淨化　紫靄薰陶
心化葉尖　裊裊婷婷
捧十字架　玲瓏珍重

輕盈起舞
哦　丁香
晨祈伴奏感恩的丁香
快樂　活潑　激昂

笑聲此起彼伏
清風般透明
幽人蜜約　紗霧迷離惝恍
青鳥傳信　春夢祥瑞柔婉
哦　丁香
陽光親吻美麗的丁香
青春　浪漫　駘蕩

紫藤的馥鬱　蘭花的清淡
纖蕊凝香
撩撥蜂蝶熱烈的愛意
暈霓彩氣氛
哦　丁香
花神眷顧芬芳的丁香
福祉　播撒　飄揚

懷著小兒女甜甜的心事
含情凝睇　婉孌低眉
躲避星星好奇的探尋
嫣然一笑　慾語還休
哦　丁香

月色眷戀羞澀的丁香
童貞故事深藏

為人處世

　　人生舞臺上，世人之間虛文應酬的臺詞親密緊湊得像織得難以透風的舞臺帳幔，佳馨插不入，識趣地進入自然，進入自己的內心世界，做真實的自我，不求扮演劇中角色。

　　佳馨困擾的是：總有女子要與她比，她恰是最與世無爭的人。佳馨的座右銘是臺灣聖功女中的校訓：養正，懿德。

　　佳馨思無邪。

　　佳馨也有過幸福時光：
　　傍晚，佳馨坐在床沿，旁邊站著彤星，倆人都沒有說話。佳馨忽然意識到自己的存在，靜謐美好，往事隨時光逝去，「前不見古人，後不見來者，」她得到當下的安寧自如；萬籟俱寂，如入禪定，甜蜜而溫柔，清涼而祥和……天人之間沒有隔閡。

　　佳馨和父親猜所居社區的新題名，佳馨靈光一閃：「溫馨家園」。
　　父女倆出門一看，果然。

　　佳馨愛社區的人們：民風淳樸，宅心仁厚。

　　小女孩把粉豆子花插在她的髮辮上；小女生手工為她製作剪貼畫；小男孩驚呼：「阿姨，你真漂亮！」小男生送她寫滿詩句的鵝卵石；男青年見到她會點燃一支香煙，香煙的況味就是對她的回味；老太太慈愛地朝她眉開眼笑，想起自己是美人兒的青春時光；老大爺見了她，高興地唱起「**樹上的鳥兒成雙對……**」，希望她像下凡的七仙女一樣配個好情郎……

　　風兒為她旋舞起落葉，矢車菊擡頭向她問好；樹蔭下的花花草草，歡迎她蒔弄的倩影；園丁在她每日駐足清玩的地方，悄悄種下一叢芍藥……邵雍有詩：「**多謝花工憐寂寞，尚留芍藥殿春風。**」芍藥花語：美麗、難忘。

　　她走在街巷裏陌，雄雞為她高歌……她每天站立的台階，有人用藍粗筆寫上「I Love You！」，畫一個笑臉。

　　她是自然的寵兒，愛情的想像，對聖靈的膜拜……像藍天下，果園中甘美馥鬱絨毛上沾著露珠的水蜜桃；生活盛宴饋贈她珍饈佳餚；比四月響晴的曙光還要曼妙……

　　耶誕節，佳馨家的花盆盛開一朵榆葉梅。

論　衣

李然待人有親和力，佳馨自問：

為　何
像一塊明礬遇水沉澱
澄清　一遇他的氛圍
靜靜

立刻原形畢露　天然
玉潔冰清

李然當著眾人稱讚：「佳馨，衣著總是很得體。」
佳馨描述自己的

四季裝

荷錢掩映紅日升，燕剪差池白雲湧。
心字羅衣繫羅綾，相伴楊柳赴春行；
清新粉色顯天性，繡鞋輕盈漫踏青。
寶鈿香娥鵝黃裙，姹女追蝶粉汗凝。

風送鶯簫聲入戶，雪藕素蓮親玉手。
碎花藍褂斂內秀，蹈光隱晦遮風流；
水玉圖案復古風，重回校園呈天真。
藕荷上衣百褶裙，窈窕淑女君好逑。

中秋佳節著繡裳，丹桂蘊藉稻穀香；
鮮紅漢服髮辮盤，曼回秋波勝秋光；
瑤家風情小蠻腰，折枝花樣第一俏。
蠟染頭巾印工巧，魯南村姑最妖嬈。

一剪寒梅獨挺立，瑞雪霏霏降吉兆。
寶藍搭配紫羅蘭，圍巾柔嫩映顏嬌。
黑呢大氅暖心懷，海闊天空獨往來。
榴紅唐裝綴牡丹，歡天喜地過新年。

李然和大家一致認為，佳馨還是穿西裝最好看：有職業女性的精幹俏麗。

「鳳冠霞帔穿到佳馨身上，比起她的豔光也遜色。」雲霞姐感歎：「佳馨如描似削好身段，衣不驚人誓不休！」

「自古紅顏禍水。」金姐忽道。

「責任在男方。好色而不淫，相安無事。」李然不以為然。

「我看，佳馨是妻賢夫禍少，」雲霞姐問：「對吧，佳馨？」

佳馨只是笑而不答。

品　茶

李然愛喝茶。

茶，先苦後甘，清心寡欲。

李然端一杯茶，坐在佳馨對面：「春露入口神采飛鴻　茗茶飄香共用九州」，相對

品　茶

你品茶　品綠茶

粉色古裝洋溢碧螺春的鮮嫩

水綠柔姿紗飄逸龍井的清純

小花旗袍旋泡鐵觀音如醇醪

說我有女同志的味道

低頭默啜著讚美
誇我頭髮好
有茉莉花茶的香味
像烏龍茶紫砂壺內煮沸
目光灼熱　笑容溫煦
泡沫欲騰飛

我品茶　品紅茶
品寂寞甘甜
夜闌人靜　曲終人散
今夜應無眠

佳馨要像白開水般

純　潔

什麼是純潔
我仰頭探問蒼穹
蒼穹默默無聲
袒露出安寧的胸

什麼是純潔
我俯首叩問大地
大地靜靜不語
昂挺著高貴的脊

什麼是純潔

我含淚低問母親
母親忍痛微笑
誕生下嬰兒嬌啼

什麼是純潔
我遲想追問貞女
貞女含情凝睇
成人之美的獨立

純潔是自然自在
為美獻身的模特
純潔是赤子之心
縱情擁吻的戀人
救民於八國聯軍魔爪的賽金花
一粒美玉無瑕
賣國享受自私的慈禧太后
一堆齷齪污垢

純潔　造化最寶貴的產物
霜雪露珠雨滴
純潔　人世最神聖的情感
父慈母愛孝悌

純潔在佛堂菩薩的甘露瓶
純潔在醮壇仙姑的拂塵下
純潔在深閨佳麗的春色中

純潔
你就在我一顆善良單純
跳動的心臟
純潔
你就在我一雙清淨
明眸的亮光

果　實

佳馨和李然合夥種番茄。
收穫季節來臨。佳馨瞧著

番　茄

大大的果子　酸酸的甜
酸澀的甜
真情實意勤栽培
千言萬語心花綻

熟熟的果子　甜甜的酸
甜蜜的酸
汗水淚水齊澆灌
辛辛苦苦豐收年

紅紅的果子　鮮紅的紅
鮮豔的紅

為他增色為他羞
臉龐比果更好看

圓圓的果子　善善的緣
善緣的緣
美好姻緣一線牽
也害相思也甘願

李然把一個小小的紅番茄放在佳馨的手裏。

情人節

李然在閱覽室看報紙。
他問佳馨：「今天是什麼日子？」
「情人節。」佳馨想了想。
「我也有情人節。」李然笑著，走了。

出門時，一個男人搭訕：「在裏面的滋味不好受吧？」
李然未理。
佳馨倍感淒涼。
自己單身，就過一個

沒有玫瑰的情人節
情人節　沒有玫瑰
汲一瓶清水　獨自面對
純真就是互古的珍貴

花苞為誰而緊綴
羞澀為誰而低垂
自愛
比巧克力味美
無玫瑰的的愛情更勝玫瑰

愛不愛

佳馨喜穿古裝。
金姐打趣：「像個小姐，手指的姿勢都是蘭花指。」
佳馨

自　嘲
穿上墨綠鑲黑邊裙衫
你說我是大家閨秀
其實　真正一個
也讀詩書的丫頭
在人世間
一日不做　一日不食
誰不靠勞動吃飯
誰願意屍位素餐
可我真想　多多讀書寫作
暢遊古跡聖地　名山大川

金姐開玩笑：「佳馨，你想不想門當戶對？」

佳馨答：「我才不往火坑裏跳！」

李然詫異：「那是找幸福啊！」

佳馨不解：「幸福就在我心裏，還用向外找嗎？」

　　佳馨唱起歌：「我的熱情，好像一把火，燃燒了整個沙漠……」

　　「你就像那冬天裏的一把火，熊熊火光溫暖了我的心窩……」

　　唱著唱著，佳馨不由笑出聲，問自己

愛不愛

不愛　冷漠荒郊
雲煙外一個孤單的人兒
愛　熱忱壁爐烈焰
溫暖砰砰直跳躍的心兒

愛　微笑親吻
新開玫瑰的戀人
不愛　逃避丘比特金箭
空虛地打個寒噤

愛不愛
摘離菊花瓣的女孩
怎麼讓你明白
愛他
也是自愛

釣　魚

週末。

佳馨在沿河公園。

李然正一個人在河邊

釣　魚

深藍碧潭　綠茵草地

你穩坐釣魚

我捧本《安徒生童話》

讀你

你不必著急在意

我永不是那條美人魚

只是在她的故事裏

留著自己痛惜的淚滴

李然點一支香煙，朝佳馨微笑。

佳馨看著桶中游來遊去的魚兒，心生憐憫，對李然說：「咱們把魚放生吧！」

李然痛快地答應：「好！」，把半桶魚倒進水裏。

佳馨雙手合什，唸唸有詞：「阿彌陀佛！既放以後，永不遭遇惡魔吞噬，捕網相加，獲盡天年。命終之後，承三寶力，隨緣往生，西方淨土。」

李然在一旁，聽得嘿嘿笑出聲：「佳馨，你信佛？」

佳馨說：「聽聽我的

信　念

我不奉承顯赫的高官
官位不過是陪嫁的妝奩
人格才是天生麗質
趨炎附勢太低賤

我不羨慕萬貫的家產
讓蠢人去穿綾羅綢緞
才能即為無價之寶
粗茶淡飯勝神仙

我不嚮往浮誇的名片
名望聽憑虛榮使喚
樸實方是做人圭臬
貞姿勁質自安然

我不追求造作的愛戀
矯情褻瀆了花好月圓
愛情正為清純的甘泉
柔情蜜意湧心田」

　　佳馨認認真真：「古人說得好：功名利祿花間露，榮華富貴瓦上霜。」

　　李然哈哈大笑：「淡泊名利不錯，當你功成名就，再誦此詩更好。」

佳馨羞慚。

李然感歎：「現在詩人出名難，少有人讀詩。你還寫詩？」

佳馨抬一抬尖尖的下巴頦：「人各有志。」

「好！等你寫詩出了名，我給你當保鏢！」李然肅然起敬。

選　擇

佳馨對李然說不清

愛與喜歡

喜歡一個人

自然而然的風致

愛上一個人

忐忑不安的故事

喜歡是白描

愛是速寫

喜歡是散文

愛是詩歌

喜歡是善意遠觀

愛是關切凝眸

喜歡是迎面一笑

愛是砰然心跳

喜歡的人多如繁星

愛人像月亮
只有一個

只喜歡不愛戀
情傷人　淚水
清洗潔淨的自尊
留給自己的心
醫治年少癡迷時
丘比特射入的箭痕

　　佳馨不敢向李然要求什麼，更不能向他索取承諾，一切的一切，都是多情的過錯：只是一見到他，就是她最偉大的歡樂；只是說一句話，就是她最驚喜的收穫。

　　又想起岩琳，佳馨覺得有些冷，她用手捂了捂被角，蓋嚴被子。真正的朋友是心靈相通的，即使天各一方。

夢　醒

夜色朦朧罩四方。佳馨但見

月　亮
金光閃閃　像一位
東方姑娘蜜柔的臉
她向它微笑
它欣然展顏
她探尋它的心事

深藏魄光寒

她也曾像它
一樣的明媚
一樣的羞赧
一樣固執地渴盼團圓

它終於迎來它的另一半
面對它們的溫情美滿
她卻只能和他
友善而淡然

　　佳馨心煩意亂，難以入眠，眼前忽現一古代紅衣女子：
花容月貌，意態闌珊，向她走來，笑意晏晏……佳馨頓覺安
寧，朦朧睡去……

　　第二天上午，佳馨坐在公車上，身邊一位老者拿一把紈
扇：扇面上畫的正是昨夜女子！佳馨心下大惑，不知何故。

春之頌

　　春光明麗，佳馨作詩五首，排遣孤寂之悶，抒發盎然春
意，聊以自慰

春　思

柔媚湖畔碧桃花，明妍清倩度年華。
霧閣深深烹香茗，繡簾垂垂熏睡鴨；
蕩萍蘭舟采菰蕈，閑憑綺戶歌喉洽。

蕊香一粲心暗許，清淚悄灑濕絳紗。

春　戀

黃鸝聲嫩燕喝啾，尋幽探勝獨悠遊。
枝上柳綿吹才醒，山間連翹乍含秀；
蕭蕭松風堪良伴，泠泠泉韻好為儔。
心清瑩潔如春水，長在青崖翠壑流。

春　妝

蜂飛蝶舞杏花開，熹微晨光照妝台。
淡煙素月玉顏新，鬢髮如雲襯香腮；
黛顰柳眉凝春山，眼橫秋波溢神采。
點點莓苔銷魂處，紫薇花遮人未來。

春　情

浴罷烏雲斜插梳，眉清細挑唇櫻妒。
嬌羞脈脈花解語，柔情款款柳輕扶。
鶯啼有韻是知音，桃李無言伴蝶舞。
形芳影範月圓時，人約黃昏錦繡圖。

變　故

　　單位流傳佳馨和李然的風言風語。閱覽室門前有人偷偷扔下一隻被掐死的小雞。

　　佳馨暗泣。

　　李然推門進來，問：「哭什麼？怎麼啦？」

佳馨擦乾淚水：「沒什麼。」
佳馨落

淚

淚　心靈的閃爍
耀眼光明　慰我孤寂
可怎能給你溫馨記憶
添上蒼涼一筆

淚　情感的潮汐
滌蕩塵俗　淡我悲戚
卻不願在你甜蜜心湖
注入苦澀點滴

淚　花期小雨
滋潤心田　催我進取
晴天濛濛水霧過去
你會看見虹霓

窗外。
李然問金姐：「見了我，你笑什麼？」
金姐笑：「不笑還哭啊！」
佳馨搖搖頭，

悔多情

多情多愛為哪般？

自作多情個個怨。
因情多感淚滿面，
又為淚多惹人嫌！

　　她的眼神由於痛苦而失去了昔日的光彩，但卻更加深邃了，她依然活在自己獨立的精神世界……「一朵奇葩！」周圍的人如此評價她。

　　佳馨滿懷對昔日同學

遠方的思念
無邊睡蓮繁衍
青藤滋長攀援

柔曼如歌的行板
風雨鐵馬的驚喧

映在小窗一幀幀畫面
印於心中一句句贈言

春江花月夜的羞赧
秋窗風雨夕的無眠

多少次目光撫愛相片
多少次虔誠祈禱祝願
一往情深吟唱的留戀

心路歷程書寫的彩箋

默默品嚐思念的苦甜
永遠珍藏不變的笑顏

佳馨燃一炷

心　香
獨自花園　孤單
點燃心香一瓣
隔閡消成灰燼
堅貞之願
化作梅紅一點
月下花前
我向你們
遙祝
平安

佳馨素喜檀香，檀香十德：

焚淨清心
寧神益志
驅穢鎮邪
隨性靜覺
端莊秀逸

完不了

　　民諺：「十步之間，必有芳草；十室之邑，必有俊士。」佳馨在閱覽室讀著，讀著，走進一位對佳馨愛護有加的老大爺，他見佳馨瘦成癡癡呆呆的模樣，止不住坐下，老淚縱橫，痛哭失聲……大爺貴姓張，尊名俊利。

　　佳馨遞給老大爺紙巾，他拱拱手，謝絕。

　　漸臻古人之境：「玄玄妙妙忘談論，清清靜靜合自然。」此時無聲勝有聲。

　　忽然，聽見外面一陣車聲。

　　佳馨問大爺：「是什麼車？」

　　「急救120。你聽，完了，完了……」

　　從此，佳馨每逢救護車響起，她就默禱：「南無觀世音菩薩，完不了，完不了，一定完不了……」

　　有一次，她把買《時尚》雜誌的錢送給一個乞丐，覺得很有意義。從此，佳馨再也沒買過一本時尚雜誌。

　　佳馨做偈

正　德

　　人逢善者作知音，
　　得意忘言依天道。
　　無我境界造詣高，
　　邪祟侵不動分毫。

佳馨穿一件金龍連理纏枝花銀灰緞唐裝，正應「龍鳳呈祥」。

她出門，「祥和乳業」在推銷牛奶。「聖人斂福，君子考祥。」天隨人願，此地吉祥。

那些日子，佳馨會看見貓。古人說，貓乃吉兆。

佳馨

達　觀

眉宇間的一抹安恬
喜怒哀樂的淡然
愛　也對著嘲笑：謝
敬　也對著蔑視：勉

天陰晴　心地坦白
地坎平　行得矯健
良心明朗　意態端嚴
單純正直　順其自然
下　無愧於地
上　不怍於天

為報於總經理厚恩，佳馨做

無　題

女子不感恩，感恩心頭淚。
化作豆蔻紅，綠草生芳菲。

詩成，單位發起「無草運動。」佳馨正讀《晚晴集》：
「天意憐幽草，人間重晚晴。」
　　佳馨

論　草

每種植物都有人性。玫瑰、常春藤、草、櫟樹、蘋果樹、
玉米、棕櫚。從中比較詞語的不同特性。

── 維特根斯坦

「楊柳池邊萌芳草，一年一度春風早。命脈強盛如地厚，
心志凌雲齊天高。」佳馨《詠草》。

商朝宗室伯夷叔齊不事周朝，隱居山中，不食周粟，以
采薇爲生。

屈原佩江離芷草，結秋蘭飾物。《離騷》是詠嘆美人香
草的千古愛國絕唱。

白娘子冒生命之虞盜來靈芝仙草，才救活許仙一命。

和尚問：「何是佛門大意？」

「春來草自青。」雲門答。

弘一法師爲草庵撰冠頭聯一副：

　　「草積不除　唯覺眼前生意滿

　　　庵門常掩　勿忘世上苦人多」

「天街小雨潤如酥，草色遙看近卻無。最是一年春好處，
絕勝煙柳滿皇都。」滋潤如酥的細雨，絨毛般細膩，催醒了
剛從大地溫暖懷抱探出細身子的草芽兒，朦朧青色如同純真

少女，水靈靈的鮮嫩可愛，蘊藏生機，奇妙難言。

　　小草多接地氣呀！她總是那末渺小，也就不會有「高處不勝寒」的悲哀；她不會像樹能活千年百載，但是也有「野火燒不盡，春風吹又生」的豪邁：驚風摧千仞之木，不能拔弱草之荄！我為草喜，亦為樹憂。

　　草是卑微的，也是寬容的。你把它踩在腳下，它仍為你飄送清香；草是柔弱的，也是無私的。秋天，你割它燒火做飯，春天，它又發芽，讓你飼牛餵馬。

　　神農氏嚐百草，救人治病。

　　《茅屋為秋風所破歌》茅草為杜甫遮風避雨。

　　「孤舟蓑笠翁，獨釣寒江雪。」蓑衣為柳宗元披寒擋雪。

　　寶玉鍾情的林妹妹，絳珠仙草的化身。

　　禾黍米稷，人類賴以生存的食糧。

　　草坪淨化空氣，穩定人的神經，降低血壓。

　　做一顆香草，就是平凡人今生的使命。仰視是多麼美好的感受：「看一切人皆是菩薩，唯我一人實是凡夫。」這是印光大師的境界。

　　像魯迅先生：「我自愛我的野草」，比起名花嘉樹，我更欽佩甘於做草木之人的無名之輩！畢竟小草也會開花。

　　眼見小草在鐵鍬下無聲地抽泣，流淚，佳馨也問：「去草是什麼心？周茂叔窗前草不除，是什麼心？」

　　王陽明曰：「人的良知，就是草木瓦石的良知。若草木瓦石無人的良知，不可以為草木瓦石矣。」

草有何辜？

心學認為：「草木猶有生意者也，見瓦石之毀壞而必有顧惜之心，是其仁之於瓦石而為一體也。是其一體之仁也，雖小人之心亦必有之。」

愛草即愛瓦石，愛家園，愛平安。

有人在閱覽室門前，故意扔下剛割的新草，佳馨付之一笑：「我本善良，此人心田長有無明草。」

佳馨在窗簾前，偷偷養一盆

幸運草

無草運動　你在我庇護下
倖免於難　綠意蔥蔥
數九寒冬　你在我呵護下
生機盎然　青翠欲滴
春回大地　你在我關愛下
睜大羞澀的眼睛
你朝開暮合　由始至終
炎夏　你為何萎黃凋謝
只餘下一棵兩棵三棵
看啊　你的夥伴被製成標本買賣
看啊　你的夥伴被拍成圖片張貼
看啊　你的夥伴被養成茵茵絨毯
可為什麼　為什麼
幸運躲過一劫的你
如今卻奄奄一息

我用情愛的淚珠　憐惜你
我用甘甜的泉水　滋潤你
只要你能復甦　我願意
用生命的血液繁衍你
和你永遠在一起
那些殘忍危險的日子裏
我把你藏了又遮　遮了又藏
我終於明白
你痛苦的是光
同伴天亡的淚光
你需要的是光
面對生活微笑的安然的陽光
我把你抱到陽臺上
你生長得那麼旺　那麼旺
金黃小花魁群芳

元旦新年，夢晨在集團公司內部報刊刊登了年曆：藍天白雲，崇山峻嶺，綠草紅花，欣欣向榮……

誰言寸草心，報得三春晨？

電視機裡童聲稚嫩：「我喜歡看見小草笑，我喜歡看見松鼠笑，我喜歡看見爺爺笑！」

人們對小草的愛，對環境的愛，對善的愛，會保佑薛城平平安安

薛國青草青

古時百姓稱「草民」

草菅人命「苦」古民

新時期百姓夢高「薪」

「草根階層」好勞辛

如今古薛草亦新

迎來一春又一春

孔孟之鄉仁為本

「世界就是一座供奉不和諧之神的巨大神廟」，我們薛城就是一個和諧美好的樂園。

樹高花美草綠，只有在和諧的環境中，人人才能充分發揮潛能和創造力，做最好的自己。

夜晚，佳馨走在街上，佛在她心裏說：「薛城人民感謝你。」正巧，一個嬰兒在媽媽懷抱裏搖著胖嘟嘟的小手，對佳馨笑著說：「謝謝！」

佳馨熱淚盈眶：無論我走到哪里，都忘不了腳下這片古老神奇、鐘靈毓秀的土地，忘不了薛城人民質樸真誠、沉厚寬廣的美意：知遇之恩，再生之德，昇華之忱……

白頭翁

佳馨走到一棵石蘭前，一對白頭翁飛上枝頭鳴叫，雌的一隻會飛上雕塑「昇華」至高點 —— 一顆星上，停立，然後和雄白頭翁結伴飛去。

佳馨天天和這雙白頭翁見面。

一日，雌白頭翁獨自在葉間喑啞嘶泣，聲聲呼喚同伴。佳馨心如刀絞。

雌白頭翁嗚咽。

佳馨酸楚不忍：「忘了他吧！天涯何處無好鳥？」

雌白頭翁終於安靜。

忽然，飛來兩隻白頭翁並立電線上。

佳馨認出其中一隻，叫道：「還不快來！」

雄白頭翁立即飛來，和原配結合。

佳馨大喜：「祝你倆恩恩愛愛，雙宿雙飛。」

兩隻白頭翁結伴，比翼齊飛樹林深處。

佳馨欣慰地笑了。

沒想到，下班時，佳馨見那只「小三」白頭翁嘴裏叼著一條小蟲，也在那裏鳴叫。

佳馨好氣又好笑，微微不安：「雄白頭翁能經得起考驗嗎？」

那只「小三」撲棱棱飛走了，也許怨佳馨多管閒事。

充滿正義感的佳馨走開，就讓他們物競天擇，自己何必「拉郎配」？

以後，佳馨來園中，那對白頭翁就飛來與她相會，枝頭雀躍……

知　音

工餘時，佳馨愛在園子裏玩。

園子裏，有柿子樹、竹子、月季、玉蘭、紫薇、芭蕉，

辛勤的

蜜　蜂

哼著嗡嗡的管風琴低音
花之精靈　匆匆忙碌
吮吸露珠甜酒
搬運燦爛金粉
醉醺醺　骨碌碌跌進芳香中

一隊隊蜜蜂毛茸茸的翅膀
馱滿花粉　陽光
從耳畔繞道舞過
我真想加入這飛翔的隊伍
隨春天遠行
把百花叫個開門紅

心中有花朵
就處處是春天
有家有愛有溫暖有平安

偶爾，佳馨見一隻

雨中的紅蜻蜓

雨中的紅蜻蜓
透明翅膀亮晶晶
低飛盤旋親吻雨花中倒影

眼光夢幻霓彩　寶珠閃爍
朦朦朧朧

啊
雨中的紅蜻蜓
纖柔婉約　仙子般輕盈
美得人心跳怦怦

蝶宿蜂匿　花草顫慄
哪裏是你的家
為何
留戀綿綿雨絲
執著無怨癡情
逆風而行

生物學家說你在覓食
可我相信你在尋夢
好奇　頑皮　衝動
熱愛挑戰生活
飛逾循規蹈矩　灑脫不羈
將美夢掛上彩虹

雨中的紅蜻蜓就像《情迷哈瓦那》的凱蒂

Break the Rules（打破規則）
Find Your Freedom（發現自由）

Live Your Life（我行我素）

天晴。園裏飛舞

蝶
春的使者投遞
折花彩紙請柬

如魂的蝶　如蝶的夢
梁祝歲歲年年情緣
春天甦醒　化蝶之形韻
驚世顫人

愛的癡執　曆劫磨難
蝶　舞衣輕展
婚禮繽紛絢爛

我是蝶　蝶是我
莊周夢柔和飄逸
悟
雪般蝶粉裏

　　蛺蝶起舞，佳馨叮嚀：「親愛的，你慢慢飛，小心前面
帶刺的玫瑰⋯⋯」它可是佳馨在雨水中救起的那隻？「祝你
平安，祝你平安，讓那歡樂圍繞在你身邊⋯⋯」
　　「百年三萬六千日，蝴蝶夢中度一春。」佳馨悵然：多

少甘酸悲歡淚，裊裊粉香蝶衣痕！

佳馨最喜歡聽

花開的聲音
蓓蕾含羞
陽光照亮心房
露珠轉動
折射韻的顫響

花蕊餘香　嫋嫋親吻
花瓣的紅唇
傾吐
綻放的私語
讚美造物的神奇

佳馨酷愛百花乍開：冰肌雪蕊，紅姿嫩嬌，瘦影亭亭，
淡香杳杳⋯⋯

石　榴

園裏種了一棵石榴，佳馨望著它，勾起對凌霄的

石榴情思
浪漫灼熱的心
榴火般燃燒得蓬勃旺盛

幾度花謝　幾度花紅
不見你親切的身影
長久的關懷
幻想　惆悵　苦痛

日復一日
我的心　驕陽下
結成一顆石榴
斑斕柔韌的表皮
彩虹染過似的鮮豔
痛楚的裂隙　閃爍
籽粒瑩澈如水晶
溢出珍藏的相思蜜汁
沁入心底
更深更酸更澀更濃

　　李商隱道：「曾是寂寥金燼暗，斷無消息石榴紅。」凌
霄，你可知道？

有一句話我想

春天　寄給你
落紅打濕眼簾

夏天　寄給你
玫瑰灼燒詩箋

秋天　寄給你
長空候一隻鴻雁

冬天　寄給你
白雪封閉重山

佳馨看著

石　榴
五月風　幻術之手
從錦囊中抽出紅絮
做成斑斕繡球
誘惑焦灼大地
不肯投擲

花　季

佳馨心上並無歲月，有，也只停留在

十六歲的花季
十六歲的花季
盛開一生
幽雅的馨香
彌漫愛情永恆

清新無邪如綠葉

　　甜美的微笑纖塵未蒙
　　花瓣一樣羞紅善感的淚水
　　露珠一樣晶瑩細膩的心靈
　　花蕊一樣通曉造化的夢境

　　花兒朵朵　我今生的期盼
　　風兒顫顫　我真情的呼喚
　　十六歲的花季
　　綻開春的新顏

　　佳馨從未用後悔代替夢想，自強不息，厚德載物，傳奇式的未來最好的結局，要靠自己。

　　佳馨不止一次想像自己穿婚紗的模樣：
　　頭上披著一條打褶的白紗，綻滿粉色的玫瑰花苞；長長的辮子漆黑，插滿芳香的豆蔻，閃亮的鑽石：純如百合臨溪照，嬌如珠玉映霞彩；娟嬋秀媚，婉約蘊訥，儀態萬方……純真如波西米亞少女，浪漫如吉普賽女郎，端莊如中國古典仕女……
　　佳馨天人合一，物我兩忘……
　　白雲如雪，織女為她織的婚紗：紅塵多少事，不到白雲中……
　　彩霞燦爛，織女為她做的禮服：靉靆曉峰青，迤邐上紫冥！

　　佳馨正在神往，雲霞姐叫她：「佳馨，你父親受傷了！」

佳馨急忙趕回家。

原來，父親騎自行車過大橋，一位老奶奶走在前。

右邊是河，左邊是車，車水馬龍。

父親按鈴，老奶奶耳聾，聽不見。

為了不傷老奶奶，父親主動連人帶車騎入橋下湍急的水流中，摔得頭破血流，父親的鮮血染紅了河水……

道家曰：「人最善者，莫若常欲樂生，汲汲若渴，乃後可也。」佳馨心目中，父親是最熱愛生活的人，情願捨身救人更加可貴：仁慈隱惻，造次弗離。

父親的傷勢很快好轉，佳馨才放心。

佳馨想：父親是怎樣一個人？她一轉頭，看見千山文化工藝品店裏懸掛的匾額：天道酬勤。

佳馨憬悟，難怪父親常說：一勤天下無難事，百忍堂中有太和。

佳馨上雲龍山廟裏看羅漢塑像，哭了，羅漢那麼像父親。

歌　唱

園中，佳馨一邊走，一邊唱，有時，駐足凝望：青枝綠葉，喜鵲……

她最喜歡唱：「你是一個好人，一看就知道有顆好心……好人是這個世界上的根，好人是這個世界上的魂……願天下的好人都得好報，願天下的好人都交好運……」

佳馨天寒翠袖，縱情歡唱，鳥兒為她合奏，樹葉為她鼓

掌，花朵為她羞紅了臉……

佳馨正唱得忘情，聽見一陣剁菜聲，夾雜一個婦女的惡狠狠的咒罵：「再唱，剁了你！」

佳馨再不唱歌。

佳馨唱歌的地方附近，修了一個人工湖，叫「鳳鳴湖」。古人雲：「夫鳳，戴德，負仁，抱忠，俠義，五彩備舉，能通天祉、應地靈、律五音、覽九德，現則天下大安寧。」

懷　春

佳馨身著蘋果綠斜襟葫蘆蔓盤扣上衣，米黃長裙，走在大街上。

賣水果的老闆一見佳馨，激動地衝顧客嚷嚷：「瞧瞧！我的水蜜桃多俊，多漂亮！」

佳馨進精品店買腰帶，錢不夠。

店主慷慨相送。

佳馨不解，婉拒。

店主注視佳馨的眼睛：「成人之美。」

他的目光柔和，幾乎讓佳馨如冰川遇暖陽般融化掉。

佳馨道聲：「謝謝！」匆匆離去。

佳馨像葉芝

　　「也許有一天我拋開可憐的文字，

　　　滿足實際地生活。」

那時，她才真正解脫。

梧　桐

佳馨心常癡，要活潑圓通得如走盤珠，也只有在李然面前她才行。他縱容她的小兒女情態，對她的憐惜、疼愛，蜜一樣洋溢出來。

還沒到下班時間，天就暗了。

王昌齡詩曰：「金井梧桐秋葉黃，珠簾不倦夜來霜。」佳馨指著窗外景物問李然：「見此感想如何？」

「冷宮。」李然說。

佳馨啞然失笑：「我這裏乃修身養性之地，道樹花開，禪林果出。」

李然可知《子夜歌》：「桐花萬裏路，連朝語不息。」愛人之間的親密是梧桐樹貞潔的花語。

李然也有理：「夜懸明鏡青天上，獨照長門宮裏人。」長門宮可不就是冷宮？我時常孤身一人在此讀書習字，在他眼裏，也有點冷冷清清的味道吧！

可我不是阿嬌，不必千金買賦；我亦不是班婕妤，她是一柄合歡扇，高潔如紈素；她像一幅璿璣圖，字字是相思；她如一盞紅紗燈，心苗憶未央……

佳馨欣賞祝枝山的聯句：「桐蔭滴露聆琴聲，石壁掛藤通篆意。」

佳馨願撫焦桐，高唱一曲

愛之歌

愛　一首稚嫩兒歌
新鶯出穀　啼鳴羞澀
溫柔嬌媚　囀一個啁啾
天賜童真美妙無邪

愛　一支昂揚戀歌
猛虎嘶吼　奔騰馳躍
掙脫羈絆　震一聲咆哮
灼熱情焰　疊翠岱嶽

愛　一曲古老民歌
鴛鴦交頸　親昵喋喋
心心相印　綻一朵紅荷
永久陶醉夕陽碧波

盼你回來

　　佳馨從青島度假回來，李然見到她，熱情地和她同坐閱覽室，敍談。

　　門外，金姐叫：「李然，出來，外邊涼快！」

　　李然笑：「我和佳馨談青島奧運會帆船比賽呢！」

　　旁邊一位老大爺在看報。

　　李然穿白 T 恤，笑得像個大學生，說：「他天天盼你回來！」

佳馨說：「大爺是盼報紙吧！」
李然垂首，不作聲。
佳馨忽然聽懂，李然天天盼自己回來。

危險人物

李然對女性而言，危險。
佳馨無法忍受他「一人斜倚橋，滿樓紅袖招」的

本　性

你是神女峰上的迷霧
你是玫瑰叢下的陷阱

若即若離　欲擒故縱
愛的技巧爐火純青

戀上你
女子幸運的不幸

心靈穿上甜言不入的「防彈衣」
激情凝成蜜語不化的「玉壺冰」

和你　不卑不亢　正襟危坐
自尊自立自愛自強自重

佳馨拒絕李然歐陽修般「直須看盡長安花，始共春風容

易別」的豪宕。

女 囚

佳馨一天天發覺，自己正拘入於李然的

女 囚
像凱旋的將軍
你俘虜我的心
用激情囚禁

自由的風吹進來
我感覺不到
甘願
躲在你熾熱的監牢

當

雨 夜
南窗乍驚連夜雨
撲打玻璃
深閣重鎖一枕魂
梧桐聲泣
道道淚痕　流在心底
淒涼孤寂

紗帳外　香爐煙消
錦衾裏　人瘦風峭
聽雨　想你
獨嘯荒野　抑或
雅室品茗賞雨

多麼想拂開你
眉峰痛苦的蹙聚
心頭凝結的悒鬱
卻只能用綿綿雨絲
丈量心路　拉緊
漫漫長夜你我之間
　　　　　　　距離

然後　把雨滴串成一串念珠
捻著　祈禱雨過天晴
天空出現一道彩虹
你我心意
　　　　相通

孤枕難眠，佳馨作

閨　戀

寧受相思苦熬煎，藍田夢酣相見歡。
愀然卻恐減螺黛，菱花鏡裏綻桃嫣。

題

床榻銘

麝掩芙蓉帳　燭輝連理帷

簟隨柳葉三分翠

人與蓮花一樣清

春香醒碧桃　秋露滋丹桂

枕畔　萬丈青絲纏繞

羅衾　柔媚晨曦籠罩

床前常灑雲水月

階下漫奏溪石琴

梅笛漸入黑甜鄉

竹影疏橫碧紗窗

綢幔挹秋風

聽寒蛩　輾轉反側

錦榻觀霞坐

倚綺戶　獨數流螢

寤寐思服噩夢醒

心如古井寒冰凍

繡幃乾坤大

素心天地廣

鳳棲碧梧祥雲繞

龍盤鹿洞紫氣騰

正是：「獨行不愧影，獨寢不愧衾。」

穿膠鞋

雨下了一夜。

醒來，佳馨用新摘的石榴籽搓臉，這是一位老道傳授給她的美容祕方。

佳馨梳頭時，總會飛來兩隻小鳥觀看。

莊子曰：「毛嬙麗姬之所美也，魚見之深入，鳥見之高飛。」佳馨想：可見，我並非美女。雖非美人，也要如《詩經》所雲：「溫溫恭人，如集於木。」

「攻取之情化，魚鳥來相親。」每當佳馨思慕心上人，就會飛來一隻小鳥與她作伴。

每當佳馨穿上一件漂亮衣服，攬鏡自照；每當佳馨說一句見識高明的話；每當佳馨有一個美好的想法，窗外的一隻小鳥就發出悠揚婉轉的呼哨，為她喝彩，叫好！

從此，佳馨一有心事，總說與小鳥聽……

小夥子們經過佳馨住的樓前，總愛朝她窗口望上一眼……

一個男生問佳馨：「你的房間是不是掛著小綠花窗簾？」

佳馨納悶：「是呀。」

男生低頭，微笑不語。

她赤腳穿一雙橡膠球鞋上班。

經過一家店鋪，老闆娘議論：「光腳穿球鞋，騷。」

「夜裏還不知做什麼好夢呐！」打工妹奚落。

佳馨委屈，心口堵得難受：我是覺得光腳穿球鞋舒服，我才穿。哪知道什麼叫「騷」！

昨夜夢，「知心唯有月，如何共，海棠說！」蕭泰來替佳馨回答。

佳馨想：人閉口是尊佛，人開口易成魔。自己一定要惜緘寡言。

後讀安妮寶貝的書，女主人公也赤腳穿球鞋，佳馨會心一樂。

蚯　蚓

佳馨發現經雨打濕的地面爬著許多蚯蚓，老家人叫「曲蟮」，中醫稱「地龍」；它還有詩意的名稱：江東謂之歌女，或謂之吟砌。

她知道蚯蚓對疏鬆土壤有益，它們雨天出來呼吸。佳馨怕它們不小心被人踩壓，於是，彎下腰，一條一條把它們撿起，放進花壇裏。

同事雲霞姐奇怪：「你不嫌髒？不害怕？」

佳馨笑著搖搖頭。

地上的蚯蚓真多，佳馨撿了好長時間。

佳馨查書：古人認為，中蚯蚓。中央在人體像脾胃。蚯

蚓生在土地裏面，鑽土能力特別強，脾主運化，蚯蚓就代表運化之象。在傳統文化中，黃顏色對應的也是中央脾土。比如，中央是黃帝。

《荀子·勸學》中有這樣一段話：「蚯蚓沒有銳利的爪牙，沒有強勁的筋骨，在地上層吃泥土，在地下層喝泉水，它的用心是一致的。螃蟹八隻腳，兩個螯，沒有鯰魚、鱔魚的窩，它就無處藏身，它的用心是浮躁的。所以，沒有沈默的意志的，就沒有光明的智慧；沒有隱微的行為，就沒有顯著的功勳。」

佳馨素敬「檢身止欲，莫過於蚓。」，楊泉《物理論》中肯。

鄧麗君

李然對佳馨議論：「你看那些歌星、舞星，在臺上蹦蹦噠噠，咋咋呼呼，幹什麼呀？真是！」

佳馨含笑：我最喜歡鄧麗君，她是

來自天堂的百靈
明眸溫潤　閃爍星辰
長著芭比娃娃的臉
笑綻梨渦　嬌柔粉嫩

歌喉葡萄汁般醉人
芙蓉泣露　香蘭含笑
「甜蜜蜜」流溢春情杳杳

滑爽淋漓　荔枝般甘甜
如膠似漆　如泣如慕
餘音嫋嫋　花蕊般細軟
撩撥真善美的心弦

日月潭汨汨清波
浸潤你天真的顏面
阿里山婷婷翠竹
塑造你窈窕的身段
一襲旗袍　挽著髮髻
戴一朵絹花　春風滿面
「漫步人生路」娉娉婷婷
「何日君再來」
「但願人長久」
繼續奔向
「小城故事」裏「採紅菱」
只為那浪花的手
「恰似你的溫柔」
淪肌浹髓　纏綿悱惻
「千言萬語」喚雛菊抬起頭兒
道盡人間真美至愛

鄧麗君
你是來自天堂的百靈
「愛的使者」為人間
飄灑妙音的甘霖

　　佳馨說明：「甜蜜蜜、漫步人生路、何日君再來、但願人長久、小城故事、採紅菱、恰似你的溫柔、千言萬語、愛的使者，都是鄧麗君的歌名。」

　　李然歎息：「紅顏薄命，遇人不淑。」

　　佳馨動情：我喜歡

觀楊麗萍舞蹈

你旋轉　那樣輕盈
春天裏一陣惠風「嘎奇奇」
撲面襲來新鮮的土腥
「春雨」沐浴　福降生靈
酣暢淋漓　春潮奔湧

你翹立　那樣清醒
花朵欣欣然睜開眼睛
凝視夏日蝴蝶泉倩影
羽衣輕舉
「雀之戀」驟然開屏

你款擺　那樣沉著
碧海蒼穹　秋渚「月光」明
祈禱是「太陽鳥」永不墜落的憧憬
玉臂洱海波浪樣起伏
芳心「珠穆朗瑪」般凝重

你舒展　那樣秀挺
「兩棵樹」盤根錯節
仙骨清羸　行氣如虹
心靈的密語
化作親昵的蔥蘢

你張揚　那樣深情
原始衝動擂響激昂鼓聲
每一個細胞都爆發出歡騰吶喊
「雲南的響聲」像跳躍的野「火」
灼紅隆冬的夜空

楊麗萍
血脈和天地交融
靈魂與自然縱橫
白族的「女兒國」裏造化的嬌寵
你是舞神降生

　　「嘎奇奇、春雨、雀之戀、月光、太陽鳥、珠穆朗瑪、兩棵樹、雲南的響聲、火、女兒國都是楊麗萍的舞蹈名。」佳馨惋惜：「李然，你只愛看《十大虎將》，錯過了多少好東西！」

　　李然直視佳馨：「只要沒錯過妳。」

　　佳馨眨著眼，羞澀地徬徨，睫毛蝶翅般忽閃……

　　李然的視線緊盯，像風拽著蝶衣不鬆。

佳馨垂眸，蝶翅併攏，挾春風入夢⋯⋯

雞冠花

清晨，佳馨蹲著觀賞一朵月季，粉得像霞。

李然路過：「看看那朵花。」

原來是雞冠花，羅鄴贊曰：「一枝濃豔對秋光，露滴風搖倚砌傍。曉景乍看何處似？謝家新染紫羅裳。」

佳馨梳個雞冠花一樣的古典髮髻，人人稱道。

一位夫人出門，問佳馨：「佳馨，看什麼哪？」

「雞冠花！」佳馨答。

「你就像那朵雞冠花。」夫人贊。

第二天下午，佳馨去看雞冠花：它的花朵硬生生被剪去一半！

竟有人包藏禍心，對雞冠花下此毒手，剪破紫羅裳。

佳馨只怨自己給雞冠花帶來厄運。

一隻小鳥在樹上嘰嘰喳喳淒厲地叫，彷彿告訴佳馨誰是兇手，可惜，佳馨不是公冶長，不懂鳥語。

她傷心中悲憤，悲憤中傷心，真想說：「剪去我的頭，雞冠花刀下留情！」

佳馨止不住失聲痛哭

被剪的雞冠花

鮮豔的花卉靜靜地滴血
柔弱無辜撐起的傷悲
花才綻開已遭利剪
何時重揚馥鬱芳菲
忌美妒賢　該當何罪
疏而不漏天網恢恢

花兒花兒收起血淚
笑迎一切陰晴雨晦
看看眼前明媚陽光
溫情脈脈將妳安慰
花去花回　花會再開
越開越盛越開越美

佳馨問李然：「你喜歡什麼花？」

「杜鵑。」李然說：「杜鵑花是杜鵑鳥啼血染成。杜鵑花與雞冠花有緣，元絳作

映山紅慢

穀雨風前，占淑景，名花獨秀。露國色仙姿，品流第一，春工成就。羅帷護日金泥皺。映霞腮動檀痕留。長記得天上，瑤池閬苑曾有。

千匝繞，紅玉闌杆，愁只恐，朝雲難久。須款折，繡囊剩戴，細把蜂鬚頻嗅。佳人再拜抬嬌面，斂紅巾，捧金杯酒。

獻千千壽。

　願長恁，天香滿袖。」

　佳馨破涕為笑。

　禪宗曰：「身見破，則幻身即是法身，心見破，則幻心即是靈明佛性。」

　王重陽曰：「心死方得神活，魄滅然後魂昌。」

　雞冠花的寓意是：「永不褪色的愛。」

　翌年，花園中心的柿子樹下，新種一棵雞冠花，姹紫嫣紅。

夢　醒

　李然自有魅力勝人之處，令佳馨全力

招　架

你的眼幽幽
像醇酒　誘我乾杯綢繆

你的唇灼灼
似烈焰　惑我飛蛾旋舞

你的心暖暖
如港灣　邀我小舟停泊

佳馨一直想知道又怕知道的事終於明瞭：李然已有妻室。

佳馨

想你
想你念你
念你想你
只能
躲在詩裏
愛你

佳馨獨自佇立於

夜
枝葉顫抖的樹梢
鋒利的鐮月殷切相邀
「快快割斷情絲
不然你受恥笑!」

夜幕拉上的舞臺
星星善意地嚴屬警告
「否則你遭唾棄
受永世的煎熬！」

我沉默　沉默
漆黑的暗夜
明朝我該扮演
何種恰如其分的角色？

無 題

你是一顆蒲公英的種子
落入我寂寞的掌心
你是一支飛出二胡的曲子
伴奏我孤獨的跫音

蒲公英張開翅膀
你不該親近我的手掌
我噓一口氣
讓你飄回屬於你的溫柔鄉

二胡的曲子宛轉悠揚
永生在我心弦激蕩
從酷暑至寒冬
從草枯至花香

也許：
「今夜唱完，就是最後的戀曲……」

李然就站在前方。

他倆只是遠遠遠遠地對望著。

佳馨身穿著藍格子連衣裙，紮兩條長長的辮子，像《朝陽溝》裏的銀環。

她的情像微風懸浮在天際，他是星光，是英雄，是火種，溫和、陽剛、持重，呼吸飄蕩著男子漢的氣息，多麼想靠近，

自律不允許；多麼想吶喊，湧出是淚滴……他是中流砥柱，她是波心湧動，在夜色的掩護下，在月影的顫動裏……

「帶我走吧，帶我走！我們一起遠走高飛！」佳馨用全身心呼喚。

「爺爺。」一個小女孩童音輕輕響起，佳馨感覺卻似乎有千鈞之重砸在心上。

佳馨悚然驚醒：我絕不能讓爸爸因我蒙羞！

暗戀是一場昂貴的相許，像她未嫁時精心縫製的紅衣，已鎖進箱底，他們擔負不起。

他們就這樣相望著，呼應著，感受著和感動著，彼此留下的只有分離，永遠的分離……

佳馨對李然

暗　戀

我對你的愛
藏在洞穴的野火
黑暗中　燃燒紅灼灼的熱烈
神秘的溫暖炙烙印心窩

我戀你的情
摻進黃連的蜂蜜
甘甜裏　品味麻辣辣的苦澀
私釀的快感噴淚雨滂沱

我想你的癡

盜自天堂的仙樂
陰影下　起舞輕飄飄的婀娜
憧憬的幸福受妖魔恫嚇

我動你的心
至性至純的吟哦
骨子底　活躍羞答答的女孩
天真的紅暈永不會凋謝

佳馨決心離家遠走，尋找凌霄。
門衛保安大叔攔住佳馨：「閨女，你不能走啊！」

無　題

想你
月亮落　太陽升
愛你
梅花香　桃花紅
追你
走西北　闖關東

再濃再濃的戀情
稠得像化不開的藕粉羹
再真再真的柔情
純得如冰山上的玉女峰
再高再高的恩情
抵得過擎天柱的迎客松

也比不上那一句
「不行，千萬不行！」
發自父老鄉親關切的心靈

　　夜晚，佳馨做一夢：在菏澤的一個寺廟裏，她得到一件漢服，魚白色，領口繡文字：吾心似秋月，碧潭清皎潔。
　　住持說：「有一位女子已穿過兩次了。」
　　醒來。
　　佳馨想起鳳凰傳奇的《荷塘月色》：「螢火蟲點亮月的星光，誰為我添件夢的衣裳……我像只魚兒在你的荷塘，只為和你守候那皎白月光，遊過了四季，荷花依然香，等你宛在水中央……」

梅　花

五十年一遇暴風雪。佳馨奉命

贊貴州綠塘搶險隊

鋼筋鐵骨頂風刀，
英姿雄魄礪冰劍。
天是帳幔地做床，
吞霜嚼雪除夕宴。
凝冰頑固硬如盤，
敲冰飛濺錐刺臉；
血汗淋漓心更堅，
粉身碎骨亦等閒。

僵手撐起聳天塔，
敢教黑夜星海燦；
凍腳踏落嶺頭雲，
立杆架線彩霞燃。
登高險墜落深淵，
背帶承救英雄返。
昔有詩聖為求廣廈暖人間，
寧願自家茅屋寒；
今有勇士忘我攀爬高山澗，
紅梅嫣然慰孤膽。
旗開得勝賞玉龍，
松濤呼應捷報傳！

　　佳馨喜見園內梅花盛開：「一樹開來冰雪香，誰家新試歲寒妝？時人不識恒伊曲，信指花神是壽陽。」
　　豈料一日風狂雨驟，佳馨恨不能至園中為寒梅撐傘。
　　次日清晨，雲開雨霽，日出時候。佳馨跑去看梅：清芬點點，俏骨珊珊……「風雖強暴翻添思，雨欲侵凌更助香。」

　　佳馨感慨萬端

賞　梅
仕女唇上　胭脂紅
仁者賢人　堅骨硬
高士清流　貴格挺

含苞緊裹玉蕊
捍衛真情
朔風來　笑靨盈

捧寶瓶的丫鬟
坐暖閣的小姐
吟冬景的書生
映丹霞燁瓣
心跳春初戀　朱砂萌動
胸懷冰霜魂　瑞雪純情
粲然新生

詠　梅

杏粉　金醪　垂枝　綠萼
朵朵羞澀盈盈笑
謹獨花經典
爛漫春使者

蠟蕊細生清香
嫋嫋滲透寒光
鮫綃瓣　含清淚
胭脂粉　表衷腸
銅鏈鎖任意方道
紫虯柯鳳翥龍翔

疏籬茅舍

雅臨竹院澗水
玉堂瓊闕
豔映畫屏燭光
風欺雪壓枉施虐
冰凝霜綴顯貞潔
根系凍壤守真愛
枝懷幽情綻嬌麗

李然經過，見狀，說：「佳馨，折一枝，聞一聞，香不香？」

佳馨正色：「折不得，花也是生命啊！古人云：梅聚四德，初生蕊為元，開花為亨，結子為利，成熟為貞。」

李然讚歎：「好！花也是生命，草也是生命！」

文人把《紅樓夢》中寶琴比作梅花：「華格之高，梅花為最。如見高士，如對美人；寒芳冷豔，瘦骨玲瓏；誰其似之，曰寶琴。」

寶琴身披鳧靨裘，身後立一丫鬟捧一瓶紅梅，乃大觀園佳景之一絕。

梅被譽為「清客」。

「閉門不管閒風月，任你梅花自主張。」

豈知歐陽修「人生自是有情癡，此事不關風與月。」

《梅花三弄》的深邃直達佳馨心底，迴旋激蕩，一股浩然正氣升起，千古絕唱，韻味無窮……佳馨

憧　憬

當我祈禱　上天呻吟
我仍留戀著無邪的童真
為一枝梅花歌唱福音
巧配辮梢系的蝴蝶結
宜喜宜嗔

當我傾聽　冬雪陣陣
我仍不舍棄春風的溫馨
為一輪圓月徹夜難眠
鏡框裏的心上人
思念生根

當我痛惜　紅顏黛顰
我仍追求那永恆的美神
為湖中倩影自憐自尊
報答父老鄉親的
大德大恩

啊
我不再悲觀消沉
我還要擦去淚痕
送鏡子一個明媚的香吻
我仍然似百合般單純

古人雲：「雲從龍，風從虎，梅配君子。」宗嶺寄給佳

馨一函

夢　君

「相隔一十載，依然夢中人。窗前梅花發，疑伴月下君。」
並寄費玉清《一剪梅》CD 和

冬之戀

夢中仙境與你奇遇
在北國的冰天雪地
雙手捧起你凍得緋紅的小臉
感受你眼裏濃郁的春意

蕭瑟原野
擺成一桌豐盛的宴席
你的愛如
甜酒　果汁　蜂蜜

我在雪花飄飛的不眠之夜
又深深地把你想起
當皚皚白雪鋪滿回憶的世界
我會用思念的熱流
溶化這冰冷的冬季

佳馨感動，回信勸宗嶺

解　脫

「園林裏有奇藤異卉，
　果園裏有嘉果美味；
　睜大眼睛，重新發現，
　不要為梅花心碎。」

宗嶺電話中問：「佳馨，我們何時再相見？」
佳馨說：「只在心裏相見。」

　於總知道佳馨喜歡梅花，又命物業站在園中種植了一棵
白梅，紅白相映，十分好看。

滴水觀音

閱覽室裏的滴水觀音是佳馨的最愛。
人來人誇：「長得真旺盛！」
佳馨答：「也蕃盛。」於總的名字裏有一個「蕃」字。
佳馨養的滴水觀音一直是靈驗的：每逢有事，必沁水珠。

滴水觀音

滴的不是水　是淚珠
遇難成祥　逢凶化吉的慈心

滴的不是水　是汗液
辛苦勞累　喜獲成功的愛心

滴的不是水　是甘露
滋養哺育　造化生靈的善心

我懷著一顆虔誠真摯的童心
願你慈悲心的滴水觀音
普度天下人　好心

吊　蘭

佳馨窗臺上擺一盆吊蘭，做七言絕句

詠吊蘭

綠綢條帶萬千條，欲向瑤池舞纖腰。
淨化芳心功德足，吉祥迎人暮與朝。

其二

蘭生幽谷自在春，淡泊堪同隱者心。
一年一度沐薰風，管領幽香入袖衿。

文人把蘭花比作黛玉：「華之幽豔莫過於蘭，泣露悲風，孤根自保。昔人比之君子，方之美人，挹彼清芬，素心可潔，惟黛玉堪與比擬。」

同事們稱佳馨像黛玉，佳馨努力改變自己，人變得開朗喜氣，紅英姐一見面就稱她：「文藝小清新！」

蟹爪蓮

花姐姐送給佳馨一盆

蟹爪蓮

溫文爾雅
蟹爪握玲瓏
借得蓮花三分紅
嫣然似倒掛金鐘
不像賣俏舞女
舞池裏招搖
揚起媚臉
承歡獻逢迎
你淑女般垂首自省

佳馨

詠蟹爪蓮

嬌羞復垂首，欲語蟹爪休。
若問蓮花紅，早在冬枝頭。

清晨，佳馨正在調理蟹爪蓮。
李然走進來，說道：「這花不如以前紅了。」
佳馨頭也不抬：「那是因為看花的人眼光變了。」
李然沈吟：「喝茶去。」
李然邊走邊嚴肅地說：「佳馨，你永遠是最好的。」
佳馨意味深長：「人情貴在真情在」
李然思來想去：「世態見多假太多」
「陰險。」佳馨直抒胸臆：「青天貴在晴天在」

李然冥思苦想，開個玩笑：「奇人見怪畸人怪」
佳馨搖頭：「奇讀 qi,畸讀 ji;對得不工整！」
「奇也讀 ji,奇人是指一個人。」李然解釋。
「狡辯！」佳馨含笑。

窗臺上，韭菜蓮生出九朵蓓蕾，清晨，齊齊五朵盛開，
兩朵相偎相依，親如神仙眷侶……佳馨

詠韭菜蓮

碧葉葳蕤性如蘭，笑迎和風麗日暖。
神州喜氣拂面來，抽簪化蓮意悠然。

佳馨添三分含蓄，髮辮攏在腦後，矜持掛上眉黛；心事
不是胭脂開在唇邊，是珍珠藏進蚌殼，痛楚結晶……

靜思錄

小蜜蜂，飛留詩集上，
你也愛書香？

錦衣繡裳，羽衣金錯，外表的光豔為裝飾補償心靈的寂
寞。
沒有另一個身體溫暖我，我的羅裳給我愛情的體貼。
衣裙是我的戀人：粉紅新裙子是一見鍾情的初戀，半新
不舊的紫毛衣是難捨難分的熱戀，白色舊外套是棄之可惜的
失戀……

自然、生命、愛、勞動，神聖不可嘲弄。

寬容的底線在哪裏？對此念頭，是否也該寬容？當我們覺得很難寬恕別人的錯誤時，我們只要想想自己年幼無知時犯下的過錯，內心是多麼痛苦悔恨，渴望得到原諒，我們就會變得寬宏大量……

寬容了別人，也就寬容了自己。

「我不覺得人的心智成熟是越來越寬容涵蓋，似什麼都可以接受。相反，我覺得那應是一個逐漸剔除的過程。知道自己最重要的東西是什麼。知道不重要的東西是什麼。而後，做一個純簡的人。」

醍醐灌頂，謝謝你，《阿甘正傳》！

一個女子，只為某個男人而活，是可憐的。

我出賣詩文，但絕不出賣靈魂！

> 寧靜最純潔，不做放浪形骸；
> 緘默最深刻，不受佞言迷惑。

定而後能靜，靜而後能安，安而後能思，思而後能得。
　　　　　　　　　　　　　　——《大學》
非寧靜無以致遠，非淡泊無以明志。
　　　　　　　　　　　　　　——《誡子書》

靜中念慮澄澈，淡中意趣沖夷。

—— 《菜根譚》

戀愛中，內向的女性以守為攻，外向的女性以攻為守。勝利者往往是內外兼修的極品。

擅風情不風情才是真擅風情。
「桃李不言，下自成蹊。」

形容一個人浪漫而執著，其實，浪漫提得起，放得下，必不執著；「捨棄」才是浪漫的最高境界：山高水遠，月白風清……

走南闖北，我發覺煙臺男生之寶貴，貴在熨帖合意：你想務農發家，他就和你下地種花生、紅薯，上山摘櫻桃、蘋果，從不喊苦叫累，他有的是使不完的力氣幹勁；你要榮華富貴，他就白手起家，艱難創業，伴你人生幾何，對酒當歌，他有四兩撥千斤財源旺盛的手段；你羨書香門第，他就陪你青燈黃卷，讀書課子，甘願為你戴上金絲邊眼鏡，儘管他打心眼裏瞧不起文人的迂腐，但他尊重知識、愛好學問，不容置疑；你有英雄崇拜情意結，他就馳騁沙場，戰功赫赫，山東大漢自古就是當將軍的材料；你望得道成仙，他就是丘處機再世，白石清泉，共你秘煉金丹……未嫁煙臺好兒男，今生最大遺憾！

這個世界上，傷你最痛的人是你最愛的人。

　　初戀的可愛是過去時，永久的想像空間令人銷魂歎惋：
時光荏苒，歲月變遷，我依然保持著那時青蔥豆蔻的容顏，
只為和你再見一面……

　　把戀人的名字刻在心間，像「雪花石膏劃過金剛鑽……」

　　　暗把芳心藏起來，不遇郎君不開懷。
　　　碧玉雕成百寶匣，一把金鎖封千載。

　　　風言滅俗念，冷語生道心。

　　詩人，是最易動情的人。有時，明知浪費感情，也在所
不惜。收穫，是一首首發自肺腑的詩。

　　　「的確，有的人臉上有太多太多的微笑，是因為心中有
　太多太多的淚水啊。」汪國真想。
　　　「的確，有的人臉上有太多太多的淚水，是因為心中有
　太多太多的微笑啊。」我想。

　　也許，你會有愛上我的一天。那時，我不知是喜極而泣，
還是恨極而棄！

　　當你有了自己的故事，名利心就可有可無了。

　　賞天潤之花，聆天籟之音，交天性之人，感天賜之恩，

稟天賦之良，寫天才之文，穿天衣無縫，行天悅婚禮，成天作之合，結天締佳緣……乃我平生之願。

但求己心無愧，不求世人皆知；有時，也想世人皆知，自己清白無瑕。

溫庭筠作《南歌子》：「手裏金鸚鵡，胸前繡鳳凰，偷眼暗形相，不如從嫁與，作鴛鴦。」有民歌風味。

徐小鳳唱《心戀》：「我想偷偷望呀望一眼他，假裝欣賞欣賞一盆花。」異曲同工。

呂近溪《女小兒語》：「偷眼瞧人，偷聲低唱，又惹是非，又不貴相。」

白居易詩雲：「回頭一笑百媚生，六宮粉黛無顏色。」

李清照詞曰：「倚門回首，卻把青梅嗅。」

宋尚宮《女論語》則誡：「行莫回頭。」

你願做哪類女子？依天性？遵禮教？

幾十年如一日地珍惜著友情，不到萬不得已，從不開口求助一聲，保持著友誼的純粹……這種心情，如釀一壇「女兒紅」……

「若使偶然應一聲，半生誰信守孤燈。」非有定力幽嫻貞靜者不能道此。

喜聽鵑鳴，不喜鴉噪；

喜聽雨打芭蕉，而不喜妒花雨；喜聽松濤竹韻，不喜聽

摧花風。

喜聽雷聲，不喜聽風言風語。

喜聽嬰兒呱呱墜地之哭，不喜聽嬰兒饑寒驚懼之聲。

「筆落驚風雨，詩成泣鬼神。」人的情感與自然現象息息相關，唯大詩人至性至情，才能如此。

不願意去銀行取錢，除非有慈善募捐；因為，給總比拿快樂。

自珍自重煉金丹，榮華富貴視等閒。
人生易老天難老，不成鴛鴦便成仙。

對藝術有益的往往對生活不利，真正的藝術家「舍生取藝」。

知道我為什麼大驚小怪嗎？因為，我常常被人從理想中拉回到現實中來。

把想法付諸行動的是實業家；用想法自娛自樂的是藝術家。前者的幸福，依靠成功；後者只有被大眾承認，才稱得上成功。但一個成功的藝術家，卻不一定幸福。

「女人明白，要得到一個男人的心，不是全心全意愛他；而是盡情傷他，成為他胸口永久的痛。」羅蘭說。

其實，要看男人的造化。

明哲智慧如笛卡爾，會設法提高自己的心靈，使之升高到一個為那觸犯所達不到的境界。

「你傷害了我，我一笑而過。」

不要憤世嫉俗！當你憤世嫉俗之時，正是你大謬不然之日。

喜歡名字裏有「小」的女子，色藝雙全：蘇小小、馮小青、葉小鸞、董小宛、小鳳仙、孟小冬、陸小曼、張小嫻、徐小鳳、雪小禪……聽蘇紅唱《小小的我》：「天地間走來了小小的我　哦　小小的我　不要問我叫什麼　哦　叫什麼」

一個單身女子的欣慰：她有過許多羅曼史，男友們心目中的她，永遠都是無瑕美玉，獨一無二。

高度細膩的敏感是一個藝術家的必要條件。

男追女，自得其樂；女追男，自討苦吃。

比起和人交流，我更願和大自然交流。

胡蘭成的文章花朝月夕，婉媚生姿，惜其人無行！

斯世最卑鄙骯髒者為「錢」，為此，人任何卑鄙骯髒之事皆可做出！張愛玲說，一沾上人，就髒。人本潔淨，因利慾薰心才髒。

吃不到的葡萄是酸的，得不到的愛情是甜的。

你拒絕了金錢，守住了靈魂。

有位禪師對眾弟子說道：「參詳一下：綿綿陰雨二人行，怎奈天不淋一人。」
眾弟子皆錯。因執著於「不淋一人」的問題。
禪師說：「不淋一人，就是兩個人都挨了雨淋。」
我參的卻是：不淋一人，就是兩個人都不挨雨淋。

若即若離，空亦未空；
己心乾淨，處處乾淨。

觀音菩薩像，吉祥蘊端莊；
世界和平願，純真一念堂。

身正心純真性情，觀音楊柳甘露傾；
藥師殿裏禱眾生，不為成佛不為名。

星眸日月瑩，神靈心中藏；
情養淚水淨，明鏡無塵光。

最浪漫的愛情永遠是初戀；
真正的愛是精神上的愛。

向自然索取甜蜜，在書中尋求慰藉；
天籟是我的知音，孤寂是美滿伴侶。

心靜自然涼，性貞不覺寒。

感恩是必要的，報恩是必須的。

基督教中，上帝對人們說：不要演悲劇。

不喜歡日本藝術，它把「物之哀」的人文理念上升至最高要求，像櫻花，喜劇中的悲劇《菊花與刀》。

欣賞維特根斯坦：「我的世界沒有悲劇。也沒有產生悲劇的條件。」他「整個工作的全部後果是為了把它們置於世界的『雜物間』。」

我的作品是高級精緻裝飾現實的花邊，為了把它們置於世界的「精品屋」。

爸爸把一桿秤放在我床腳。

我好笑：「我又不是千金小姐。它能秤出我什麼？」

佛吉尼亞・伍爾夫自信滿滿：「我不相信天賦能像白脫糖那樣秤出重量，不論這種天賦是智力還是品德。」

父親說：「做人要講策略，有謀略。」

我唯一的計謀就是無計謀。

全世界為你喝彩並非了不起，關鍵在於同時你自己也為自己的表現發自內心地喝彩，人生才有真正的價值和意義。

　　一個真正有骨氣的人不需要別人尊敬，他只要自尊。自尊是自己用正直矗立起來的，世上無任何勢力能摧毀它！

　　比起中國的十二動物屬相，我更喜歡西方的十二星座。文藝復興時期的學者們說每個人的本質都源自天國的一顆星。

　　從小我就愛植物，甚至異想天開 —— 十二植物肖相多好。
　　一位現代生態學家說：「人類是作為綠色植物的客人生活在地球上的。」
　　我的喜好有了回答。

　　前途未卜不足懼，茉莉花在夜裏盛開，香氣更加清晰，沁人心脾……

　　扡插一枝月季，盼它成長，世間好情味，大抵如此。

　　冰心的筆下是一個清涼有序的大愛境界。
　　張愛玲炮製活色生香的滿漢全席，渲染塵世溫暖，五光十色，萎靡悽愴。可惜，一個姑娘帶錯了首飾，奢侈。
　　冰心是夜空繁星，張愛玲是萬家燈火。天上人間，各臻其妙，交相輝映。
　　兩人都是骨子裏透出冷。

　　「戰爭是個時代錯誤，不合時宜。總有一天，勝利將無需憑藉大炮與刺刀獲得。」能征善戰的拿破崙如是說。
　　勝利將憑藉道德、科學和藝術獲得。

「漢代藝術由於不以自身形象為自足目的，就顯得開放而不封閉。」

人亦應該打破自足的封閉，化繭成蝶，擁抱生活。

大學同學照相總愛倚柱子。

「配偶應該如柱子，你可以靠著他休息。」

同學婚姻幸福。

艾米莉・狄金森珍視自己的心靈私語，不求聞達，自矜自重……可貴！

小時候養過一隻小麻雀，羽翼才豐，我用力向上拋，讓它練習飛翔，不想，牠從空中墜落。

爸爸和我在搪瓷盆下用竹筷敲了很久，也未甦醒。

童年最深刻的痛心，方知萬物自有時序，好高騖遠，欲速不達。

「卑鄙是卑鄙者的通行證，高尚是高尚者的墓誌銘。」

北島悲憤。

「高尚是卑鄙者的通行證，卑鄙是高尚者的墓誌銘。」

餘傑揭露。

「高尚是高尚者的通行證，卑鄙是卑鄙者的墓誌銘。」

我希望。

有一類書讀了眉飛色舞，健談；
有一類書讀了長籲短歎，沈默。
前者幽默，後者深刻。

喜讀佛經，最喜「眾生皆佛。」

「何歲逢春不惆悵，何處逢情不可憐。」
何必用情，手下留情。

瓊瑤小說貴在「純」，純在早戀，香花成毒草。
成也瓊瑤，敗也瓊瑤。

想愛不敢愛，怕愛成傷害。

浪漫沒有過錯，只是不要太過。

一直對「幸運」心有餘悸。
有幸運者，必有不幸者。
沒有不幸，無所謂幸運。
塞林格《麥田裏的守望者》主人公覺得「祝你好運」可
怕，概因如此。
獨樂樂，豈如眾樂樂？

好人不要他人鼓掌，好人自己給自己鼓掌。

　　「曾慮多情損梵行，入山又恐別傾城。世間安得雙全法，不負如來不負卿。」六世達賴倉央嘉措天生是居士。

　　懶惰付出的比勤勞更累，更辛苦。

　　不要被任何事物改變自己優越的天性。暴風雨中，海燕仍舊翱翔歡唱。

　　容易後悔的事：多說話。

　　「相看兩不厭，唯有敬亭山。」
　　「我見青山多嫵媚，料青山見我應如是。」
　　「這孤獨的山一直對我如此親切，和那藏起的邊緣與天相接。」
　　古今中外文人騷客皆與山結緣，蒼山之幸，人文之幸！

　　自得不寂寞，泰然不孤單。

　　我偏愛象牙塔，我也感受娛樂場，拜訪貧民窟……這種反差，就叫生活。

　　壞女孩好比一隻蘋果，外表光鮮，心被蟲蛀了。

　　《格林童話全集》使我保持童稚狀態。

遺憾黛玉擲而不取寶玉轉贈的鶺鴒香珠串，無緣北靜王水溶。

林姓是比干的後代，故林黛玉：**心比比干多一竅**。
寶玉出家，曹雪芹已在名字上暗示。

讀《紅樓夢》至迎春捧起《太上感應篇》，不由為天下良善者一大哭！

「**半卷湘簾半掩門**」：憐瀟湘妃子黛玉的風流嫋娜；
「**珍重芳姿晝掩門**」：敬蘅蕪君寶釵的端莊凝重；
「**斜陽寒草帶重門**」：贊蕉下客探春的警覺遠見。

看《牡丹亭》，最喜杜麗娘：「**可知我一生兒愛好是天然。**」

女孩只對自己最心愛的人使小性、發脾氣，如黛玉之愛寶玉。

「除明明德外無書。」可見寶玉勝過多少書蟲！

「**金紫滿身皆外物，文章千古亦虛名。**」恭親王之言令人心寒齒冷。

「**生而不有，為而不恃，長而不宰，是謂玄德。**」故劉備字玄德。

「智者慮，義者行，仁者守。」故王陽明字守仁。

「默默者存。」故錢鍾書字默存。

「孝子之有深愛者，必有和氣。有和氣者，必有愉色。有愉色者，必有婉容。」故名婉容。

孫立人、孫達人取自「夫仁者，己預立而立人，己欲達而達人。」

陳省身取自「吾日三省吾身。」

蔣百里取自「行百里者半九十。」

「*白雲抱幽石，綠筱媚清漣。*」令我想起大畫家：齊白石、傅抱石；女作家兼經濟學家：何清漣。

第一次看宋氏三姐妹合影，第一眼就喜歡宋慶齡，面善。後才知，她最喜歡的花也是百合，她最喜歡的鳥也是鴿子；宋美齡是二十世紀第一才女：資賦穎秀，才慧雙修；宋慶齡是二十世紀第一美女：攝人魂魄，「國之瑰寶」。

「愛情就是，看著身邊這個人，怎麼看，怎麼美！」愛情最佳微博造句。

幸福就是，看著身邊這個人，怎麼看，怎麼親！

香水不是水，真水無香。

得到的倍加珍惜，失去的倍加懷念。

克裏希那穆提的「冥想」可用一句中國古詩形容：「*萬物靜觀皆自得*」。

　　錢學森有句詩：「文章得意心花開」。有時，我寫下一行優美的文字，偶爾往外一看，一隻蝴蝶正巧翩翩飛過，果然是「心花開」呢！

　　歌德在《歌德自傳》中描述一位外交家，認為他講話像在做文章和念對白，而不是交談。前者是德意志人祖傳的根本缺點，後者是眾所周知的法蘭西人的基本特長。

　　我認為，中國漢語邏輯嚴謹而語句暢達，兼具兩者之長而舍其短。

　　我怕弄髒我的衣服，我更怕玷污我的心靈。

　　證嚴上人雲：「最美柔和忍辱衣。」
　　更美的是忍辱負重，為世界創造奉獻自己的美。

　　看《戰爭與和平》，我只看和平，不看戰爭。父親說我自欺欺人。看戰爭場面對我而言，是一種難以忍受的痛苦，和平才是人類生存的正常狀態。但我終於明白：不忘戰爭的殘酷，才更有能力防止戰爭，才更能在和平的環境中保持清醒，而不至於麻木不仁。

　　他人的辱罵會淨化我們自身，但我們並不因此而原諒辱罵我們的人。我們缺乏耶穌的精神。

　　單身一個人，世界是我一個人的。有時，我寧可單身。

一見鍾情是永恆，不甘寂寞是陷阱，一夜情是汙點，婚外戀是玩火，忘年交是穿越，暗戀是自虐，離婚是飛白，百年好合是傳奇。

一件偶然的事，擾亂了心緒，卻成就了詩。

「最愛你的人是我，你怎麼捨得叫我難過？我為你付出了那麼多，你卻從來沒有感動過！」為愛犯賤，不值得！

我從什麼時候下定決心學好英語？自從我買了一本紀念朗文創立二百周年的《朗文當代英語大詞典》的時候，因為不想辜負編輯者的良苦用心。

儒教教我做人，有孝悌之心；道教教我保真，有赤子之心；佛教教我濟世，有慈悲之心。儒家的智慧是沃土，厚德惠及黎民；道家的智慧是真火，修煉不滅金丹；佛家的智慧是清泉，滌蕩俗欲凡念。

可食無魚，不可居無書、無畫、無花、無蝶。

當我的思想正確時，窗外便陽光明媚；當我的思想一有偏差，窗外便天色昏暗。於是，我按光線的明暗校正自己的思路，陽光是我師！

入世的儒家古道熱腸，故孔子「不撤薑食，不多食。」，

薑性熱。

出世的道家冷靜淡漠，故煉丹需用汞。汞性寒。

屈原性高潔，故「朝飲木蘭之墜露兮，夕餐秋菊之落英。」是儒家與道家相輔相成。

濟世的佛家大慈大悲，故吃齋。

淮南王劉安煉丹時，無意中製造出的豆腐不溫不火，成為修行者的食物。

「月是故鄉明」：我因此愛上杜甫；
「月亮也是中國的圓」：我因此愛上王世襄。

長大後，才知道愛上一個人，就是為他流很多很多眼淚……

全世界的珍寶任我只挑一樣，我選擇：真實。做人不真實，白活一世。活出真實的自我！

有時，你不是愛上了某個人，而是愛上了愛情本身。

不求取悅於人，但願無愧我心。

中國的數字「十」，為什麼像基督教的十字架？巧合？

一個從未說過髒話的女子是幸運的 —— 她還從未遇到過一個真正的惡棍。

　　願世間多血性之人，性情中人，不被社會異化，性命雙修，福慧雙修。

　　詩歌是情感的宣洩、昇華。成長的人生路上，我很慶倖有她的提攜。

　　上元夜。
　　不喜去人頭攢動之處賞花燈，獨喜一個人自樂：「試問蓮燈千炬，何如月上梅花？」

　　有時候，本來是寫給一個人的詩，寫完後，你卻決定不給他了，好比王徽之夜乘小船訪戴逵。行宿方至，造門不前。有人問為何，王曰：「吾本乘興而行，興盡而返，何必見戴？」

　　良心的坦然，人生的盛宴！

　　一個人有了孩子，就等於活了兩輩子。

　　沒買那件黑底繡牡丹莨綢旗袍，一直惦記著它的美。珍惜已有勝過未得，生活才會輕鬆快樂。

　　最自責的一件事：未將一隻小鳥從男孩手中救出。

　　看見一個快樂的人，自己也開心，好情緒像空氣中的負離子，呼吸清新……為此，感激全天下的樂觀者！

　　對一個女子而言，照片是自己的好看，孩子是自家的好玩。

　　最喜歡的自然景觀 —— 花園。

　　因為，愛慕聖母瑪利亞像，喜歡上基督教；欣賞南無觀世音菩薩像，喜歡上佛教。

　　買過許多圍巾，最喜歡那條紫羅蘭色的，帶上它，少女容顏永不凋謝。

　　活在一個人自得其樂的浪漫裏。

　　歌德，像晴天；
　　雨果，像陰天。

　　「美是到處都有的，對於我們的眼睛，不是缺少美，而是缺少發現。」羅丹說。
　　「愛是到處都有的，對於我們的心靈，不是缺少愛，而是缺少感動。」我說。

　　莎士比亞暴風驟雨般的激情令柯羅的田園牧歌，山間寧芙的舞蹈更加可親。

　　有時，愛也是一種騷擾。

因幡國有位入道的女兒容貌非凡，來求婚的人極多。但這女子平常只吃栗子，不進米麵，其父就對求婚的眾人說：「我這女兒，不是尋常之人，不可以與人婚配。」就這樣把前來求婚的人都回絕了。（見《徒然草》）

栗子可悅顏，慈禧太後常食栗子糕。

沈從文也許做不成紳士，他貴在有真性情。

席慕容詩文如行雲流水，她有一顆潔淨的女兒心，懷著青春的淡淡的惆悵……

高興的事：世上有和我一樣不喜歡莎士比亞的人，如維特根斯坦。

胡蘭成《今生今世》，從「韶華勝極」至「永嘉佳日」為有我之境，時時為自己辯白，如驚弓之鳥的花心的心虛；至「雁蕩兵氣」方入無我之境，如嚼甘蔗，越嚼越甜，漸入佳境。

周公旦說：「不如我的人，我不與他相處，因為他是拖累我的人；與我一樣的人，我也不跟他相處，因為他是對我沒有益處的人。」聖人尚且如此，黛玉出類拔萃，在賈府目無下塵，孤高自詡，庶幾可恕。

張愛玲病態，胡蘭成清健。

《邊城》多情，《圍城》無情。

最寶貴的品質：善良；
最珍視的品質：樂觀；
最難忘的品質：熱情；
最稀有的品質：高貴。

米開朗琪羅像貝多芬；拉斐爾像莫箚特；德拉克羅瓦像比才。

「構成幸福的，是把心中自有的美點傳達給外界事物的一種精神狀態。」—— 莫羅阿
中國古語：「明明德。」

有女如玉，起士誘之。
《金粉世家》裏，燕西因細看車裏坐著的清秋，馬鞭脫手。牛嶠《菩薩蠻》有「**故故墜金鞭，回頭應眼穿。**」異曲同工之妙。
今生純潔，做一棵佛手……

人生，就是洗禮和升華，淤泥愈深，荷花出落的愈挺直，愈皎潔：「**看取蓮花淨，方知不染心。**」

要藝術還是要婚姻，每一個真正的藝術家都會選擇：藝術。錯過了幸福，卻成就了藝術，如安徒生、莫泊桑……

當你心情差時，默默無聞地去做好事，心情就會好起來。

我喜歡和書本打交道，不擅長和他人打交道；讀書使我愉快；入世令我苦惱。

對家人疾言厲色，對外人和顏悅色，人類的劣根性。

康德說：「人類只有通過戰爭的血路，才可能有朝一日通向和平。」我們經歷了兩次血流成河的世界大戰，應該更加珍惜維護和平：生命如此神聖！愛情如此美好！

仕女圖三個檔次：「悅目，賞心，牽魂。」
唐瑛是悅目的；陸小曼是賞心的；林徽因是牽魂的。

張大千論美人：「凡美人者，一等肥、白、高；二等麻、妖、騷；三等潑、辣、刁。」
薛寶釵一等；尤三姐二等；王熙鳳三等。

有的幸福好比是雨後樹蔭下滋生的小香菇，竹林深處初發的春筍，曬著曬著就蔫了，這種幸福是經不起虛榮心的"曬"的。它喜歡的是心靈深處枝繁葉茂的隱蔽，詩情的幽雅，畫意的芬芳，天籟的吟唱……

我是一個單身女子。我夜裏睡得很香，因為，我誰也不想……

倪萍的畫有齊白石的風骨。

梁文道有錢鍾書的書卷氣味道。

感激苦難的磨礪，它成就了你的傳奇！

有人的生活就像一本書，有人在書中生活。

有的歌曲使寧靜的心變得浮躁，有的歌曲使浮躁的心變得寧靜，我更喜歡後者。

老舍的《四世同堂》堪稱中華民族正義必勝的史詩！

愛情不是高考，沒有第二志願。世上只有一個人供奉在我心比天高的神龕，香火延綿……

愛牡丹，因其花色美；牡丹本不俗，被「富貴花」叫俗了。

黨一個陌生男人看你時，你最好不看他。你在他的生命中永遠佔上風。你是一個勝利者。你一囘看他，你就從被追求者，變爲追求者，等而下之。

「一個人是一首詩，兩個人是一幅畫。」我一個人詩情畫意。

最幸福的事之一，做一個中國人。

我不求人知，只求天知。

不是我寫出詩意，是詩意寫出我……

清除空氣中的霧霾重要，清除心靈裏的霧霾更重要。

女子最美的面容：嫣然一笑「桃之夭夭，灼灼其華。」；
女子最美的姿態：低首垂眸「昔我往矣，楊柳依依。」。

美是人類靈魂的救贖！

王國維「老實得像火腿」，陳寅恪「花崗岩腦袋」，錢
鍾書「癡氣旺盛」，卻是最可愛的讀書人本色。

林徽因才貌像黛玉，勝似黛玉剛強；
淩淑華淡雅似寶釵，稍遜寶釵大方；
張愛玲出世如妙玉，貴比妙玉慈悲。

人啊！
多少弱者傾其全力洗淨道德清白；
多少強者傾其全力掩飾自身汙濁！

在我的字典不出現：無聊，隨便，無所謂。

先天下之苦而苦，後天下之美而美。

人議論錢鍾書學士學位，中國有多少博士，只有一個錢鍾書！

我擔心人與人之間的關係變成赤裸裸的金錢交易，情何以堪！

黨大陸臺灣歌手合唱「天下相親又相愛」，我仿佛聆聽貝多芬《歡樂頌》，真以爲從此，世界天下大同！可以高枕無憂矣！

繪畫《十字架上的耶穌》令人感同身受，痛不欲生……

這個世界上似乎沒有足夠強大的人，可以慰籍我孤寂的心……

幸福時，想起朋友：有福同享；
苦難時，逃避朋友；有難自當。

我感激那在午夜時分，用歌聲和笑語驚醒我噩夢的人，他是我靈魂的知音……

與其居心叵測，欺世盜名，我願直率純真，任性，做一個詩意盎然的小女子！

張愛玲與胡蘭成的婚姻，真應了她 17 歲時的話：「最恨一個有天才的女子忽然結了婚。」

女孩說：「我一看林志玲在電視上嗲，我就噁心！」，我說：「嗲是林志玲的事，噁心是你自己一個人的事。」

比起格式，我注重格局；比起情節，我注重情趣；比起廣度，我注重深度。

莫箚特像拉斐爾，比才像德拉克洛瓦；
密爾頓像貝多芬，濟慈像蕭邦。

一個心靈飽受重創的人，一個慈悲仁善的人，看到「寬恕全天下的人吧！」，會不會悲從衷起，默然無語？

真正的藝術家、文學家，必定有一種個人獨特詩意浪漫的情懷，經後天培養、醞釀升華為傑作。「是真名士自風流」！只有柳永才寫得出「忍把浮名，換了淺斟低唱！」，只有曹雪芹才寫得成《紅樓夢》。

村上春樹說：「肉體是每個人的神殿。」靈魂就是神殿供奉的聖靈，肉體靈魂合而為一，不可分離。

我認識的異性中對其懷有強烈激情的僅一人，而我們只交談過一句，足矣！

　　找一個人靠一靠，不如找一棵樹靠一靠；找一棵樹靠一靠，不如找一本書靠一靠。

　　人是應該受過罪，吃過苦，平凡的日子也就有了意義，變得幸福……

　　離欲則無私，離私則無懼。

　　最敬佩孔孟，最喜愛老莊；
　　最崇拜伏爾泰，最欣賞叔本華。

　　有的話說出來，一時痛快，卻造成了對他人心靈永久的傷害；寧肯自己不痛快，也不要他人受傷害：這就是厚道之所在。

　　對至親苛刻，對外人寬容；我不明白的「心病」。弘一法師醫方：「勿以小嫌疏至戚，勿以新怨忘舊恩。」

　　對所愛的人那麼多情，對不愛的人那麼無情；戀愛是美好的詩篇，也是殘酷的戰爭。

　　看杜斯妥耶夫斯基的《被侮辱與被損害的》，善良的人總是被侮辱與被損害的，要自衛！

　　唐朝詩人我最憐李商隱，做絕句

其 一

丹心妙手意朦朧，無題悟出豆蔻紅。

憐卿美夢傳彩筆，卻為多情誤平生。

其 二

情深耽美玉溪生，走馬蘭台類轉蓬。

不求青鳥為探看，忍負飛黃贏詩鼎。

誤解對於一個弱小的靈魂是悲劇，

誤解對於一個強大的靈魂是榮譽！

一個真正的藝術家，失去了個性，就失去了一切。

在這個世界上，最先引起我關注的是美！

護花使者

雲霞姐把一盆枯萎的滴水觀音放在閱覽室，托佳馨代養。

幾天後，滴水觀音就長出綠油油的葉子。

雲霞姐誇佳馨：「你真是一位護花使者。」

佳馨笑答：「我還需要一位護花使者哪！」

黃昏時分，佳馨在室內夾報紙。

關門下班時，她看見於總一個人正沈思往事立夕陽。

那是佳馨以前每天必去的賞花之地。

「於總，還不回家啊？」佳馨嬌嗔。

於總轉身嚴肅地做了個制止的手勢。

佳馨回過味來：

前日，一夥男人議論佳馨：「花枝俏」。

「花是好花，可惜缺少陽光。」一位男士感歎。

「你讓花開啊！」有人挑釁。

一陣哄笑。

天色已晚。

于總下班路過，不放心佳馨獨自工作，就像見一朵惹人憐愛的花，近前又怕唐突，發乎情，止乎禮義，雅人深致，詩人風化之本。

憨山大師雲：「世界光如水月，身心皎若琉璃。但見冰消澗底，不知春上花枝。」

此時此刻，於總與佳馨並肩共賞春花，乃人生一大樂事。

愛像花香，是飄蕩他倆之間的一支歌，友誼是五線譜。

聽　箏

佳馨靜坐閱覽室。

「已聞佩響知腰細，更辨弦聲覺指柔。」

箏　鳴

隱隱約約地　如癡如醉中

高山流水琮琤

瑟瑟清清　嫩葉綠茵上和諧繁榮

纏纏綿綿　綺思紅荷中爽潔純淨
細細密密　幽情月光裏環繞迴縈
飄飄渺渺　曉霧峰巒間浮現朦朧

婉孌淑女　紫衣羅襦
嬌羞沁腮　盛鬢堆鴉
低眉長睫　柔荑弄豆蔻枝頭萌生
甜靨皓齒　信手舞松濤沖雲雍容
明眸珠幽　纖蔥撚桂香庭滿醍濃
朱唇櫻顆　玉指和笛韻雪瑞梅盈

似灑春雨潤物功　如伴鶯啼逐花夢
飄搖漁舟唱晚歸　獨抱相思咽孤燈
何處鳴泉向東流　誰家珠簾捲西風
曲高不欲周郎顧　自彈自悅菩提性
抽弦闢開天涯路　盛世鸞鳳頌太平

盡善盡美　天籟之音
古箏雅韻　諍而不爭

　　佳馨不是迦葉，聞箏起舞，但也有一顆素心，聞箏
遠俗……

鴿　子

　　佳馨一邊聽箏，一邊望遠遐思，忽見高樓樓頂飛出兩隻白鴿……循著鴿子的方向，她走出門外，百感交集，見

心路伴侶

鴿子鴿子
潔白如雪的鴿子
柔嫩有力的翅膀
沒有一絲汙漬
像雲朵悠悠
樓中飛出
安慰我的憂思
由衷知道
自己多麼想
如你一樣純良

淚湧出眼眶
Thank you Thanks
鴿子鴿子
親愛的鴿子無聲地告訴我
我還是我
回歸童年的女孩子

鴿子聽我的話

你可願飛下來
至我的手心
飲我苦澀的淚水
（遠不如忘川甘美）
鴿子你的愛是溫情
人世諒解無聲

鴿子鴿子
好心的鴿子
美妙的鴿子
和平的鴿子
善解人意
送來光明的精靈
傳遞佳音的信使

追隨鴿哨，佳馨仰望

藍　天

天藍藍
藍寶石一樣的藍
陽光閃出
七彩光線

天藍藍
太平洋一樣的藍
波平浪靜

一望無邊

天藍藍
藍精靈一樣的藍
幸福吉祥
充滿人間

佳馨讀網師園一座祭祀花神的廟中長聯

　風風雨雨寒寒暖暖處處尋尋覓覓
　鶯鶯燕燕花花葉葉卿卿朝朝暮暮

　下午，果然飛來兩隻燕子，佳馨暗暗稱奇：院內以前從未有過燕子。

　霜降。
　佳馨覺得前途渺茫，看見家中陽臺上棲息著一隻折斷翅膀的蝴蝶，真正感受到自己和大自然息息相關⋯⋯「人法地，地法天，天法道，道法自然。」佳馨穿著「秋蝶夢」的羊毛衫，人與自然，物我兩忘⋯⋯忽又見幾隻完美的秋蝶尋芳覓香⋯⋯
　她回到家中，無意中發現一個玻璃做的小天使掉了一隻翅膀，她止不住熱淚盈眶⋯⋯

荷蘭人

　　堂姐請佳馨一家來南京遊玩。

　　佳馨中式古典裝扮，粉紅對襟上衣，藍百褶裙，長及腰際的黑髮上戴一把新月形桃木梳，斜插一枚蝴蝶髮簪，觸鬚垂著金色的流蘇，隨風飄浮……

　　一路上，路人頻頻注目佳馨，被她異國情調中那份遙遠、野性及神秘所深深吸引……

　　父親問：「走不走？」

　　佳馨回答：「走。」

　　「走？」一個外國高個俊朗男青年模仿佳馨的口音。

　　「walk!」陪同的中國人翻譯。

　　一個小男孩歡叫：「荷蘭人！」

　　荷蘭青年向佳馨道：「Hello!」

　　佳馨摘一朵路旁的鬱金香，送給他：「tulip!」（鬱金香）

　　男青年會心地微笑。

　　《齊魯晚報》載：兩位荷蘭女運動員來青島參加奧運會帆船比賽，在輪船上用中文寫「喜」字，可惜筆誤。

　　有中國人指正，她倆感謝。

　　照片上兩位荷蘭姑娘笑容甜蜜極了，漢字也一筆一劃，寫得周正。

　　佳馨崇拜荷蘭人攔海造田的精神，喜愛質樸的尼德蘭文化，鬱金香、風車、奶牛和牧場……

　　心靈的安寧，荷蘭人超然的境界，命運女神賜予人類的

最寶貴的禮物和獎賞。

　　走在夜晚的街道，佳馨巧遇兩位荷蘭姑娘，貞潔樸實是第一印象。她倆送給佳馨一張畫片：梵古的《Roses and Anemones》。

　　佳馨只覺月色溫柔。

　　荷蘭在世界地圖上像一位少女在祈禱……

思　念

　　清晨，灑水車唱著：「我從山中來，採來蘭花香……」勾起佳馨對同學們

蘭花草的思念

　　靜靜地萌芽

　　蓬勃地茂盛

　　無聲地繁衍

　　思念　蘭花草的思念

　　渴望友情滋潤　鬱鬱芊芊

　　裝進信封　浸泅詩箋

　　寫進日記　打濕眼簾

　　籠罩星光的繫牽

　　傾注月光的眷戀

　　沐浴陽光的愛念

　　靜靜地萌芽

蓬勃地茂盛
無聲地繁衍
萌芽成一汪碧潭
茂盛成一場烈焰
繁衍成一片晴嵐
迎一抹藍穹
吸一縷清風
飄一襲蘭荃
蘭花草無際無邊

思念　蘭花草般的思念
清風中
圓一個最美的夢幻

喜　訊

凌霄留法學成回國，和岩琳結成連理。
佳馨驚聞，喜極而泣，題贈一聯

「才子凌霄　玉人詠雪
　桂花映月　楓葉搖風」

寄去對他們

遠方的愛
多少年的思念是發生在昨日校園的故事

你們那親熱的笑臉依然清晰
久別新婚的伉儷像盛開的油菜花永遠年輕
曾經的默契不會放開今生來世的友誼

穿越世態炎涼
一天又一天過去
憂傷時　牢記住你們殷切的鼓勵
快樂時　滿溢對你們深邃的感激
悲歡離合編織一幅繽紛的錦緞
純真的情緣維繫千絲萬縷
每一根彩線我都驚豔稱奇
每一道花紋我都倍加珍惜
知道你們的音訊生出一串串驚喜
總有對你們的祝福貫注著我的晨祈

託付思念的晚風
送去我滾燙的心意
當你們攜手漫步海灘
是否感應我情懷的潮汐
只盼今天潔白翻捲的浪花
將顆顆珠貝沖洗得更加斑斕瑰麗
明日饋贈你們更多的厚禮

佳馨意猶未盡，抄錄一首

浣溪沙

情到深處淚便流
江河水上走輕舟
一去遠方千萬裏　為回頭

相悅兩情慶共聚
月愈皎潔花愈柔
更有旁觀羨此景　紅石榴

並贈詩一首

百年歌好合　同心結良緣

皓月清光增佳興
良宵百合慶歡情
春風飄祺　燈影搖禧
雲抱玉林　芝蘭茂盛
金屋迎嬌　篆煙清盈
碧珂充作璀璨明璫
彩霞織成繽紛羅綾

開珉筵　交杯暖
翡翠壺中裝琥珀　亮瑩瑩
夜光盞裏酌葡萄　醇濃濃
琴瑟和鳴　海誓山盟
白首齊飛鴛鴦比翼
青陽啟瑞桃李同心

久會初合巹　永成知己
十全真美滿　結伴終身
花靜香恒　恩愛至純

雙喜臨門：媞容和彤星結婚。
佳馨深為媞容慶倖：
　一棵紫藤　幸未攀折浪子手
特意發去賀電：
　「二美百年好
　　雙星七夕逢」
佳偶天成，媞容是彤星命中的紅鸞星動。

岩琳和淩霄來探望佳馨，正值五九六九，沿河看

柳

春風和煦　柳眼慢睜
喚醒芳草綠瑩瑩
繁如雪花　暈似鵝黃
絮飄山色翠嵐
絲絲弄碧　柳暗花明
春深郊路霸陵

新知舊侶折柳贈
眉葉輕沾離人淚
清江一曲柳千條

隔岸遙望彩虹橋
婀娜曼舞　灑脫自如
拂面輕盈　留客遠行
系不住行舟　牽不斷情思
柳幄垂垂　如煙掩映
起伏不定　柳浪聞鶯

哦
閨閣的柳　情侶的柳
詩人的柳　遊子的柳

無心插柳柳成蔭
渠畔河邊　道旁田垣
生命力旺盛繁衍
桓溫慨歎：木猶如此
人何以堪？

哦　柳
桃紅李白的最佳良伴
嫋嫋婷婷　歲歲年年

梔子花開

轉眼已是盛夏。
夜晚，佳馨一個人散步。
經過鳳鳴山莊，一個陌生小青年開車緊追不捨，嘴裏唱

著：「你那美麗的麻花辮，纏繞在我心間……」

　　佳馨好笑，想問

　　　你的視線穿針

　　　我的目光牽引

　　　走了一路看了一路

　　　你的眼累得苦不苦

　　小青年下車，竄到佳馨面前：「什麼年代了，還留長辮子？我送你回家吧！」

　　佳馨笑了：「用不著。」

　　「你看起來像個學生，聲音真嫩。」小青年誠懇地邀佳馨上車：「請放心。我是記者，車上有《棗莊日報》記者站的牌子。我取下來了，因為我不是愛顯擺的人。」

　　佳馨笑：你已經在顯擺了。

　　但是她沒說，何必傷害一個陌生的「好心人」？尤其當他自我膨脹時？

　　小青年自我介紹：「我叫英庫。你呢？」

　　佳馨答：「我叫文君。」

　　她低頭想了想，忍不住說：「我們名字的最後一個字都加『衤』，就成了『裙褲』。」

　　小青年直愣愣：「你不會不加『衤』！」

　　佳馨頭也不回地走路，心裏質問：我只是就字論字，你什麼意思？！

　　小青年又唱：「你那長長的麻花辮，纏繞在我指間……」

　　佳馨竊笑：「員警沉沉的鐵索鐐，牢牢拴住你雙腳！」

　　「你道路越走越寬闊……」小青年又唱。

佳馨走在大街上，隔離車水馬龍，漠然得像個夜遊神。

「閨女，你長得真俊！」一位賣燒餅的大嬸朝她熱情地微笑：「跟電影明星似的。」

佳馨羞澀地一低頭，走開。

她自以為配不上大嬸的讚美：謝謝你的好意，大嬸！你親切的語氣像一陣清風，給鬱悶的我，打開一扇天窗⋯⋯

佳馨抬頭，挺胸。

一個陌生女孩燙梨花頭，穿黑蕾絲短裙，咬緊嘴唇，狠瞅佳馨一眼，手裏拿的鳳梨棒，不覺掉落在地。男友又給她買了一枝，女孩對身邊男友撒嬌撒癡：「我才不想長得像她那樣！」

佳馨歎：「謝天謝地！我不像你。」

經過一個擺攤的男生。

佳馨蹲下，拿起一個工藝精湛的髮卡，細細鑒賞。

攤主自我介紹：「我是土木工程研究生。我給你帶來一對兒那天你想買的髮卡，我等你兩天了。」

佳馨滿懷歉意：「對不起，我媽認為我的髮卡太多，不給錢。」

研究生說：「我送你吧！」

佳馨不要：「那怎麼行？」

研究生執意：「沒關係，收下吧！」遞給她綴海棠花的一對髮卡。

佳馨只好收下，送他一本手中的《中華純情詩大觀》，內收有她的作品。

「以文會友，以友輔仁。」研究生道謝。

「投我以木桃，報之以瓊瑤；」佳馨說不下去，下麵兩句是：「*匪報也，永以為好也。*」

佳馨話題一轉：「還考博士嗎？」

「不考了，怕嫁不出去。」研究生笑笑。

佳馨被逗樂：「女孩子搶都搶不過來哪！」

研究生羞得低頭不語。

夜幕中，一個年輕人遠遠地向佳馨伸開雙臂，仿佛智慧天使的羽翼，佳馨低頭一笑，從他身旁走過……他們已神交多年，卻從未越雷池一步……

佳馨回到家裏，對鏡帶上髮卡，正合適，唱起：「*海棠花開，為你增添了新豐彩……*」

「少女情懷總是詩。」佳馨宛如情竇初開。

木桃即是海棠花：*海棠枝上，留得嬌鶯語；花雖不語鶯能語，莫放韶光容易去。*

赴　宴

花姐姐到內退年齡，書記決定開個歡送會。

佳馨不想前往。她自幼蒙受古訓：「*從來男女不同宴，賣俏迎奸最可憐。*」

礙於同事情面，佳馨仍去赴宴。

宴席設「蘭雅堡」。

於總光臨，依次和每個人握手。

佳馨的心登時提上：他是高層，論理不該來。

佳馨緊張得掌心裏全是汗，真不知於總握著自己濕漉漉的手時，感覺如何。

佳馨坐在下座。

書記道：「國宴時，佳馨就是上座。」

宴席開始。

佳馨心存疑惑，面目肅然。

於總不悅：「怎麼跟敵人似的？」

於總拈起筷子，見上面題著「溫馨佳緣」四字，說：「我們今晚相聚，可謂廣結善緣。」

於總和大家乾杯。

佳馨只飲半杯。

於總不依不饒：「佳馨沒乾。」

佳馨端起酒杯，一飲而盡。

於總微笑：「還可以做朋友。」

佳馨心知肚明：總經理說的友誼是一份甜柔的責任心，長輩對晚輩自由幸福的保證和許諾。

下次飲酒，於總說：「不用乾了，半杯就可以。」

最好的人就是有人情味的人。

佳馨受寵不驚。

於總談起公務繁忙之餘，讀聖嚴法師：「慈悲沒有敵人，智慧不生煩惱。」

雲霞姐贊：「境界高！」

　　佳馨直覺是對於總的寫照：如沐人的春水，喜人的春陽，給人以快感與和煦，覺世間諸般靜美安好。

　　於總誇佳馨：「你讀書有品位，四大皆空！」
　　佳馨搖頭：「如來曰：『凡所有相，皆是虛妄。』我做不到。只是湯顯祖『解道多情情不盡，月中無影水無波。』感慨良多。」
　　佳馨敬於總一杯。
　　李然舉杯：「我代雲霞、小金和佳馨乾一杯！」
　　佳馨忙起身回敬。
　　佳馨每杯必乾。
　　書記誇：「好酒量！」
　　李然勸：「佳馨，多吃菜。」

　　書記豎起兩指：「一個李然，一個佳馨……」，後半截省略。
　　他建議：「佳馨，你應該給於總寫首詩。」
　　佳馨推脫：「以後會寫的。」
　　書記感慨：「我退的時候，恐怕沒有人送了。」
　　書記話中有因：他一貫對職員要求嚴格，大公無私。
　　於總笑道：「可見你人格魅力。十年宦海一身輕，相見梨渦卻有情。」
　　花姐姐說：「於總，你醉了！」
　　「今見佳馨，令人生歸隱田園之意。」於總輕言。
　　「我可不是紫芝眉宇。」佳馨淡淡一笑。
　　于總斂容正色道：「佳馨，你矯枉指正，令我受益匪淺，

幹！」

　　佳馨一看酒瓶，是「紅星陳釀」。

　　佳馨給書記敬酒，誠心誠意：「書記，你是我命中的貴人。」

　　書記說：「我太高興！」，抽起一支香煙。

　　雲霞姐忽然好奇：「佳馨，你為什麼一直梳辮子？」

　　書記悠然吹一聲口哨：「人，就是要有一種風格。」

　　雲霞姐問：「佳馨是什麼風格？」

　　「麻花辮代表自然傳統與天真俏皮。」書記道。

　　佳馨感動：「我留辮子是因為余光中先生的一首詩：

　　　　昨天在路上我遇見珍妮

　　　　她拋我一朵鮮紅的微笑，

　　　　但是我差一點哭出聲來，

　　　　珍妮的辮子哪兒去了？

我不想讓詩人哭泣。」

　　「為什麼辮子上喜歡系蝴蝶結？」金姐湊趣。

　　「因為我喜歡化蝶的梁山伯與祝英台。」佳馨答。

　　於總提議：「佳馨是詩人，就以筷子為題，作詩一首。」

　　佳馨略加思索

筷 子

細骨伶仃 成雙成對
一個支點親密配合
服從手指的調遣
靈巧自如 舞蹈於盤盞之間
最先體驗飯菜冷熱
最先品嚐苦辣酸甜

劉姥姥拿一雙筷子四楞象牙鑲金
夾不住一兩銀子一個的鴿子蛋
筷子啊！
莫非你也愛富嫌貧
幫著鳳姐鴛鴦捉弄鄉下人
其實 不過開個玩笑
無論布衣平民 達官貴人
你都慷慨無私獻身

大家叫好，於總大發雅興：「有筷子，還得有碗，再來一篇！」
佳馨輕聲道

碗

端凝清瑩 白荷花盞
細緻勻滑 手心供奉

彌漫溫馨祥和

青釉土質滲沁
熠爍著宜人的微笑
清新的光彩溢清香
餚饌般釋放
雲煙般清淺
時光無聲流過
五穀豐登的氛圍

一個熟悉的碗盞
盛滿歲月的平安

眾人齊聲喝彩，都道此首為上。

「詩仙！」書記笑著盛讚。

「不敢當。」佳馨羞得面如桃花：「李白遺憾：未就丹砂愧葛洪。我雖不才，亦愛讀《樸抱子》。」

佳馨從未以詩人自居，但對克萊斯特曾經寫下的一句話深有同感：「人最願意做的事就是不用語言去傳播思想。」

佳馨自問：「那用什麼？心有靈犀一點通？在座的有幾位和自己相知？」

佳馨那夜精心梳妝：漆黑長辮繫天藍蝴蝶結，穿一件粉紅雲錦衣裳，淡施

粉　妝

迷人夏夜　燈火輝煌
我穿著粉色雲裳
真幸福　你終於見到
我最希望你見的模樣

標緻的灑脫
明媚的秋波　醉人的嬌頰
配上清淡的粉妝
驚為天人　相得益彰

嫻雅麗質　儀態高姿
映襯著粉色光暈
豔如桃李　玉潤冰清
錦繡心腸　神采飛揚

從你的眼睛裏
我讀出了仰慕　青睞　讚賞
你用異樣的目光
長久地把我凝望

我知道　你會更加戀我
當我穿粉色雲裳
像一朵青蓮生香

蓮為淨友。

　　她知道於總會賞識她。因為，於總信佛，蓮花佛教寓意：
吉祥。

　　回家時，大堤道上，晚風中垂柳依依。佳馨想起：魚玄
機《詠柳》有「影鋪春水面，花落釣人頭。」之句。
　　偏偏她姓魚，兼沉魚落雁之容，竟用「釣人頭」，可怕。
　　因綠翹事發，魚玄機斃命。
　　可悲可歎！

　　佳馨經過於總和書記身邊，相視一笑，對他們道聲：「晚
安！」

兩岸情

　　佳馨應《葡萄園》詩刊之邀，就兩岸三通寫下

團　圓
　　我沒有去過阿里山
　　可我知道阿里山的姑娘
　　笑靨比澗水甘甜

　　我沒有去過日月潭
　　可我知道日月潭的明眸
　　映著含淚的蒼天

　　我沒有去過陽明山

可我知道陽明山的風光
和中華造化致良知的血脈淵源

我沒有去過臺北故宮博物院
可我知道它和北京故宮博物院
拼接「富春山居圖」的奇觀

我沒有去過台灣
今大三通已經實現
可我已去過台灣
很久很久以前
它就在我摯愛的心田
期待著「團團圓圓」

啊！
手足連根　千般情愛彩雲接
風雨同舟　萬種情懷一水間

佳馨青春的生命發出

心的呼喚

我真想去臺灣
媽祖廟搏動宗祠堂家族滾燙的血脈
赤崁城輝映鳳凰木根深花紅的思念

我不想去臺灣

忠孝路凝聚星巴克借酒澆灑的鄉愁
日月潭彌漫涵碧樓雨滴敲響的傷感

想不想去臺灣
陽明山綿延著致良知家國合一的
一脈單傳

想不想去臺灣
花朝春遊　田氏庭院的紫荊
同胞手足同氣相關

想不想去臺灣
清明節掃墓　問問爺爺墳頭的凌冬草
一棵棵閃耀著思親淚光點點

想不想去臺灣
中秋賞月　連理枝上的鶼鰈
兄弟骨肉相依相伴

啊　臺灣　臺灣　臺灣
和大陸隔著淺淺的短短的窄窄的海峽
像我的掌紋深深的長長的寬寬的感情線

佳馨有幸一睹

美濃傘

龍鳳呈祥　觀音親送佳音
梅開二度　媽祖香火炳傳

孟宗竹骨架　清奇高潔
桐油紙傘面　花好月圓
童真萬花筒
飄逸旋轉水雲間

美濃
美好的心情
濃厚的鄉戀

美濃
美麗的願景
濃郁的古風

娟靜處子
素手執一把巧奪天工的美濃傘
從高雄　漫步臺北
從基隆　眷顧花蓮
像一枝如蓋松蔭下
亭亭玉立　流光溢彩的蝴蝶蘭
笑綻中國顏

啊　美濃傘

撐住霪雨綿綿
托起烈日炎炎
最美最濃的祝願

好人一生平安

離　情

于總調任。
秋晨。佳馨與於總在郊外相遇。
於總說：「佳馨，很榮幸見到你。」
佳馨說：「于總，是高興

緣聚緣散
在田野
我們不期而遇
我採摘板栗
你手捧月季

我送你一顆板栗
願你的婚姻栗子般甘美芳馥
你贈我一枝月季
祝我容顏如花　青春永駐

我們默默默默地佇立

目光中流露收穫的成熟
讓我們輕鬆地想起對方
同樣地把彼此在記憶中凝固

也　許

也許有一句話
永不出口

也許有一篇詩
永不面世

也許有一首歌
永哽在喉

也許有一個夢
永留夢中

可是總有一段回憶
深深淺淺
像一枝湘妃竹
斑斑點點的淚跡
飄搖在春風秋雨裏
歲月無法抹去

　　佳馨手執一本林清玄的《鴛鴦香爐》，走在林閒小路，
兩邊種滿女貞。女貞，多麼好聽的名字，多麼好看的樹！陽

光透過高高的枝葉，優美的樹蔭灑滿全身……佳馨走著走著，這才知道自己喜歡的是孤獨。

忽然，佳馨眼前浮現出多年前一位小妹妹登泰山回來贈送的南無觀世音菩薩莊嚴寶相的金光圓形小像，，她心中詫異，向右一看：一位慈眉善目，正當年的尼姑悠悠然迎面而來……佳馨想：此姑必有些來歷。她本欲上前致禮問訊，父親禁止她與僧尼來往的命令令她卻步……

佳馨繼續前行……南無觀世音菩薩永駐心中！

薔　薇

李然開玩笑：「雲霞今天的嘴塗得可真叫那個紅。」
佳馨不敢相信自己的耳朵，頓覺李然面目不堪。
雲霞姐生氣了：「還有沒有當哥的樣！」
雲霞姐又美，又潑辣，無人不愛，她像一朵

薔　薇
陽光下噴著媚
微風裏帶著醉
薔薇　香馥馥的薔薇
飄送百花園裏迷人的芳菲

磨礪中透著銳
風雨裏噙著淚
薔薇　刺尖尖的薔薇
愛的籬牆呵護著真善美

　　眉葉上含著笑
　　花龐裏暈著美
　　薔薇　紅彤彤的薔薇
　　羞澀像雲霞緋

薔薇別號「野客」，寓意「愛情」。
佳馨為雲霞姐制一聯：
　　祥雲
　　瑞霞

　　雲霞姐生就活潑潑的撩人，和佳馨有緣，李群玉《臨水
薔薇》曰：「似濯文君錦，如窺漢女妝。」
　　雲霞姐給佳馨織了一件粉紅絲線衫，花樣精巧細緻，佳
馨穿在身上十分合適，人人誇俊。
　　佳馨無以回報，作詩一首

謝姊織衣
　　採一抹桃花的嬌豔
　　撚一縷冰絲的柔軟
　　摯情蘊圖　秀生生
　　針尖輕勾　俏瑩瑩
　　羅衫猶含指痕香
　　錦紋正閃蕙心靈

　　柳池邊　綠蔭下

妹妹穿著戲鴛鴦
披一襲
愛的雲霞裳

張潮《幽夢影》：「雲映日而成霞，泉掛岩而成瀑。」佳馨有友雲霞、岩琳，幸甚！

絕　情

清晨。李然叫佳馨幫他提水上樓。

茶杯放在桌沿。佳馨提那暖瓶似有千鈞重。她沒給李然倒水。

佳馨走出室外。

曾幾何時，倆人親密無間，相對品茗。如今，倒杯水也不可能。

此刻，佳馨心清如水。

佳馨回憶以往，男人女人之間的賞識、崇拜一旦消失，魅力就蕩然無存。

女子要獨立。

「世上只有詩，不是通過請求關心獲得的。」

佳馨

熱愛新生活

柳吐絨芽　筍泌新粉
荷芰凝露　梅綴雪純

乳鶯嬌滴滴試嫩喉
嬰兒欣欣然睜睡眼

每一秒都是樂趣
每一天都是生日
每一季都是春天
每一時代都是歷史新紀元

細胞嬗變　血液循環
肌體像菩提　慈心正念
喜怒哀樂　苦辣酸甜
情感像浪花滄海桑田
幼稚成熟　深刻渾圓
思維像試玉真歸樸返

過去的膠片不必用悔恨淚水沖洗
未來的願景待理智數碼相機預算
珍惜熱愛今天的新生活
對著當下的鏡頭　綻放自信勇敢的笑顏

剪窗花

佳馨向雲霞姐學

剪窗花
心願與剪刀的唭嚓聲交談

祝福在一頁頁紅紙上蜿蜒

刀尖一亮鳥語花香
刀身一閃竹報平安
刀口一開財神迎來
刀鋒一抿魚躍龍門
刀刃一對鵲橋相會
刀柄一收松鶴延壽

風聲呼嘯 傳遞雞鳴犬吠
炊煙嬝嬝 飄揚年景豐饒
滿窗洋溢民俗文化工藝
歡快的音符扭起紅秧歌戲

佳馨剪好一對金童玉女打著大紅燈籠，貼在明信片上，寄給遠方的馬克。

佳馨給金姐拜年：「過年好！」
金姐笑：「我天天都在過年！」
佳馨驚歎：「姐姐真是出世之人，日日月月都是吉祥天。」
金姐讓佳馨感到世上尚有一個快樂的女子，笑語永遠花開般悅人。
佳馨自問：自己何時也能境隨心轉？
再一深思：自己所見人人眾眾都是吉祥者，也歡喜無限。

詩人的祝福

佳馨單位開茶話會。
佳馨遞給書記一個橘子，書記送她兩個。
佳馨心頭一熱，即興朗誦自己的新作

元旦頌

往事的根鬚已縈入大地
情感的枝葉生長萋萋愛意
思想的培育默默無語
智慧的嘉果清香四溢
煙花綻響小康藍圖的序曲
讓我們齊來歌頌　齊來獻禮
春姑娘一年比一年美麗
迎來更多花香鳥語
祝領導們事業蒸蒸日上　闔家吉祥富裕
祝姐妹們工作順順利利　事事美滿如意
恭喜！恭喜！恭賀新禧！

佳馨鞠躬完畢，同事們喜笑顏開。
書記後來買給大家的香皂、牙膏都是「詩朗」牌。

人人皆說佳馨

純

純成一顆水晶瑩潤
透明獨立堅貞
純成一片薄冰冷清
渴望火種暖融
純成一粒吳鹽精粹
鹹澀難以品味
純成一滴淚珠欣慰
滑落
永不戚悲

佳馨心目中有一位

女詩人

蘭生幽谷　清秀脫俗
胸懷坦蕩　恬適自如
凝甘露為心
敷柔情為肌
化瓊玉為骨
娟娟春媚　輕籠香霧
浴日山茶一樣甜美芳馥
矜持含蓄　高貴莊靜
含情牡丹一樣富麗堂皇
高謝風塵　精神灑脫
月下白蓮一樣清新純淨
雅中蘊豔　韻致娉婷

高挑雲杉一樣優美長青
捧一本紫色布面詩集
純樸天真 至情至性

春 聯

除夕。
佳馨和家人包餃子，佳馨包得又快又好。
家家戶戶都貼上

春 聯

虔誠的心願
平仄對偶 映襯房門兩邊
殷紅的紙溢著
紫氣氤氳 寶光浮現
妙筆生花 龍飛鳳舞
描繪春光無限
奇思妙想 菩薩心腸
詮釋升平盛世

墨香醇厚 志得意滿
有道有為有守
立德立功立言
才高行潔
春滿乾坤來瑞鶴
花開錦繡照青松

　　吉祥如意
　　坦腹高風
　　畫眉可欽
　　天作之合

　　濃濃的情　醇醇的愛
　　時時祥瑞盈門
　　留住幸福溫馨

　　適值鞭炮聲響，父親出上聯：爆竹聲中辭舊歲，佳馨對下聯：梅花香裏慶新年。

　　春節。
　　窗臺上的並蒂蓮橙紅嬌豔……
　　佳馨歎息：真辜負了這麼好的花兒，這麼好的心意……
　　並蒂蓮只開了一朵，另一朵遲遲不開，佳馨心裏焦急

　　　　問　花
　　窗臺上的並蒂蓮
　　一朵含羞　一朵嬌豔
　　為誰矜持　為誰愛戀
　　問花的只有淚眼

　　三天後，另一朵終於開了，兩朵花依偎在一起，那麼親密……佳馨把並蒂蓮贈給熱心腸的鄰居楊家阿姨，她和愛人夫唱婦隨，真像一對並蒂蓮！

佳馨祝願：心地善良的草根夫妻會在上帝庇佑下蓮開並蒂，甜美如蜜！

佳馨和家人挨戶觀賞鄰居家的春聯，祝福睦鄰友好，家家美夢成真。

佳馨也有

夢

多少多少次夢想
夢想人間的天堂
多少多少次盼望
盼望著實現夢想

空氣像過濾似的清新
蔥鬱森林　叮咚泉韻
湖泊像藍寶石般閃亮
草坪像詩一樣抒情
點綴著鮮豔野花
小傘似的蘑菇撐

狐狸和兔子玩捉迷藏
兒童騎在老虎身上閒逛
田園牧歌從牧羊人笛中吹響
日神酒神齊酣暢
僅有令人振奮的喜訊
每個人笑容燦爛　各有特長

「不忮不求 何用不臧」

小夥園丁般辛勤

姑娘花兒般芳香

愛情使他們永遠年輕漂亮

全世界像一個親密大家庭

和諧 富足 興旺

向遇到的每一個生靈致敬

把造化之美細細欣賞

彩虹 太陽 星空 月亮

山川 平原 溪流 海洋

啊！

人世間是宇宙最美的天堂

包 裹

佳馨收到寄自法國的一件包裹。

打開一看，是一條長長的白色蟬翼紗紗巾，附一封信

佳馨：

你好！

我一直忘不了那個夏日。你一襲白紗衣，恍然如淩波仙子。你給我的印象宛如維瓦爾第的「春」，整個人帶著經典的古雅文靜。

純潔如透明的山百合；清高如優雅的素心蘭；含蓄如澀澀的青橄欖，只有細細品味，才留下悠悠餘香……

當春波綠醉了曉風，陽光燒灼了彩虹；當牧笛吹醒了田疇，楓葉渲染了愛情，你是否在嚮往巴黎？

等你！

馬 克

佳馨笑了，彷彿她正繫著粉紅蝴蝶結，穿白色長裙，披白紗巾，和馬克攜手漫步在塞納-馬恩省河左岸，聽著香頌……

但佳馨哪兒也不去。

離開祖國，恍如斷線的風箏，隔世的鐘磬；落葉離根的飄零，杜宇喚歸的哀鳴……

她青春的童心永戀中國，「存亡慣見渾無淚，鄉井難忘尚有心」……親愛的祖國，她摯愛的土地，最親愛的家！她為每一塊田野動情，為每一朵浪花驚喜……

佳馨即興作

中國頌

蔚藍的大氣繈褓般呵護著
太陽系的行星地球上
一片九百六十萬平方公里雄雞般屹立的土地
十三億人民安居樂業 歡歌笑語
啊！祖國，這就是您！

您騰雲駕霧 波瀾壯闊的滔滔黃河
母乳哺育代代中華兒女
搖籃般溫暖愜意
您驚濤駭浪 飛湍瀉玉的滾滾長江
滌清我們胸懷寬廣磊落坦蕩

雲帆般潔淨昂揚
您三皇五帝高貴的血緣
嗣續我們勤勞善良炎黃子孫的繁衍
您七夕相會　喜鵲搭成的戀橋
牛郎織女執手瞻望
我們的人造地球衛星淩霄直上
您桂樹蓊翳　蒼鬱欲滴的廣寒宮
嫦娥舞袂飄逸連系
神舟一號宇宙飛船的確定軌跡
您幽雅清韻的洞簫牧笛
莊嚴肅穆的黃鐘大呂
演繹天籟的神奇奧秘
您工整方正的象形文字
親切悅耳的鄉音土語
銘心刻骨悠久文化樹大根深的經典傳奇
您天才創造四大發明的奇思妙想
開拓世界科學發展的先河濫觴
您蜿蜒盤旋的萬裏長城
堅實臂膀撐托中華民族發憤圖強　當仁不讓壯志豪情
您威風凜凜的西安秦俑
雄姿英發彰顯華夏男兒碧血丹心　金戈鐵馬彪悍隆重
您花團錦簇的絲綢之路
縈繞中國和西域息息相通的紐帶中樞
您雕樑畫棟　廳堂亭榭高懸的門區題額
昭明聖賢仁者博愛無私的嘉行懿德
飽經滄桑　更加熠曜生色

您鼎譽冠世 空前絕後的《紅樓夢》
血凝春露 淚泣秋霖
情天恨海 寤寐終醒
您漫少年演唱的花兒
高亢舒暢 醇化彩翠田野
聲遏虹嵐 祥雲燁燁
啊！祖國！

您慷慨獻身的黃花崗七十二烈士
奠定民主共和國的豐碑基石
您激昂雄壯的《義勇軍進行曲》
譜寫天之驕子威武不屈的勝利史詩
您松柏四季常青 鐘靈毓秀的五嶽獨尊
涵養我們偉岸浩然的正義氣魄
您庾樓九江洄漩 虎踞龍盤的六朝重鎮
鑄就我們堅韌不拔的果敢品格
您洛陽國色天香 姹紫嫣紅的牡丹
煥然一新我們純真愛情萌動的羞赧
您蘇杭清幽芬芳的茉莉
含商咀徵人間天堂的昆曲評彈
您深圳幽雅華貴的玉蘭
爭奇鬥豔改革開放的明媚春天
您紫荊花綻放的東方之珠
晶瑩閃爍東道主笑迎八方來客的生機盎然
您潤水悠悠的采菱蘭舟
碧漪蕩漾阿裏山姑娘出水芙蓉的鮮妍裙衫

啊！祖國！

我們深愛著您　親愛的祖國
愛您鳶飛魚躍　鶯歌燕舞春的生機
愛您高柳鳴蟬　荷芰飄香夏的旖旎
愛您流金溢彩　萬山紅遍秋的綺麗
愛您白雪皚皚　淡泊寧靜冬的旨趣
啊！祖國！

您是天安門城樓前矗立的漢白玉華表
沐風櫛雨　一塵不染
見證五千年曆史中華民族復興藍圖的座標
您是天女水袖　播灑花雨繽紛
孕育累累甜蜜豐收的碩果
馨香禱祝錦繡河山升平盛世的喜悅
啊！祖國！

您賜予我們的天高地厚
我們要為您蒸蒸日上　繁榮興旺的願景
傾灑血汗　披肝瀝膽　再創佳績
把您建設得更加富麗堂皇
我們要為您傳宗接代　香火綿延
龍的傳人舉世永繼　頂天立地
啊！祖國！

海燕翺翔曾母暗沙

檳榔香溢海角天涯

珠穆朗瑪峰飄下聖潔哈達

啊！祖國！我們親愛的祖國！

您輝煌形象美如朝陽　神明之式　惠澤無疆

映襯著蒼穹　濃彩繽紛絢爛的霞光

鳴響鏗鏗鏘鏘的和衷共濟的曠典

浴火重生　鳳凰涅槃

您歷史車輪馭風前進　所向披靡　銳不可當

跳動新時期自強不息　勇往直前的脈搏

鏤寫鐫刻厚德載物映照汗青印轍

春潮澎湃　春雷激越

佳馨給馬克回信，只有一句：不如憐取眼前人。

　　佳馨和家人去乾隆禦筆親題「天下第一莊」的臺兒莊古城，緬懷那場鼓舞士氣、振奮人心的殲滅日軍大捷之壯舉……畫舫漁舟，運河縱橫；亭臺樓閣，碧瓦朱甍；楊柳微拂，古韻新風……佳馨看中一件鴛鴦牡丹刺繡桃紅粗布衫，是當地手工藝特產，以作紀念。

　　「姐姐穿上真像新嫁娘！」妹妹取笑。

　　我還想繼續做單身貴族吶！佳馨眼珠一轉。

緣　分

　　真性情的佳馨總給人愛情的感覺。她把對愛情的體驗視

作迎接他者的豔遇：羞答答的玫瑰靜悄悄的開……

　佳馨心儀一個男生，他被稱為「中國青年的偶像。」

　她查如釗的資料，發現兩人志趣相投，都熱愛中國古典文化。

　佳馨時常從夢中笑醒。

　閱覽室的鋼窗框上，一隻喜蛛結網，忽著佳馨衣上。

　佳馨

抒　懷
　除了自然　藝術　愛情
　世上我對一切不掛懷
　沒有愛情
　我仍能生存下來
　沒有自然　藝術
　我跟世界說 BYE-BYE

　佳馨狂妄得把藝術凌駕於愛情之上，結果，受到重創。

　她才懂得主管愛與美的金星維納斯是她的庇佑女神。

　久候如釗回信不至，佳馨夜裏羞急得失聲痛哭，因為，如釗在微博中坦言：「我喜歡短髮女子。」

　佳馨寫下一首

New Sonnet
My love pea is bitten,
My love knot is broken;

Tears like a stream flowing down,
Now become ice frozen.
What do you think of yourself?
A hunk,hunter or hot lover well-known
Fancying flowers,flattery and fruition.
What do you think of myself?
A beggar,babbler or bargain
Waiting,wanting and weeping alone!
For the past many days,
You were forbidden fruit;
In the coming new yeas,
You are a forgotten faint heart!

新十四行詩

敲碎相思豆，
斷裂同心結；
淚水涓涓流，
凝凍成冰河。
汝意欲如何？
處處受逢迎，
香閨夢裏客；
汝意吾何是？
時時眉黛顰，
斯人獨幽咽！
昔日是禁果，
踟躕慕華澤；

如今為懦夫，
忘之情意絕！

面對

春雨芭蕉

珠灑碧釉　流光溢彩
風致翩躚
妙趣橫斜　噴花瀉玉
悠然聆聽
霖霪弦音　鳥啼琴韻
窗下欄旁心緒舒卷
挽留煙雨
索繪淋漓寫意
求擬婉約小令

芭蕉　水彩一樣的碧綠
映襯紅玉一樣的櫻桃
鮮明得汁液欲滴

雨的柔指輕撫
情思翠得幽幽
溶著大朵大朵的雨花
白衣女子
探索芭蕉深處
祈禱

愛　天長地久

佳馨寫下：「難解芭蕉一寸心。」
午後。
佳馨上班的路口，如釗伏在摩托車座上朝她笑意晏晏，
自信、包容、燦爛……
佳馨繫綠蝴蝶結，穿著蕾絲邊褐色 T 袖，淺黃布裙，黑
高跟涼鞋，直視他一眼，緊抿雙唇，滿族格格般走過，定力
百分之百，心香一瓣，未向他綻放……

如今，佳馨失去如釗燃燒的笑容，頓感心頭荒涼

悄　問

漂泊的你啊　又在何方
是在花天酒地的大都市
是在楊柳成行的小村莊
夜露可曾打濕你的雙腳
你可曾聽見蟋蟀的吟唱

獨自望著月亮
在花好月圓的晚上
為遠方的你黯然神傷
歸來吧　就在明天早上
放下行囊　坐在我的桌旁
全世界的玫瑰同時綻放

可是

為什麼你還不來
山坡上　玫瑰花兒開
蜜蜂嗡嗡辛勤採花蜜
為什麼你還不來

森林間　浮動著暮靄
喜鵲紛紛都飛回窩巢
為什麼你還不來

海潮漲　親吻沙灘
窗口朵朵燈花兒綻開
為什麼你還不來

為什麼你還不來
思念的心伴著歲月徘徊
癡情的愛還在等待
等待你再來

佳馨強忍

思　戀
其實　你遠在天邊
你卻　又近在眼前
峰一樣矗立的身軀

有棱有角的濃眉大眼
意象蘊藉　風雲際會
向我傾吐萬語千言
多麼想撲進你溫暖寬厚的胸懷
細說我的思念　我的嚮往
卻只能手顫抖著
不敢撫摸照片上你英俊的臉龐

媽媽無意中看見了，對佳馨說：「你不覺得這樣寫太低……不像個淑女嗎？」

佳馨堅持：「比起繁文縟節的淑女，我更喜歡鄉下姑娘的坦率和真實！」

佳馨心中為如釗

感　歎

愛戀你
雖未驚心動魄
一見鍾情

想念你
無端割捨不下
魂牽夢縈

痛恨你
仿佛事不關己

無動於衷

忘記你
卻又叮咚響起
印象風鈴

漠視你
淚水風起雲湧
何去何從？！

　　當他在電視螢幕上出現，打著粉紅領帶，說：「我是如釗。」佳馨禁不住打了個哆嗦。
　　他和同事的照片在《齊魯晚報》出現，共十人。
　　妹妹一眼猜中如釗。於是，翻來覆去地唱：「愛就一個字，我就說一次，恐怕勾起了聽的人相思……」邊唱邊調皮地看佳馨。
　　佳馨從電視中看出如釗的女友，上網一查，果然。
　　佳馨有慧根，決心了斷對如釗的絲絲情緣。
　　佳馨忘不了如釗曾經的

笑　顏

你笑　神秘
明星灼灼閃爍
靈光激灩明河

你笑　柔和

月光灑成銀瀑
浪奔潮起潮落

你笑　晴煦
朝陽七彩光澤
映亮盈盈秋波

如釗發的微博，佳馨一看，是席慕容的詩

可是　究竟是哪里有了差錯
為什麼　在千世的輪回裏
我總是與盼望的時刻擦肩而過
風沙來前
我為你曾經那樣深深埋下的線索
風沙過後　為什麼
總會有些重要的細節被你遺漏
……
今生重來與你相逢
你在櫃外　我已在櫃中
隔著一片冰冷的玻璃
我熱切地　等待著你的來臨
在錯愕間　你似乎聽到一些聲音
當然　你絕不可能相信

　　佳馨看後，久久不能釋懷……　她甚至萌生了去探望
如釗的念頭，但還是抑制住，此去莫不是飛蛾投火？

冥　思

家園是一方質樸的土地
愛情是一種質樸的感情
在這夏夜的神秘之境
寂靜的田野蕩漾心旌

誘人的花香暗暗氤氳
心房莫名其妙地衝動
受過了城市文明的異化
沉醉於溫柔鄉戀的酩酊

夜鶯嬌聲　盡情地鳴囀
貫通幽微的心靈感應
悄悄地點燃思念之火
獨自想你直到天明

　　酷暑難耐，佳馨買來一柄團扇，畫中梅竹背景下的仕女
眉目嫻靜，秀外慧中，魏晉南北朝裝束，如釗最欣賞的女子
古裝。
　　佳馨拿起扇子，扇了扇，心裏輕喚：如釗如釗⋯⋯
　　扇面和扇柄忽而分開，佳馨想不通。她用手一正，扇子
完好如初，於是，佳馨放置箱籠，作

無　題

我是一隻挺立懸崖的仙鶴

你未能目睹它的無瑕超脫
領略它的清雅活潑

我是一幅久鎖高閣的書法
你只能猜測它龍飛的叱吒
想像它鳳舞的遊霞

我是一首田園樂章的華彩
你錯過聆聽它春朝的天籟
感應它秋夜的幽懷

我是一段洛陽紙貴的長調
你怎會讀懂它自然的奧妙
顫慄它婉約的愛嬌

我是一顆深藏迷宮的翡翠
你難以鑒賞它嫩綠的精髓
領悟它晶瑩的氛圍

我是一個神靈許下的美夢
你無緣沉醉它飄渺的仙境
圓滿它吉祥的豐盈

　　如釗喜歡布拉格的一幀少女持花肖像畫，他拍下來，發
在微博上，但他也許永遠不會知道佳馨就像那位持花少女！
　　有人愛藝術，有人創造藝術品，有人天生就是一件

藝術品。

　　佳馨最後一次看如釗的微博：未知死，焉知生？
　　佳馨大驚，她的身體搖晃了兩下，差點摔倒在地。強自
鎮靜，寫下

愛
愛　無聲
像火山下即將噴發的岩漿
暗流潮奔浪湧

愛　難猜
像高掛在枝頭上的紅石榴
酸甜隱藏霞彩

愛　永恆
像閃爍於夜幕中的長庚星
天亮又叫啟明

　　佳馨畫畫：
浪漫不是粉紅風信子「傾慕」開在眉眼；
浪漫是紅風信子「讓我感動的愛」埋在心間。
風信子的花語是：讓風相信你
風相信佳馨對如釗的祝福。
　　春天，隔壁園子裏開滿了紅色和粉紅的風信子，一隻白
頭翁在樹上高歌……

關於月的故事

2009 年 10 月 9 日，美國「雙擊月球」成功。

看著電視螢幕，佳馨泫然欲泣。

宇宙不容破壞。

「己所不欲，勿施於人。」如果有外星人雙擊地球，又如何？

美國進行太空科研無可厚非，但保護宇宙的秩序安寧同樣是地球人義不容辭的責任。

觀眾對雙擊月球「不美」失望，佳馨對美國科學家失望。

佳馨想，世人慶賀，自己一人向隅，是否愚蠢之舉？

她翻書：「愚笨的信念才是真正意義上的睿智。」

六歲時，佳馨還是個小女生。月夜，坐在凳子上和家人鄰居們等著看露天電影。

她心想：要是全世界都是一家人，圍坐在一起賞月，多好！

那時，佳馨就有了「天人合一，天下大同」的夢想。

長大後，佳馨讀過一段書：

「冠兒不帶懶梳妝，髻挽青絲雲鬢光，金釵斜插在烏雲上。喚梅香，你與我捲起簾兒，燒一柱兒夜香。」

佳馨想：是出去拜月許願吧。

拜月是古代婦女祈禱幸福的一種方式。

佳馨見過外祖母珍藏的貂蟬拜月髮繡。

倫文敘詩雲：「潛心奮志上天臺，瞥見嫦娥把桂栽。偶見廣寒宮未閉，故將明月抱回來。」

佳馨也想上天攬月，不讓她再受傷害。

「宇宙內事，乃己分內事；己分內事，乃宇宙內事。」此即物我合一。

馬可‧奧勒留說：「在星球之上沒有罪惡。」

佳馨認為，危害星球即是罪惡。

玫瑰路

佳馨下班回家的路兩旁，被一個陌生的男生撒滿鮮紅的玫瑰花。

佳馨走在其中，撿起一朵玫瑰，義無反顧，真願一直走下去……

繼　續

愛　藏在心裏

卻未通一語

荊釵佈裙　等你

只因不敢辜負

皇天后土　姻緣愛意

不論　能否再見

你

依然是我心中

最濃鬱的情感

此刻，海晏河清，氣象升平……

《吉祥經》曰：「一切為天下，建立大慈章，修仁安眾生，是為最吉祥。」

佳馨感恩社稷有道。

黎明。

佳馨心血來潮，翻開《三聯生活週刊》，重新審視如釧的相片，發現他的

眼　睛

　　怎如想像的清澈
　　黯淡的眼白雲浮霧遮

　　不是猜測的堅定
　　深褐的眼球躲閃迷濛

　　難比神往的明亮
　　微弱的瞳孔隔離陽光

　　啊　我的眼睛
　　清澈　堅定　明亮
　　愛的精靈深藏
　　你的眼睛難以打動
　　我童貞幽嫻的心窗

她終於

明　白

愛你　幻滅
不愛你　直覺
我只要一見鍾情的傳說

周遊世界　足跡
極天際地　心旅
你光環閃耀的履歷
我不置一語

相戀　自由
自欺　癡迷
今生情緣
你我各奔東西

佳馨另覓新歡，舉目遙望：碧空青陽，雁陣振翮高翔……

也　許

也許　有一天
我紅袖添香
唱《天涯歌女》陪在你身邊
也許　有一天
你談笑風生
給我講你有驚無險的罹苦患難

也許　有一天
我們相遇佛緣
佛緣即是姻緣

也許　有一天
我們只能再見
再見就是不見

也許
我們之間的故事
永遠未完

秋去春來有時盡
鴻飛寄情無極限

佛　光

西元 2010 年 8 月 18 日，萬佛歡喜日前夕，早 6 時 52 分左右，泰山極頂碧霞祠上空，佳馨親見

佛　光

岱嶽巍峨　再現佛光
秦皇登基　文景之治
大唐貞觀　康乾盛世
佛光四現　今又重觀
中國幸甚　世界幸甚

　　幸甚至哉　是以為記

旁有一女為人占卜。

佳馨虔心默禱，得一籤：

　　漢宮紈扇，
　　唐風牡丹，
　　曲盡心意，
　　命隨意轉；
　　得佛圓音，
　　具眾相好。
　　愛本簡單，
　　愛本深摯，
　　愛得善終。

　　詩籤求罷，佳馨順其自然，圓融大信人世間：「世界和平　人類安康」。
　　這時，從遙遠的地平線走來了一個人，佳馨似曾相識，素面羞澀，芳澤暈紅……
蝶香夢
　　我倆惺惺相惜
　　寶哥哥鶯儔林妹妹
　　融洽甜蜜
　　木石前盟緣定嶄新傳奇

我倆甘之若飴
梁山伯合巹祝英臺
喜纏連理
彩蝶天仙舞賀天悅婚禮

我倆心有靈犀
阿黑哥結縭阿詩瑪
盎然春意
馬鈴響叮噹百鳥廵鳳儀

我倆聯珠合璧
羅密歐迎娶朱麗葉
燭花彩溢
千古佳話贊完美伉儷

我倆如膠似漆
董永哥巧配七仙女
銀河迷離
喜鵲搭彩虹橋朝夕團聚